épices

un monde de saveurs

Michael Bateman

Sélection
du Reader's Digest

Remerciements

Merci avant tout à ma femme, Heather Maisner, qui a coécrit ce livre, mettant de côté ses propres ouvrages pour enfants afin de m'aider à mener ce projet à bien.

L'époque ne s'est jamais aussi bien prêtée à l'exploration d'un sujet tel que les épices. Je suis infiniment reconnaissant envers mon éditeur, Kyle Cathie, qui a su le pressentir. Merci, également, à Sarah Epton, directrice de publication, pour ses encouragements, au maquettiste Paul Welti, au photographe Steve Baxter, aux stylistes Linda Tubby et Penny Markham, qui ont créé de si magnifiques photographies, ainsi qu'à mon agent, Abner Stein.

Je tiens ici à remercier mes nombreux amis auteurs culinaires qui, tous, partagent ma passion du voyage. Merci tout particulièrement à mes amis, chefs, auteurs et collègues : Caroline Conran et Robert Carrier (Europe), Elizabeth Lambert Ortiz (Mexique, Amérique latine et Antilles), Susanna Palazuelos et Susana Trilling (Mexique), Elizabeth Luard (Amérique latine et Espagne), Maria José Sevilla (Espagne), Anna del Conte et Antonio Carluccio (Italie), Claudia Roden et Anissa Helou (Moyen-Orient), Jamie Jones (Égypte et Liban), Paula Wolfert (Maroc et Méditerranée), Vatcharin Bhumichitr et David Thompson (Thaïlande) et Paul McIlhenny (Louisiane).

Merci également à Peter Gordon (Nouvelle-Zélande), Tetsuya Wakuda et Vic Cherikoff (Australie), Deh-Ta Hsiung et Kenneth Lo (Chine), Kimiko Barber et Hirohisa Koyama (Japon), Madhur Jaffrey, Camellia Panjabi, Meena Patak, Lesley Forbes, Pat Chapman et Julie Sahni (Inde), T. Pubis Silva (Sri Lanka), Renata Coetzee, Myrna Robbins et Topsy Ventor (Afrique du Sud), Violet Oon (Singapour), Sri Owen (Indonésie), Marc Miron (Bali), Andrew Dolby et David Wolfe (Corée).

Parmi la très riche documentation que j'ai consultée, citons *Oxford Companion to Food* d'Alan Davidson, *Cambridge World History of Food* (Kiple and Ornelas), *History of Food* de Maguelonne Toussaint-Samat's et *Cook's Encyclopaedia* de Tom Stobart ; ainsi que les travaux de Margaret Shaida et Nada Saleh (Moyen-Orient), Ghillie Basan, Artun et Behan Unsal (Turquie), Charmaine Solomon (Asie), Bruce Cost (Extrême-Orient), Diana Kennedy (Mexique), Dorinda Hafner (Afrique) et Marc Millom (Corée) ; et ceux d'Elizabeth David et Jane Grigson.

Épices – Un monde de saveurs est l'adaptation française de *The world of spice*, publié par Kyle Cathie Limited.

Cet ouvrage a été réalisé sous la direction de l'équipe éditoriale de Sélection du Reader's Digest.
Direction éditoriale : Gérard Chenuet
Responsable de l'ouvrage : Christine de Colombel
Suivi éditorial : Bénédicte Robbe
Lecture-correction : Catherine Decayeux

ADAPTATION FRANÇAISE
Réalisation : Agence Media
Traduction : Liliane Charrier, Françoise Zimmer
Consultante : Françoise Zimmer
Lecture-correction : Élisabeth Le Saux, Catherine Lucchesi
Montage PAO : Laurence Canaveira, Marie-Hélène Mateos

Couverture : Irène de Moucheron

Suivi technique : Olpan

ÉDITION ORIGINALE
Textes © 2003 Michael Bateman
Photographies © 2003 Steve Baxter
(voir crédits photographiques page 240)

ÉDITION FRANÇAISE
© 2004, Sélection du Reader's Digest, S.A.,
1 à 7, avenue Louis-Pasteur, 92220 Bagneux
Site Internet : www.selectionclic.com
© 2004, Sélection du Reader's Digest, S.A.,
20, boulevard Paepsem, 1070 Bruxelles
© 2004, Sélection du Reader's Digest (Canada),
Limitée, 1100, boulevard René-Lévesque Ouest,
Montréal (Québec) H3B 5H5
Site Internet : www.selectionrd.ca
© 2004, Sélection du Reader's Digest, S.A.,
Räffelstrasse 11, « Gallushof », 8021 Zurich

ISBN : 2-7098-1541-9

sommaire / sommaire / sommaire / so

introduction / introducti

Bâtonnets de cannelle dorée,
à la saveur chaleureuse.

Qui n'apprécie pas les épices ? Leurs arômes capiteux titillent les sens et stimulent l'appétit. Leurs parfums flattent l'odorat – celui de la vanille, de la cardamome ou du clou de girofle nous laisse anticiper les plaisirs à venir – à moins qu'ils ne masquent les odeurs désagréables dégagées par certains aliments à la cuisson – le safran ou le laurier, par exemple, métamorphosent une soupe de poissons.

Sur le palais, les épices défient les papilles de leur saveur douce, aigre, amère, salée ou bien piquante, comme le gingembre et le poivre, le piment et la moutarde, le raifort et le wasabi.

Les épices sont synonymes d'exotisme, de contrées lointaines et de cultures gastronomiques inconnues. Elles font rêver. Songez à la cuisine indienne, par exemple, et à son art d'orchestrer des dizaines d'épices en d'infinies combinaisons !

Sel, sucre, épices et autres aromates, que serait notre gastronomie sans eux ? L'homme préhistorique se nourrissait de racines, de fruits, de petits animaux, de poissons et d'oiseaux. Il s'estimait déjà heureux d'en trouver suffisamment pour assurer sa survie. Il lui a fallu des millénaires pour maîtriser le feu et raffiner la monotonie de son régime quotidien par l'ajout de feuilles, graines et écorces aromatiques.

Au-delà de leur valeur gustative, le sel, le sucre, les herbes et les épices s'avérèrent peu à peu essentiels à la survie humaine, grâce à leurs précieuses vertus thérapeutiques et conservatrices. De nombreuses herbes, tels le thym et le romarin, contiennent en effet des huiles essentielles bactéricides.

L'homme a appris à manier les épices. Le sel, qui rehausse les saveurs, possède aussi des propriétés conservatrices qui en firent l'une des denrées les plus prisées au monde. Il absorbe l'humidité contenue dans les aliments et empêche le développement des bactéries présentes dans l'air. Ainsi peut-on conserver pendant des mois viandes, poissons et légumes en saumure.

Les Chinois furent les premiers à s'intéresser aux vertus médicinales des plantes, graines, écorces et racines, vertus qu'exploitèrent ensuite les médecins grecs et les Indiens avec la médecine ayurvédique.

C'est surtout la volupté des épices qui séduisit les gourmets et favorisa l'épanouissement du commerce entre l'Orient et l'Occident. Dans les milieux aisés, les épices les plus parfumées (cannelle, noix muscade, clou de girofle, gingembre et poivre) devinrent des signes extérieurs de richesse. Le poivre fut même élevé au rang de

rançon royale – un empereur romain en offrit aux Goths, qui assiégeaient Rome, pour les dissuader de mettre la ville à sac.

Au fil des siècles, Bagdad, Le Caire, Venise, Gênes et Lisbonne s'enrichirent tour à tour en contrôlant le commerce des épices, denrées aussi prisées que l'or, l'argent, les pierres précieuses ou les parfums exotiques (ambre gris, encens, myrrhe). La quête des épices et des profits qu'elles engendraient façonna notre histoire, de Marco Polo, premier grand voyageur en Orient, à la Compagnie des Indes orientales, qui fit de l'Inde le « joyau de la Couronne britannique », en passant par Christophe Colomb, qui découvrit l'Amérique.

Toutefois, les monastères du Moyen Âge, foyers de connaissance, cultivaient déjà des herbes dans leurs « jardins des simples » : les moines étudièrent leurs vertus médicinales bien avant que les cuisiniers n'en parfument leurs plats.

Le grand herbier (Complete Herbal) de Nicholas Culpeper, célèbre botaniste et médecin anglais du XVIIe siècle, répertorie plus de quatre cents herbes et leurs usages, sans mentionner la cuisine. Il ne recommande même pas l'emploi culinaire du safran, alors qu'il était cultivé dans la région de Cambridge, en Grande-Bretagne. « Il rafraîchit les esprits, écrit-il, préserve des évanouissements et des palpitations, fortifie l'estomac, facilite la digestion, purifie les poumons et apaise la toux. Il soigne l'hystérie. Mais, consommé en trop grande quantité, ajoute-t-il, il provoque un rire convulsif et incontrôlable menant à la mort. » Rien sur la nourriture.

Le paprika, l'épice nationale en Hongrie, fut introduit par l'Église pour en étudier les propriétés médicinales. Les moines n'en découvrirent aucune, mais la plante séduisit par ses qualités esthétiques. Puis les Hongrois agrémentèrent leurs spécialités de paprika et en apprécièrent le goût. Ce n'est toutefois que quand l'occupant ottoman en interdit la culture que sa valeur décupla. Cultivé en catimini, le paprika devint essentiel à la gastronomie locale : les Hongrois en consomment aujourd'hui pas moins de 5 kilos par an.

Ma passion pour les épices est née à Hongkong, où j'ai séjourné un an et demi. Tout a commencé par une question : comment les Chinois, qui utilisent les mêmes ingrédients que nous, obtiennent-ils des saveurs si différentes et pourtant si flatteuses ? En les relevant de gingembre frais, de cébettes et d'ail, de sauce soja,

À Amsterdam, un vendeur pile ses propres produits. Il a pris la suite de son père dans une boutique spécialisée dans les épices comme il en existe ici depuis des siècles.

de piment, de sauce *hoisin* et de cinq-épices à l'arôme anisé.

Au fil des ans, mes activités d'auteur culinaire m'ont amené à voyager aux quatre coins du globe et à me plonger dans les grandes cuisines du monde – Italie, Espagne, Chine, Maroc et Turquie, Amériques, Inde et Sri Lanka, Asie du Sud-Est, Indonésie, Japon, Afrique et Australasie.

La chasse aux épices est devenue une obsession, des piments brûlants du marché central d'Oaxaca, au Mexique, aux cardamomes du Kerala, grand centre de production d'épices exotiques.

Ma dernière aventure m'a conduit à Zanzibar, ancienne plaque tournante du commerce, où Arabes, Indiens et Africains ont fusionné en une seule identité sous la bannière des épices. Avec les sultans d'Oman, Zanzibar devint le premier fournisseur de clous de girofle. Les exploitants achetaient les graines à la Compagnie hollandaise des Indes orientales, capturaient des esclaves au Congo pour cultiver les plantations, puis revendaient les récoltes aux marchands européens.

Avec ma femme, nous avons passé une journée dans une plantation, à l'ombre d'immenses cocotiers et de girofliers au feuillage dense et persistant,

dont les boutons de fleurs roses et odorants étaient sur le point d'être récoltés. Nous avons vu notre guide couper les rhizomes du gingembre et du curcuma, superbes plantes aux larges feuilles rappelant celles de la cardamome, dont les fleurs éclosent près du sol, telles des orchidées.

Nous avons effleuré les jeunes rameaux fins du cannelier, dont l'écorce sera transformée en bâtonnets de cannelle. Nous avons récolté des noix muscade, drapées dans un entrelacs de fibres rougeâtres qui, séchées au soleil, donneront le macis.

Nous avons admiré les rameaux grimpants du poivrier, aux feuilles cordiformes d'un vert profond, qui portent de minuscules bouquets de baies, comme autant de grappes de raisins miniatures. Sous leur couvert, nous avons trouvé un vanillier touffu, aux gousses aussi effilées que des haricots verts. Mais impossible de déceler le moindre arôme ! Il est vrai que les capsules prélevées sur les lianes doivent être traitées des mois avant de développer la couleur, la texture et la flaveur si particulière de la vanille.

À la fin de la journée, les mains tachées et parfumées, nous sommes retournés à l'hôtel, les bras chargés d'épices. Des cuisines s'échappait le fumet piquant des grillades de poisson…

Dans l'imaginaire collectif, l'Inde évoque une gastronomie raffinée, riche en épices aromatiques, brûlante aussi. Cette tendance s'explique par le climat très chaud, car la capsaïcine, un composant du piment, favorise la dilatation des pores de la peau et, par conséquent, la transpiration. Elle stimule ainsi le système naturel de régulation de la température corporelle.

Avant même que les Portugais n'y introduisent le piment, au XVe siècle, les habitants du sous-continent indien relevaient leurs plats avec du poivre, qui était alors l'épice la plus prisée au monde. Aujourd'hui, le poivre et les piments demeurent d'importantes sources de revenus pour cette région : l'Inde est premier producteur mondial de piments avec 80 000 tonnes par an, dont environ un quart destiné à l'exportation.

La présence des Anglais sur le sous-continent indien remonte au début du XVIIe siècle. Rien d'étonnant, donc, à ce que la gastronomie britannique ait adopté, depuis les XVIIIe et XIXe siècles, le curry, les chutneys et diverses sauces aux fruits, telle la sauce Worcestershire, à base de tamarin, piment et autres épices. En 1608, le capitaine William Hawkins débarquait à Surat, un port du nord-ouest de l'Inde, pour entamer des négociations avec les Grands Moghols qui régnaient à l'époque sur la région. Il engagea ainsi un long processus de colonisation pour le compte de la Compagnie des Indes orientales. Dans ses lettres, il décrit la cuisine locale comme un « méli-mélo de riz et de viandes, de volailles et de légumes servi avec un mélange de curcuma et d'épices moulues que l'on appelle *masala* ».

Dans un premier temps, sans jamais recourir à la force, les Britanniques fondèrent des comptoirs, à Madras, Bombay

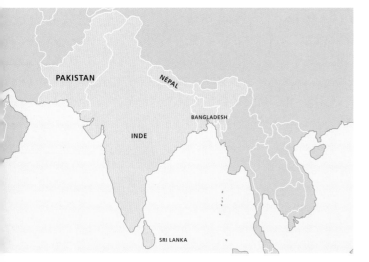

(alors un gros village de pêcheurs) et Calcutta. Puis l'Inde devint la première colonie de l'Empire britannique, le « joyau de la Couronne » de la reine Victoria, qui se fit sacrer impératrice des Indes en 1877. La France, pour sa part, se limita à cinq comptoirs côtiers, dont l'influence sur notre gastronomie reste limitée. Pourtant, les trésors de la cuisine indienne sont légion. Héritiers de Gengis Khan, les Moghols ont légué aux régions du Nord-Ouest des plats riches, à base de viande, mais c'est dans le Sud, notamment dans l'État du Kerala, que l'on peut mesurer toute la subtilité du bon usage des épices.

Un jardin d'Éden
Le Kerala occupe une région côtière verdoyante au climat subtropical, dont le vaste arrière-pays est sillonné de cours d'eau bordés de cocotiers. On y trouve en abondance riz, légumes et fruits de mer, mais cet État est surtout un véritable jardin

Épices et légumes secs en vente sur le trottoir, à Calcutta, en Inde.

d'Éden pour les amateurs d'épices. Ancienne colonie hollandaise, Cochin, qui reste le principal port du Kerala, est dotée d'immenses entrepôts destinés à recevoir le produit des cultures pratiquées sur les versants des collines environnantes, où l'on fait pousser toutes les épices possibles, dont le gingembre, la cannelle, la noix muscade, le clou de girofle et le poivre. Tel le virtuose dont les doigts tirent du clavier les accords les plus harmonieux, les cuisiniers indiens déclinent toute la gamme des épices et des aromates dans ses moindres nuances. Le cumin, par exemple, se présente sous trois formes : la graine crue et pilée possède une saveur douceâtre ; grillée et moulue, elle devient âcre et piquante, tandis que la graine entière, frite, éclate et acquiert un goût de noisette légèrement sucré.

Les Indiens distinguent les currys forts et les currys doux. Les premiers, utilisés en début de cuisson, sont frits pour tempérer et neutraliser leur âpreté. Quant aux mélanges épicés, comme le *garam masala* (qui contient des épices douces, telle la cannelle), ils interviennent en fin de préparation, ajoutant la touche finale.

Subtilité et équilibre dans le dosage des épices sont les maîtres mots de l'alchimie indienne. En Occident, la cuisine sans épices est la règle et la cuisine aux épices l'exception ; en Inde, au contraire, rares sont les plats qui ne contiennent pas un mélange à la fois intense et délicat.

En Europe, les restaurants indiens ont pignon sur rue depuis une vingtaine d'années et leurs spécialités comptent désormais parmi les plus appréciées. Mais voici peu que les mystères et subtilités d'usage des épices sont accessibles à tous, grâce aux ouvrages spécialisés. Aujourd'hui, nous savons que les poudres de curry ne représentent qu'un pis-aller pour les Indiens. En effet, une fois moulues, les épices s'éventent rapidement, car leurs huiles essentielles s'oxydent et deviennent amères au contact de l'air. Il est donc préférable d'acheter les épices servant à composer le curry en graines (coriandre, cumin, cardamome, fenugrec…), de les conserver dans des bocaux hermétiques et de les piler au dernier moment.

Le *vindaloo*

Cette recette, très populaire au Royaume-Uni, nous vient de Goa, un ancien comptoir portugais situé sur la côte sud-ouest du sous-continent indien. Le *vindaloo* est né de l'habitude qu'avaient les Portugais de faire mariner les viandes dans du vin à l'ail pour les aromatiser et les attendrir. En portugais, « vin » et « ail » se disent *vinho* et *alho*, qui durent donner quelque chose comme *vin'd'alho*, puis *vindaloo*. Cette préparation s'est ensuite enrichie des incontournables piments et épices locaux qui, macérés dans du vin et du vinaigre, produisent un résultat explosif.

Les piments rouges au goût brûlant demeurent l'âme de la cuisine indienne.

L'île aux épices

La gastronomie du Sri Lanka (ex-Ceylan), l'île aux épices par excellence, est apparentée à celle de l'Inde méridionale. Le riz au curry, en général bien relevé et un peu aigre, demeure le plat de base. La cuisine cinghalaise intègre également la noix de coco, la mangue verte, l'*amchoor* (poudre de mangue), le tamarin et un fruit acide du nom de *gamboge*.

Le *hopper*, une galette cuite dans une sorte de petit wok, est la vedette du petit déjeuner. Il est farci d'un œuf ou d'un mélange de légumes au curry, toujours fort en goût. Il existe une autre sorte de *hopper*, à base de nouilles cuisinées en forme de galette.

Pour s'adapter au goût des touristes occidentaux, les hôtels tempèrent les currys forts appréciés par la plupart des Sri Lankais. Il suffit toutefois de le demander pour se voir servir une préparation plus authentique. De retour chez vous, recréez les saveurs aigres et relevées de la gastronomie locale et faites revivre dans votre cuisine les sons, les senteurs et les paysages de cette île magique.

pains paratha aux épices (INDE)

En Inde, il existe plusieurs sortes de pains plats appelés *chapati*. Le *paratha*, par exemple, riche et croustillant, est cuit avec du *ghee*, beurre clarifié qui ne brûle pas à la cuisson. Il est ici garni de pommes de terre, pour une recette nourrissante.

POUR 4 PERSONNES (8 *PARATHA*)

POUR LA PÂTE

450 g de farine de blé complète
 + 2 cuil. à soupe pour le plan de travail
300 ml d'eau tiède

POUR LA GARNITURE

500 g de pommes de terre à chair ferme
Gros sel
10 cuil. à soupe de *ghee* (voir ci-contre)
 ou d'huile de tournesol
1 oignon finement émincé
2,5 cm de racine de gingembre râpée
1 cuil. à soupe de feuilles de coriandre ciselées
1 cuil. à café de cumin en poudre
½ cuil. à café de piment en poudre
1 cuil. à café de *garam masala* (voir page 31)
Sel fin

Préparez la pâte. Mettez la farine dans un saladier. Mélangez-la petit à petit avec l'eau versée en filet, jusqu'à obtention d'une pâte lisse. Pétrissez-la 10 min, jusqu'à consistance élastique. Roulez-la en boule. Couvrez d'un linge. Laissez reposer 30 min. Pétrissez de nouveau 3 min. Couvrez, puis laissez reposer encore 30 min.

Préparez la garniture. Lavez les pommes de terre, puis faites-les cuire 25 min à l'eau bouillante salée. Égouttez-les, épluchez-les, puis coupez-les en tranches. Dans une poêle, chauffez 2 cuil. à soupe de *ghee* (ou d'huile) sur feu moyen. Faites-y revenir l'oignon 5 min. Ajoutez les pommes de terre et les épices. Laissez dorer 5 min, en remuant. Rectifiez l'assaisonnement. Laissez refroidir.

Pétrissez la pâte encore 3 min. Partagez-la en 16 morceaux. Roulez-les en boule, puis étalez-les sur le plan de travail fariné pour obtenir 16 *chapati* de 5 cm de diamètre. Répartissez la garniture sur 8 *chapati*. Couvrez chacun d'eux d'un second *chapati*. Pincez les bords. Saupoudrez d'un peu de farine, puis étalez au rouleau pour obtenir 8 *paratha* de 18 cm de diamètre.

Chauffez une poêle antiadhésive à sec, sur feu vif. Faites-y cuire un *paratha* 3 min. Retournez-le. Répartissez-y 1 cuil. à soupe de *ghee* (ou d'huile). Poursuivez la cuisson 3 min environ : le pain

doit être doré, parsemé de taches brunes. Procédez de même pour les autres *paratha*, en les réservant au fur et à mesure sur une assiette posée au-dessus d'une casserole d'eau frémissante.

Servez chaud, avec du yaourt nature.

ghee

Faites chauffer 225 g de beurre sur feu très doux, en écumant la surface jusqu'à élimination de toutes les particules. Filtrez au travers d'une mousseline. Versez dans un récipient hermétique. Laissez refroidir, puis réservez au réfrigérateur jusqu'à utilisation.

samosas (INDE)

En Inde, ces petits chaussons parfumés se dégustent à tout moment de la journée, mais surtout à l'heure du thé.

POUR 25 SAMOSAS ENVIRON

POUR LA PÂTE

250 g de farine + 1 cuil. à soupe pour le plan de travail
1 pincée de sel
50 g de *ghee* (voir ci-dessus) ou
 4 cuil. à soupe d'huile de tournesol
5 cuil. à soupe d'eau chaude

POUR LA GARNITURE

225 g de pommes de terre à chair ferme
Gros sel
50 g de *ghee* (ou d'huile de tournesol)
1 cuil. à café de graines de cumin
1 oignon finement émincé
1 piment vert émincé
2,5 cm de racine de gingembre râpée
2 cuil. à café de graines de coriandre
1 cuil. à café de *garam masala* (voir page 31)
½ cuil. à café de piment en poudre
2 cuil. à soupe de feuilles de coriandre ciselées
1 cuil. à café de mangue séchée en poudre (facultatif)
Sel fin
1,5 litre d'huile de tournesol (ou d'arachide)

Préparez la pâte. Dans un saladier, mélangez la farine avec le sel, puis incorporez le *ghee* (ou l'huile) petit à petit, du bout des doigts, jusqu'à consistance sableuse. Ajoutez l'eau en filet. Mélangez jusqu'à homogénéité. Pétrissez 10 min. Roulez en boule. Couvrez d'un linge et réservez le temps de poursuivre la recette.

Lavez les pommes de terre, puis faites-les cuire 25 min à l'eau bouillante salée. Égouttez-les, épluchez-les, puis coupez-les en dés. Dans une poêle, chauffez le *ghee* (ou l'huile) sur feu moyen. Faites-y revenir les graines de cumin en remuant jusqu'à ce qu'elles commencent à éclater. Ajoutez l'oignon, le piment vert et le gingembre. Laissez revenir 5 min, en remuant.

Ajoutez les pommes de terre, les graines de coriandre, le *garam masala*, le piment en poudre, la coriandre ciselée et, éventuellement, la poudre de mangue. Laissez dorer 5 min, en remuant pour bien mélanger le tout. Rectifiez l'assaisonnement. Laissez refroidir.

Pétrissez la pâte encore 3 min. Détaillez-la en 25 boules. Étalez-les sur le plan de travail fariné pour former des petites

galettes de 5 cm de diamètre. Répartissez la garniture au centre des galettes. Pliez-les en deux pour former les samosas. Humectez les bords, puis pincez-les fermement pour bien les souder.

Dans une sauteuse, chauffez l'huile à 180 °C. Faites-y frire les samosas 5 par 5, 10 min environ, en les retournant à mi-cuisson et en veillant à ce que l'huile reste à la même température. Égouttez-les au fur et à mesure sur du papier absorbant. Servez chaud, de préférence, ou tiède.

chou-fleur et pommes de terre braisés (INDE)

Le chou-fleur apporte de l'originalité à cette recette épicée, à servir en plat végétarien principal ou avec une volaille.

POUR 4 PERSONNES EN PLAT PRINCIPAL
OU 6 EN ACCOMPAGNEMENT

500 g de pommes de terre à chair ferme
Gros sel
2 cuil. à soupe d'huile de tournesol (ou d'arachide)
1 cuil. à café de graines de cumin
1 chou-fleur détaillé en petits bouquets
1 piment vert finement émincé
1 cuil. à soupe de curry en poudre (voir page 31)
100 ml de bouillon de volaille
1 pincée de piment en poudre
Sel fin, poivre du moulin

Épluchez et lavez les pommes de terre. Faites-les cuire 20 min environ à l'eau bouillante salée : elles doivent rester un peu fermes. Coupez-les en dés.

Dans une sauteuse, chauffez l'huile sur feu moyen. Faites-y revenir les graines de cumin en remuant jusqu'à ce qu'elles commencent à éclater. Ajoutez le chou-fleur. Poursuivez la cuisson 3 min en remuant, jusqu'à ce qu'il prenne couleur, puis ajoutez le piment vert et le curry. Mélangez 2 min. Versez le bouillon et portez à ébullition. Baissez le feu, couvrez et laissez frémir 10 min.

Incorporez les pommes de terre et poursuivez la cuisson à découvert jusqu'à ce qu'elles soient tendres. Ajoutez le piment en poudre, puis rectifiez l'assaisonnement.

Au Népal, dans la région montagneuse des Khas, les piments sèchent sur des terrasses.

risotto à l'indienne aux crevettes pimentées

Cette recette, créée par un des chefs britanniques d'origine indienne les plus novateurs, Vineet Bhatia, est un bon exemple de l'actuelle « world cuisine », qui marie le meilleur des gastronomies mondiales. Elle allie l'Inde et l'Italie en rehaussant d'épices un risotto aux saveurs marines.

POUR 4 PERSONNES EN ENTRÉE OU 2 EN PLAT PRINCIPAL

POUR LE RISOTTO

50 ml d'huile de maïs
1 cuil. à café de graines de cumin
3 gousses d'ail émincées
1 cm de racine de gingembre râpée
1 piment vert émincé
1 oignon rouge émincé
1 cuil. à café de curcuma en poudre
250 g de riz basmati
600 ml de bouillon de fruits de mer (à base de carapaces
   de homards, de langoustines et/ou de crevettes)
4 cuil. à soupe de yaourt nature brassé
1 cuil. à soupe de beurre
1 cuil. à soupe de feuilles de coriandre ciselées
   + quelques feuilles entières pour le décor
Sel

POUR LES CREVETTES PIMENTÉES

1 litre d'huile de tournesol
2 œufs
½ cuil. à café de piment en poudre
1 cuil. à soupe de Maïzena (fécule de maïs)
1 pincée de sel
8 crevettes roses moyennes, cuites puis décortiquées
   en conservant la queue

Préparez le risotto. Dans une sauteuse, chauffez l'huile sur feu moyen. Faites-y revenir les graines de cumin en remuant jusqu'à ce qu'elles commencent à éclater. Ajoutez l'ail. Laissez cuire 1 min en remuant, puis mettez le gingembre, le piment et l'oignon. Poursuivez la cuisson 3 min, en remuant. Ajoutez le curcuma et le riz. Remuez 2 min environ.

Chauffez le bouillon dans une casserole, puis versez-le dans la sauteuse. Mélangez. Portez à ébullition, puis baissez le feu et laissez cuire de 12 à 15 min : le riz doit avoir absorbé tout le liquide.

Pendant ce temps, préparez les crevettes. Dans une autre sauteuse, faites chauffer l'huile à 180 °C. Dans une jatte, fouettez les œufs avec le piment, la Maïzena et le sel, jusqu'à homogénéité. Passez les crevettes dans ce mélange en les retournant pour bien les enrober, puis plongez-les dans l'huile chaude. Laissez-les dorer de 1 à 2 min. Déposez-les à l'écumoire sur du papier absorbant.

Incorporez le yaourt au risotto. Laissez cuire encore 3 min environ, jusqu'à complète cuisson du riz. Ajoutez le beurre et la coriandre. Rectifiez l'assaisonnement. Déposez les crevettes sur le risotto, décorez des feuilles de coriandre et servez, bien chaud.

pommes de terre farcies aux amandes (INDE)

Originales, ces petites pommes de terre croustillantes feront merveille à l'apéritif !

POUR 4 PERSONNES

1 litre d'huile de tournesol (ou d'arachide)
250 g de petites pommes de terre nouvelles
50 g d'amandes effilées
1 cuil. à café de graines de coriandre en poudre
1 cuil. à café de cumin en poudre
½ cuil. à café de piment en poudre
2 cuil. à soupe de feuilles de coriandre ciselées
Sel

Dans une sauteuse, faites chauffer l'huile à 180 °C (utilisez un thermomètre culinaire). Grattez, lavez, puis épongez soigneusement les pommes de terre. Plongez-les dans l'huile. Laissez-les frire 10 min environ : elles doivent être bien dorées et cuites à cœur. Égouttez-les. Laissez-les refroidir. Gardez l'huile sur le feu pour maintenir sa température.

Avec une brochette métallique, percez un trou au sommet de chaque pomme de terre et creusez-les délicatement. Répartissez les amandes dans les cavités ainsi formées, en les enfonçant légèrement dans la pulpe des pommes de terre.

Plongez de nouveau les pommes de terre dans l'huile et laissez-les frire quelques minutes, jusqu'à ce qu'elles soient croustillantes.

Égouttez les pommes de terre, puis mettez-les dans un saladier. Ajoutez la coriandre en poudre, le cumin, le piment et la coriandre ciselée. Salez. Mélangez délicatement, pour ne pas écraser les pommes de terre. Servez-les chaudes ou tièdes.

aubergines sauce tomate
(INDE)

Très relevée, cette recette de l'Inde du Nord combine une grande variété d'épices pour une entrée diablement apéritive. Servez chaud ou froid, après avoir laissé reposer toute une nuit pour concentrer les saveurs. Accompagnez de pains *naan, chapati* ou *pita*.

POUR 4-6 PERSONNES

6 gousses d'ail émincées
3 cm de racine de gingembre émincée
2 piments verts émincés
1 kg d'aubergines
300 ml d'huile de tournesol
1 cuil. à café de graines de cumin
1 cuil. à café de graines de fenouil
2 cuil. à café de graines de coriandre en poudre
2 belles tomates pelées, épépinées et grossièrement hachées
1 cuil. à soupe de concentré de tomates
½ cuil. à café de curcuma en poudre
Sel
Quelques feuilles de coriandre pour le décor

Mettez l'ail, le gingembre et les piments dans le bol d'un mixeur. Mixez-les très finement en ajoutant juste assez d'eau pour obtenir une pommade.

Lavez et épongez les aubergines. Coupez-les en dés de 3 cm de côté. Dans une sauteuse, chauffez l'huile sur feu moyen. Faites-y frire les dés d'aubergine 10 min environ : ils doivent être tendres et dorés de tous côtés. Mettez-les à égoutter 30 min dans une passoire placée sur une jatte.

Dans la sauteuse, faites chauffer 2 cuil. à soupe de l'huile d'égouttage des aubergines, sur feu moyen. Ajoutez le cumin, le fenouil et la coriandre en poudre. Laissez revenir 30 s en remuant, puis ajoutez les tomates, le concentré de tomates, la pommade au gingembre, le curcuma et du sel. Mélangez. Baissez le feu. Laissez réduire 10 min à découvert.

Incorporez les aubergines égouttées. Couvrez. Laissez mijoter 15 min. Rectifiez l'assaisonnement. Décorez des feuilles de coriandre juste avant de servir.

okras sautés (INDE)

Les épices et les oignons rehaussent la saveur de l'okra (aussi appelé gombo ou *bhindi*), légume en forme de gousse creusée de sillons, recherché pour sa viscosité caractéristique.

POUR 4 PERSONNES EN ACCOMPAGNEMENT

450 g d'okras
2 cuil. à soupe d'huile d'olive
1 cuil. à café de graines de cumin
3 oignons coupés en fines rondelles
½ cuil. à café de curcuma en poudre
½ cuil. à café de piment en poudre
Sel

Lavez les okras. Épongez-les dans du papier absorbant en renouvelant ce dernier jusqu'à ce qu'ils soient bien secs. Ôtez leur queue, puis coupez-les en tranches de 5 mm d'épaisseur.

Dans une poêle, chauffez l'huile sur feu moyen. Faites-y revenir les graines de cumin jusqu'à ce qu'elles commencent à éclater, puis ajoutez les oignons. Faites-les revenir 5 min, en remuant.

Ajoutez les okras, le curcuma et le piment. Salez modérément. Mélangez bien. Couvrez et laissez cuire 15 min, en remuant de temps en temps. Rectifiez l'assaisonnement et servez.

petits pois au paneer (INDE)

Cette recette traditionnelle, dite *mattar paneer*, utilise du fromage frais maison, le *paneer* (voir recette ci-contre). Vous pouvez aussi l'acheter dans les épiceries indiennes.

POUR 4 PERSONNES

3 cuil. à soupe d'huile de tournesol (ou d'arachide)
2 oignons finement émincés
1 piment vert finement émincé
2,5 cm de racine de gingembre râpée
1 gousse d'ail finement émincée
1 cuil. à café de curcuma en poudre
1 cuil. à café de graines de coriandre en poudre
½ cuil. à café de piment en poudre
125 g de tomates pelées, épépinées et grossièrement hachées
Sel
225 g de dés de fromage frais *paneer*
450 g de petits pois écossés, frais ou surgelés
2 cuil. à soupe de feuilles de coriandre (ou de persil) ciselées

Dans une sauteuse, chauffez 2 cuil. à soupe d'huile sur feu moyen. Faites-y dorer les oignons, le piment, le gingembre et l'ail, 8 min environ, en remuant souvent. Ajoutez le curcuma ainsi que la coriandre et le piment en poudre. Mélangez 2 min.

Ajoutez les tomates. Salez modérément. Laissez cuire 5 min environ, en remuant jusqu'à ce que les tomates commencent à se réduire en purée. Ajoutez 2 ou 3 cuil. à soupe d'eau. Baissez le feu. Laissez réduire 10 min.

Pendant ce temps, chauffez le reste d'huile dans une poêle, sur feu vif. Faites-y frire les dés de fromage 3 min environ, en les retournant souvent pour les dorer de tous côtés. Mettez-les dans la sauteuse avec les petits pois. Ajoutez de l'eau jusqu'à 2 cm de la surface de la préparation.

Portez à frémissements. Couvrez et laissez mijoter 10 min environ : les petits pois doivent être bien tendres. Rectifiez l'assaisonnement. Parsemez de la coriandre (ou du persil) et servez.

fromage frais paneer (INDE)

1,2 litre de lait entier
2 cuil. à soupe de jus de citron

Dans une casserole, portez le lait à ébullition sur feu moyen, en remuant constamment.

Hors du feu, versez le jus de citron en filet : les protéines du lait doivent se coaguler en se séparant du petit-lait liquide. Filtrez au travers d'une mousseline, puis nouez cette dernière avec une ficelle de cuisine et suspendez-la à un crochet. Laissez le fromage égoutter 12 h environ.

Étalez le fromage dans un plat creux. Couvrez-le de papier sulfurisé, puis répartissez-y régulièrement des poids (boîtes de conserve, par exemple), pour un total de 3 kg environ. Laissez reposer pendant 3 à 4 h.

Éliminez tout le liquide rendu par le fromage, puis réservez-le au réfrigérateur, à couvert, jusqu'au dernier moment. Coupez-le en dés de 5 mm de côté environ avant de l'utiliser.

beignets de pommes de terre (INDE)

Ces délicats beignets sont un grand classique du Gujerat, où ils sont appelés *bateta vada*.

POUR 20 BEIGNETS

4 pommes de terre farineuses
Gros sel
1 cuil. à café de curcuma en poudre
1 cuil. à café de *garam masala* (voir page 31)
1 cuil. à café de piment en poudre
Sel fin
2 cuil. à café de sucre en poudre
1 cuil. à soupe de graines de sésame
2 cuil. à soupe de farine pour le plan de travail
1 litre d'huile de maïs
1 cuil. à soupe de feuilles de coriandre ciselées

POUR LA PÂTE À BEIGNETS
225 g de farine de lentilles
¼ de cuil. à café de graines d'ajowan
1 cuil. à café de graines de sésame
½ cuil. à café de piment en poudre
2 cuil. à soupe d'huile de tournesol tiède
300 ml d'eau

Lavez les pommes de terre, puis faites-les cuire 25 min à l'eau bouillante salée. Égouttez-les, épluchez-les, puis réduisez-les en purée. Incorporez-y le curcuma, le *garam masala*, le piment, du sel, le sucre et les graines de sésame. Rectifiez l'assaisonnement. Sur le plan de travail fariné, roulez cette préparation en 20 boules légèrement aplaties.

Préparez la pâte. Tamisez la farine au-dessus d'un saladier. Ajoutez-y les graines et le piment. Incorporez l'huile, puis l'eau, en filet : vous devez obtenir une texture crémeuse. Réservez à température ambiante.

Dans une sauteuse, faites chauffer l'huile à 180 °C. Trempez les boules aux pommes de terre dans la pâte à beignets, puis plongez-les, cinq par cinq, dans la friture. Laissez dorer les beignets de 6 à 8 min, en les retournant à mi-cuisson. Déposez-les au fur et à mesure sur du papier absorbant.

Servez les beignets chauds, parsemés de la coriandre. Ils seront encore meilleurs accompagnés d'une raita à la noix de coco (voir page 29), d'un chutney de dattes au tamarin ou de mangue (voir page 30).

pois chiches aux pommes de terre (INDE)

Agrémentés de tomates et d'épices parfumées, les pois chiches mélangés aux pommes de terre constituent un plat traditionnel du Pendjab.

POUR 4-6 PERSONNES

500 g de pois chiches secs ou au naturel, en boîte
½ cuil. à café de bicarbonate de soude
    (pour des pois chiches secs)
350 g de pommes de terre à chair ferme
Gros sel
4 cuil. à soupe d'huile de tournesol
1 cuil. à café de graines de cumin
250 g de tomates pelées, épépinées et grossièrement
    hachées au couteau
1 cuil. à soupe de curcuma en poudre
2,5 cm de racine de gingembre râpée
2 cuil. à café de curry en poudre ou de *garam masala*
    (voir page 31)
Le jus de ½ citron
Sel fin
150 ml d'eau
2 cuil. à soupe de feuilles de coriandre ciselées

Si vous utilisez des pois chiches secs, faites-les tremper 12 h dans de l'eau froide, puis égouttez-les. Mettez-les dans une casserole avec le bicarbonate de soude. Couvrez-les largement d'eau froide. Portez à ébullition sur feu moyen. Laissez cuire 1 h 30 environ, jusqu'à ce qu'ils soient bien tendres, puis égouttez-les et rincez-les. Si vous utilisez des pois chiches en boîte, égouttez-les, rincez-les, puis faites-les blanchir 5 min à l'eau bouillante, sans bicarbonate. Égouttez-les et rincez-les de nouveau.

Lavez les pommes de terre, puis faites-les cuire 20 min environ à l'eau bouillante salée : elles doivent rester un peu fermes. Égouttez-les, épluchez-les, puis coupez-les en tranches.

Dans une sauteuse, chauffez l'huile sur feu moyen. Faites-y revenir les graines de cumin jusqu'à ce qu'elles commencent à éclater. Incorporez les tomates. Baissez le feu et laissez compoter 10 min à découvert. Ajoutez les épices et le jus de citron. Salez. Mélangez 1 min, pour obtenir une sauce épaisse.

Ajoutez les pois chiches, les pommes de terre et l'eau. Mélangez délicatement. Laissez mijoter de 15 à 20 min à découvert. Rectifiez l'assaisonnement. Parsemez de la coriandre et servez, très chaud, avec des tranches d'oignon cru et des pains *naan*.

dhal de lentilles (INDE)

Riz, lentilles et légumes sont quotidiennement consommés en Inde, mais toujours accommodés avec art, grâce à de savants mélanges d'épices. Ici, gingembre, curcuma, piment et *garam masala* mêlent leurs parfums à cinq variétés de lentilles et de pois cassés, pour une subtile combinaison de saveurs, de couleurs et de textures.

POUR 4-6 PERSONNES

300 g de lentilles sèches – blondes (*toovar* ou *arhar*), roses (*masar*), vertes (*mung*), noires et blanches (*urad*, avec et sans leur peau) – et de pois cassés (*channa*) mélangés
1 litre d'eau froide
1 oignon émincé
1 cuil. à café de curcuma en poudre
1 piment vert finement émincé
3 cm de racine de gingembre râpée
1 cuil. à soupe de *garam masala* (voir page 31)
Sel
3 cuil. à soupe d'huile de tournesol
2 gousses d'ail finement émincées
2 cuil. à café de graines de cumin
Quelques feuilles de coriandre (de menthe ou de persil plat) pour le décor

Triez les lentilles, puis rincez-les. Mettez-les dans une casserole avec les pois cassés, l'eau, l'oignon et le curcuma. Portez à ébullition sur feu moyen, puis baissez le feu et couvrez. Laissez mijoter de 40 à 45 min, jusqu'à ce que les lentilles prennent une consistance grossière de purée. Remuez de temps en temps pour éviter qu'elles n'attachent au fond de la casserole. Au terme de la cuisson, ajoutez le piment, le gingembre et le *garam masala*. Salez. Mélangez bien.

Disposez le *dhal* sur un plat de service chaud. Dans une poêle, faites chauffer l'huile sur feu moyen. Dorez-y l'ail et les graines de cumin 2 min environ, en remuant sans cesse. Répartissez ce mélange sur le *dhal*. Décorez avec les feuilles de coriandre (menthe ou persil) et servez aussitôt, avec du riz nature.

curry rouge au poulet (SRI LANKA)

Ce plat est une spécialité d'un des plus éminents cuisiniers du Sri Lanka (Ceylan), T. Pubis Silva, du Mount Lavinia Hotel à Colombo, la capitale. Ce chef réputé utilise aussi bien les épices de son île (cannelle, poivre, clou de girofle…) que des produits importés, tels les feuilles de rampe, un fruit aigre appelé *gamboge*, employé comme le tamarin, et la poudre de poisson séché des Maldives. Renommés, les currys cinghalais sont noirs (épices sèches grillées), blancs, à la citronnelle (poisson et fruits de mer), ou, comme ici, rouges, à base de piments très forts. Vous pouvez remplacer ces derniers par du paprika pour en atténuer la force.

POUR 4 PERSONNES

8 cuisses de poulet
500 ml d'eau
Sel, poivre du moulin
3 cuil. à soupe d'huile de tournesol (ou d'arachide)
2 oignons finement émincés
5 cm de racine de gingembre râpée
6 gousses d'ail écrasées
2 piments rouges finement émincés (ou 2 cuil. à café de piment en poudre)
12 feuilles de curry, ou *kary patta* (facultatif)
1 cuil. à café de sucre de palme (*jaggery*) ou de cassonade (facultatif)

Enlevez la peau des cuisses de poulet. Mettez-les dans une casserole avec l'eau, du sel et du poivre. Portez à ébullition sur feu moyen, puis baissez le feu et laissez frémir 45 min environ à couvert : le poulet doit être très tendre.

À l'aide d'une écumoire, déposez les cuisses de poulet dans un plat creux. Laissez réduire le bouillon de cuisson jusqu'à en obtenir 150 ml.

Dans une poêle, faites chauffer l'huile sur feu moyen. Dorez-y les oignons 10 min en remuant, puis ajoutez le gingembre, l'ail, les piments et, éventuellement, les feuilles de curry. Baissez le feu. Mélangez 1 min sur feu doux, puis ajoutez les cuisses de poulet. Poursuivez la cuisson 5 min, en retournant les cuisses de temps en temps.

Ajoutez le bouillon réduit. Portez à frémissements et laissez cuire encore 5 min, en ajoutant au besoin un peu d'eau bouillante.

Juste avant de servir, incorporez éventuellement le sucre de palme (ou la cassonade), puis rectifiez l'assaisonnement. Accompagnez de riz nature.

croustillants au crabe (INDE)

Délicieux exemple de la nouvelle cuisine indienne, influencée par celle de l'Occident tout en retenant le meilleur de ses essences épicées, cette recette a été créée par Vivek Singh : originaire de New Delhi, ce chef cuisinier exerce actuellement ses talents au Cinnamon Club de Londres.

POUR 24 CROUSTILLANTS

2 cuil. à soupe d'huile de tournesol
1 pincée de curcuma en poudre
1 pincée de piment en poudre
1 pincée de graines de cumin
1 gousse d'ail émincée
1 cm de racine de gingembre râpée
1 oignon finement émincé
½ cuil. à café de piment vert émincé
1 ½ tomate grossièrement hachée
400 g de chair de crabe
1 cuil. à café de feuilles de coriandre ciselées
Le jus de 1 citron
Sel
24 feuilles de pâte filo de 20 × 30 cm environ
25 g de beurre fondu + 20 g pour la lèchefrite

Dans une poêle, chauffez l'huile sur feu moyen. Faites-y revenir le curcuma, le piment en poudre et les graines de cumin, en remuant, jusqu'à ce que ces dernières commencent à éclater. Ajoutez l'ail et le gingembre. Mélangez 1 min, puis ajoutez l'oignon et le piment émincé. Poursuivez la cuisson 3 min environ, en remuant souvent. Incorporez les tomates. Baissez le feu. Laissez compoter 5 min, en mélangeant de temps en temps.

Ajoutez la chair de crabe, la coriandre et le jus de citron. Salez légèrement. Mélangez bien. Laissez refroidir. Rectifiez l'assaisonnement. Préchauffez le four à 190 °C (th. 6/7).

À l'aide d'un pinceau, badigeonnez les feuilles de pâte filo de beurre fondu, puis pliez-les en deux dans la longueur. Répartissez la préparation au crabe sur un des coins des rectangles obtenus, puis repliez chacun d'eux sur lui-même en formant un triangle, de façon à enfermer la farce. Déposez ces triangles sur la lèchefrite beurrée. Enfournez pour 10 min environ : les croustillants doivent être bien dorés.

Servez chaud, avec un chutney.

brochettes de poisson (INDE)

Marinés, les poissons blancs à chair ferme (cabillaud, églefin, lotte...) acquièrent une saveur sans pareille, comme dans cette recette de type *tikka*.

POUR 4 PERSONNES

800 g de filets de poisson blanc à chair ferme,
    sans la peau, coupés en cubes de 4 cm de côté
3 ou 4 cuil. à soupe d'huile de tournesol (ou d'arachide)
2 citrons coupés en quartiers

POUR LA MARINADE

1 cuil. à café de cumin en poudre
1 cuil. à café de feuilles de coriandre ciselées
1 cuil. à café de *garam masala* (voir page 31)
2 cuil. à soupe de yaourt nature
1 piment vert finement émincé
3 gousses d'ail écrasées
1 cuil. à café de piment en poudre
1 cuil. à café de sel

Dans un saladier, mélangez tous les ingrédients de la marinade. Ajoutez les cubes de poisson et tournez délicatement, pour bien les enrober. Couvrez de film alimentaire. Laissez mariner au moins 1 h, en remuant de temps en temps.

Allumez le gril du four. Enlevez les cubes de poisson de la marinade à l'écumoire, puis enfilez-les sur 8 brochettes, en les séparant les uns des autres. Badigeonnez-les de tous côtés, au pinceau, avec l'huile. Disposez-les sur une grille placée au-dessus de la lèchefrite. Enfournez-les sous le gril, puis laissez-les griller 5 min de chaque côté.

Servez avec les quartiers de citron.

agneau biriani en croûte (INDE)

Sous sa forme classique, le *biriani* est une des plus fines recettes indiennes à base de riz, proche des *polow* iraniens. Dans celui-ci, le chef Vineet Bhatia – premier restaurateur indien récompensé d'une étoile au *Guide Michelin* – utilise les techniques traditionnelles, parfumant l'agneau d'une marinade aux épices douces, sans piment, avant de le faire cuire au four avec du riz basmati. Et, pour plus de raffinement, il couvre les récipients de cuisson de pâte feuilletée, concentrant ainsi les arômes de ce mets d'exception !

POUR 4 PERSONNES

300 g de viande d'agneau maigre (gigot de préférence)
3 cuil. à soupe d'huile de tournesol
350 g de riz basmati
½ cuil. à café de curcuma en poudre
½ cuil. à café + 1 pincée de graines de fenouil
3 étoiles de badiane (anis étoilé)
6 gousses de cardamome
   + 1 pincée de cardamome en poudre
1 macis
2 litres d'eau
½ oignon finement émincé
2 cuil. à soupe de feuilles de coriandre ciselées
2 cuil. à soupe de feuilles de menthe ciselées
Quelques gouttes d'eau de rose (facultatif)
Sel
380 g de pâte feuilletée
1 bonne pincée de pépins de melon
1 cuil. à soupe de *ghee* (voir page 14) fondu

POUR LA MARINADE

1 cuil. à café de graines de coriandre en poudre
2 cuil. à café d'épices en poudre grillées mélangées
   (badiane, cardamome verte et macis)
2 cuil. à soupe de feuilles de menthe ciselées
4 cuil. à soupe de feuilles de coriandre ciselées
1 cuil. à soupe de concentré de tomates
30 g de *ghee* (voir page 14)
1 pincée de sel

Préparez la marinade. Dans une jatte, mélangez bien tous les ingrédients. Découpez la viande d'agneau en petits cubes. Mettez-les dans la jatte et tournez pour bien les enrober de la préparation. Laissez mariner au moins 5 h, au mieux 12 h, en remuant de temps en temps.

Dans une sauteuse, chauffez 2 cuil. à soupe d'huile sur feu moyen. Faites-y revenir l'agneau et sa marinade 5 min, en retournant les cubes de viande pour les dorer de tous côtés. Couvrez d'eau bouillante à hauteur. Laissez frémir 1 h, en ajoutant un peu d'eau en cours de cuisson si la viande attache.

Dans une grande casserole, mélangez le riz avec le curcuma, ½ cuil. à café de graines de fenouil, la badiane, les gousses de cardamome et le macis. Mouillez avec l'eau. Portez à ébullition sur feu moyen. Laissez cuire 8 min environ : le riz ne doit cuire qu'aux trois quarts. Égouttez-le. Préchauffez le four à 220 °C (th. 7/8).

Dans une poêle, chauffez le reste d'huile sur feu moyen. Faites-y dorer l'oignon 5 min en remuant. Ajoutez-le au riz avec la coriandre, la menthe et, éventuellement, l'eau de rose. Mélangez. Rectifiez l'assaisonnement.

Dans 4 petits plats à gratin individuels, répartissez la préparation au riz et celle à la viande en couches successives, en commençant et en terminant par le riz.

Sur le plan de travail tapissé de papier sulfurisé, étalez la pâte feuilletée sur 5 mm d'épaisseur. Découpez-y 4 couvercles un peu plus grands que les plats. Déposez-en un sur chacun d'eux. Repliez les bords de la pâte sur les parois en pressant pour bien souder les couvercles. Parsemez le tout des pépins de melon, de la cardamome en poudre et du reste des graines de fenouil. Arrosez du *ghee* fondu. Enfournez pour 20 min.

Servez dès la sortie du four, en découpant un disque dans chaque couvercle de pâte pour libérer les arômes de ce *biriani*.

poulet tikka masala (INDE)

Dans cette spécialité du Pendjab, la chair du poulet marine longuement dans un mélange d'épices et d'aromates qui rehausse délicieusement sa saveur.

POUR 4-6 PERSONNES

1 poulet prêt à cuire coupé en 8 morceaux
Le jus de ½ citron
1 cuil. à café de sel
500 ml de yaourt nature
½ oignon et 2 gousses d'ail émincés
2,5 cm de racine de gingembre et 1 piment vert
   grossièrement émincés
2 cuil. à café de *garam masala* (voir page 31)
2 cuil. à café de paprika
2 ou 3 cuil. à soupe d'huile de tournesol

Enlevez la peau des morceaux de poulet. Piquez-les régulièrement à la fourchette, puis, au couteau, entaillez chacun d'eux de quelques fentes, en allant jusqu'à l'os. Dans un saladier, mélangez le jus de citron et le sel jusqu'à dissolution de ce dernier. Ajoutez le poulet et tournez pour bien l'enrober. Laissez mariner 30 min, en remuant régulièrement.

Pendant ce temps, mettez le yaourt, l'oignon, l'ail, le gingembre, le piment et le *garam masala* dans le bol d'un mixeur. Réduisez en crème, puis filtrez au travers d'une passoire fine, en appuyant bien avec le dos d'une cuillère.

Épongez les morceaux de poulet avec du papier absorbant. Mettez-les dans un saladier. Saupoudrez-les du paprika de tous côtés. Ajoutez la préparation au yaourt et mélangez. Couvrez de film alimentaire et laissez mariner pendant 4 à 6 h au réfrigérateur.

Préchauffez un gril sur feu vif (ou le four à 230 °C, th. 7/8). Sortez les morceaux de poulet de la marinade en les secouant légèrement, pour éliminer l'excès de sauce. Badigeonnez-les au pinceau avec l'huile, puis déposez-les côte à côte sur le gril. Laissez-les griller 20 min, puis retournez-les et faites encore cuire 10 min environ (ou enfournez-les pour 25 à 30 min, en les retournant à mi-cuisson). Dans tous les cas, piquez une brochette dans une cuisse : le jus qui perle doit être très clair.

Servez avec du riz nature, une salade verte et des quartiers de citron.

agneau sauce coco (INDE)

L'Inde possède, surtout dans le Nord-Ouest, une longue tradition de recettes inventives à base de volailles et d'agneau, héritage des envahisseurs moghols qui, comme les musulmans, ne consommaient pas de porc. Quant aux Indiens hindouistes, ils ne mangent pas de bœuf, qui pour eux est sacré. Emblématique de cette tradition, le plat proposé ici, appelé *badam gosht*, est servi lors des fêtes familiales. Sa sauce crémeuse est richement épicée.

POUR 6 PERSONNES

1 kg d'épaule ou de gigot d'agneau désossé et dégraissé
1 cuil. à soupe de *garam masala* (voir page 31)
500 ml de yaourt nature
2 cuil. à soupe de *ghee* (voir page 14)
   ou d'huile de tournesol
2 oignons finement émincés
4 gousses d'ail émincées
5 cm de bâton de cannelle (ou d'écorce de casse)
2 clous de girofle
1 cuil. à café de piment en poudre
6 gousses de cardamome
100 g d'amandes en poudre mixées avec
   2 cuil. à soupe d'eau pour former une pâte
400 ml de lait de coco
Sel

Coupez la viande en dés de 2 à 3 cm de côté. Dans une jatte, mélangez-les avec le *garam masala* et le yaourt. Laissez mariner 1 h au réfrigérateur.

Dans une sauteuse, chauffez le *ghee* (ou l'huile) sur feu moyen. Faites-y dorer les oignons 10 min, en remuant souvent. Ajoutez l'ail. Remuez 30 s, puis incorporez la cannelle (ou la casse), les clous de girofle, le piment et la cardamome. Remuez 30 s.

À l'aide d'une écumoire, enlevez les cubes d'agneau de la marinade. Déposez-les dans la sauteuse. Remuez 5 min environ, jusqu'à ce que la viande commence à changer de couleur. Versez la marinade dans la sauteuse, puis ajoutez la pâte d'amandes. Mélangez bien. Baissez le feu et laissez mijoter 10 min, en remuant souvent. Versez le lait de coco. Poursuivez la cuisson 45 min environ : la viande doit être très tendre, et la sauce, onctueuse.

Rectifiez l'assaisonnement et servez, très chaud, avec du riz nature et les chutneys de votre choix.

raita à la noix de coco (INDE)

POUR 4 PERSONNES EN ACCOMPAGNEMENT

1 cuil. à soupe de graines de coriandre
1 cuil. à soupe de graines de cumin
500 ml de yaourt nature
4 cuil. à soupe de noix de coco râpée (fraîche ou séchée)
Le jus de ½ citron
Sel

Chauffez une poêle antiadhésive à sec, sur feu moyen. Faites-y griller les graines de coriandre et de cumin 3 min environ, en remuant. Réduisez-les en poudre grossière, dans un moulin à café ou en les pilant dans un mortier.

Dans une jatte, mélangez le yaourt avec la noix de coco, le jus de citron et 1 bonne pincée de sel. Parsemez du mélange de graines moulues juste avant de servir, très frais.

gâteaux épicés au yaourt (INDE)

Traditionnellement, ces gâteaux très relevés se dégustent au petit déjeuner, avec du café, ou à l'heure du thé. La pâte, à base de farine de pois chiches, doit être préparée la veille.

POUR 8-10 PERSONNES

125 g de besan (farine de pois chiches)
250 g de yaourt nature
2,5 cm de racine de gingembre râpée
1 piment vert sec, finement émietté
50 g de sucre en poudre
100 à 150 ml d'huile de tournesol (ou d'arachide)
1 cuil. à café de bicarbonate de soude
1 cuil. à soupe de noix de coco râpée séchée
1 cuil. à café de graines de moutarde (ou de sésame)
1 cuil. à café de feuilles de coriandre ciselées

Dans une jatte, mélangez le besan et le yaourt jusqu'à consistance homogène. Couvrez d'un linge. Laissez reposer 12 h à température ambiante.

Ajoutez le gingembre, le piment et le sucre à la pâte au yaourt. Mélangez bien.

Huilez une petite casserole au pinceau. Saupoudrez de 1 petite pincée de bicarbonate. Placez la casserole au-dessus d'un bain-marie frémissant.

Versez 2 cuil. à soupe de pâte dans la casserole. Couvrez. Laissez cuire de 10 à 15 min, jusqu'à ce que la pâte soit bien gonflée. Versez dans un ramequin huilé. Laissez refroidir. Recommencez cette opération jusqu'à épuisement de la pâte.

Quand tous les gâteaux sont froids, démoulez-les, puis badigeonnez-les au pinceau avec un peu d'huile. Parsemez-les de la noix de coco, des graines de moutarde (ou de sésame) et de la coriandre. Coupez-les en carrés de 2,5 cm de côté et servez.

bouchées à la cardamome (INDE)

En Inde, les friandises servent d'offrandes aux dieux et sont proposées aux amis et proches lors des fêtes, religieuses ou familiales. La cardamome apporte sa flaveur caractéristique à ces bouchées sirupeuses, appelées *gulab jamun*.

POUR 20 BOUCHÉES

300 ml de lait entier en poudre
150 g de farine tamisée
½ cuil. à café de levure chimique
75 g de *ghee* (voir page 14) ou d'huile de tournesol
3 cuil. à soupe de lait froid
20 graines de cardamome (de 4 gousses environ)
1 litre d'huile de tournesol (ou d'arachide)
225 g de sucre en poudre
600 ml d'eau

Dans un saladier, mélangez le lait en poudre, la farine, la levure et le *ghee* (ou l'huile) du bout des doigts, jusqu'à consistance grumeleuse. Ajoutez petit à petit 2 cuil. à soupe de lait, en pétrissant jusqu'à obtention d'une pâte souple. Laissez-la reposer 15 min.

Séparez la pâte en 20 morceaux. Roulez-les en petites boules sur du papier sulfurisé. Pressez avec le doigt au centre de chaque boule. Déposez une graine de cardamome dans chaque creux ainsi formé. Roulez de nouveau pour enfermer la graine dans une bouchée de pâte lisse.

Dans une sauteuse, chauffez l'huile à 180 °C. Faites-y dorer les bouchées 5 min. Égouttez-les sur du papier absorbant.

Dans une casserole, mélangez le sucre, l'eau et le reste de lait. Portez à frémissements sur feu moyen, en remuant. Laissez frémir ce sirop 15 min, puis baissez le feu.

Mettez les bouchées dans le sirop. Laissez-les confire 45 min sur feu doux, en les enfonçant de temps en temps, à la cuillère, dans le sirop. Dégustez ces *gulab jamun* chauds ou froids.

achards de légumes (INDE)

Ce mélange de légumes à l'aigre-doux est relevé d'épices et d'huile de moutarde, à la saveur typée et à la couleur jaune vif, très utilisée dans le nord de l'Inde – vous la trouverez dans les épiceries indiennes ou en grande surface.

POUR 4 BOCAUX DE 1,5 LITRE

1 kg de carottes coupées en rondelles de 5 mm d'épaisseur
1 kg de chou-fleur détaillé en petits bouquets
2 kg de navets longs et fins, coupés en rondelles
de 5 mm d'épaisseur
600 ml d'huile de moutarde
250 g d'oignons émincés
2 gousses d'ail émincées
125 g de racine de gingembre émincée
2 cuil. à soupe de piment en poudre
1 cuil. à soupe de graines de moutarde en poudre
1 cuil. à soupe de garam masala (voir page 31)
1 cuil. à café de curcuma en poudre
1 cuil. à café de sel
400 ml de vinaigre de malt
1 kg de cassonade

Dans un faitout, faites blanchir les carottes, le chou-fleur et les navets 5 min à l'eau bouillante. Égouttez-les. Épongez-les dans du papier absorbant.

Dans une sauteuse, chauffez 150 ml d'huile sur feu moyen. Faites-y dorer légèrement les oignons, l'ail et le gingembre 5 min environ, en remuant. Ajoutez le piment, les graines de moutarde, le garam masala, le curcuma et le sel. Poursuivez la cuisson 2 min en remuant, puis ajoutez les légumes. Ôtez du feu. Mélangez bien.

Dans une casserole, faites chauffer le reste d'huile sur feu moyen. À la première fumerole, versez sur le contenu de la sauteuse. Mélangez. Avec une petite louche, répartissez cette préparation dans les bocaux préalablement stérilisés. Fermez hermétiquement. Placez les bocaux au soleil ou dans un endroit chaud et sec. Laissez macérer trois jours, en remuant les bocaux chaque jour.

Dans une casserole, mélangez le vinaigre et la cassonade. Portez à ébullition sur feu moyen, en remuant pour bien dissoudre cette dernière. Laissez refroidir complètement, puis versez dans les bocaux. Refermez-les. Laissez macérer encore deux semaines, toujours au soleil ou dans un endroit chaud et sec, avant de servir.

chutney de mangue instantané (INDE)

POUR 4 PERSONNES EN ACCOMPAGNEMENT

1 mangue verte
Le jus de ½ citron vert
2,5 cm de racine de gingembre râpée
1 cuil. à soupe de noix de coco râpée (fraîche ou séchée)
1 piment rouge frais, épépiné et finement émincé
1 pincée de sel
1 cuil. à café de cassonade
1 pincée de garam masala (voir page 31)
Quelques feuilles de coriandre pour le décor

Épluchez, dénoyautez, puis coupez la mangue en dés, en procédant au-dessus d'une jatte pour recueillir son jus. Ajoutez le jus de citron vert, le gingembre, la noix de coco, le piment, le sel, la cassonade et le garam masala. Mélangez bien. Réservez 30 min au réfrigérateur.

Décorez de feuilles de coriandre juste avant de servir.

chutney de dattes au tamarin instantané (INDE)

POUR 4 PERSONNES EN ACCOMPAGNEMENT

50 g de tamarin séché
200 g de dattes dénoyautées et finement émincées
1 cuil. à soupe de sucre de palme (jaggery) ou de cassonade
1 cuil. à café de garam masala (voir page 31)
½ cuil. à café de piment en poudre
1 bonne pincée de sel

Déchirez le tamarin en morceaux. Mettez-les dans un bol. Couvrez-les d'eau bouillante à hauteur. Laissez refroidir complètement. Passez le contenu du bol au travers d'une passoire, assez fine pour retenir les graines et les fibres de tamarin, placée au-dessus d'une jatte, pour recueillir le jus.

Ajoutez les dattes, le sucre (ou la cassonade), le garam masala, le piment et le sel. Fouettez vivement, jusqu'à obtention d'un mélange fluide et homogène. Réservez 1 h au réfrigérateur avant de servir.

sambal de noix de coco
(SRI LANKA)

La noix de coco est beaucoup utilisée au Sri Lanka.
Mélangé avec du riz, le lait de coco est à la base de crêpes
traditionnelles, appelées *appam*, qui accompagnent les currys
de légumes et le *sambal*, condiment relevé voisin des chutneys
indiens instantanés.

POUR 4 PERSONNES EN ACCOMPAGNEMENT

100 g de noix de coco râpée (fraîche ou séchée)
½ oignon rouge émincé
4 gousses d'ail émincées
Le jus de 2 citrons verts
½ cuil. à soupe de piment en poudre
1 cuil. à café de sucre de palme *(jaggery)*
   ou de cassonade
6 grains de poivre noir grossièrement concassés
1 cuil. à café de sel
1 cuil. à café de paprika
1 cuil. à soupe de feuilles de menthe, de persil
   ou de coriandre ciselées

Mettez tous les ingrédients (sauf le paprika et les herbes)
dans le bol d'un mixeur. Mixez jusqu'à consistance homogène.
Versez dans une jatte.
   Parsemez du paprika et des herbes avant de servir.

Une charrette à bras indienne typique proposant, entre autres, du curcuma et des teintures en poudre.

curry en poudre (INDE)

En Inde, chaque famille possède sa propre recette de curry,
qui peut réunir jusqu'à vingt épices différentes, pour une
saveur plus ou moins forte. La formule proposée ici utilise les
épices de base, mais vous pouvez en ajouter d'autres, selon
votre goût (asa fœtida, cannelle, noix muscade, girofle et
poivre de la Jamaïque). Faites-les griller séparément, jusqu'à
libération maximale de leurs arômes, sans les laisser brûler.

POUR 1 PETIT FLACON

25 g de graines de coriandre
1 cuil. à café de graines de cumin
½ cuil. à café de graines de moutarde
½ cuil. à café de graines de fenugrec
½ cuil. à café de grains de poivre noir
4 petits piments rouges secs
½ cuil. à café de curcuma en poudre
½ cuil. à café de gingembre en poudre

Chauffez une poêle antiadhésive à sec, sur feu moyen. Faites-
y griller toutes les épices séparément, de quelques secondes
à 3 min environ, en remuant. Laissez-les refroidir.
   Réduisez-les en poudre ensemble, dans un moulin à café
ou en les pilant dans un mortier. Conservez ce curry dans un flacon
sec préalablement stérilisé, puis hermétiquement fermé, à l'abri
de la lumière et de la chaleur.

garam masala (INDE)

POUR 1 PETIT FLACON

2 cuil. à café de graines de cumin
4 cuil. à café de graines de coriandre
Les graines de 2 gousses de cardamome
½ cuil. à café de poivre noir en poudre
1 cuil. à café de cannelle en poudre
½ cuil. à café de girofle en poudre

Chauffez une poêle antiadhésive à sec, sur feu moyen. Faites-y
griller les graines de cumin, de coriandre et de cardamome 3 min
environ, en remuant. Laissez-les refroidir. Réduisez-les en poudre
dans un moulin à café ou en les pilant dans un mortier. Mélangez-
les avec les autres ingrédients. Conservez dans un flacon sec
préalablement stérilisé, puis hermétiquement fermé, à l'abri
de la lumière et de la chaleur.

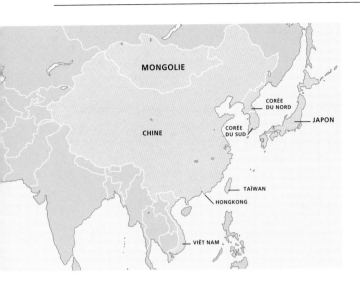

Les cuisines japonaise, chinoise, coréenne et vietnamienne sont parmi les plus fines et les plus exotiques qui soient. Cependant, même s'il suscite aujourd'hui un grand intérêt, l'art culinaire d'Extrême-Orient reste bien souvent un mystère pour nos papilles d'Occidentaux alors que le succès des petits restaurants-traiteurs chinois ne se dément pas, tout comme l'enthousiasme soulevé par la cuisine au wok. Les sushis japonais sont désormais familiers à nos palais, et les restaurants coréens, thaïlandais ou vietnamiens fleurissent.

Véritable mosaïque de peuples et de langues, la Chine fascine, avec son milliard d'habitants et son immense territoire regroupant autant de provinces que l'Europe compte d'États. Elle s'enorgueillit en outre d'une tradition culinaire d'un grand raffinement, la plus ancienne au monde – les nouilles y furent inventées voici plusieurs millénaires. Les cuisiniers chinois furent les premiers à maîtriser toutes les techniques connues et à les allier. Ils font cuire les ingrédients, coupés menu, à la vapeur ou au four, ils les font frire, griller, rôtir, braiser, pocher ou mijoter – bref, tous les modes de cuisson sont mis à l'honneur, y compris le fameux wok, qui reste le plus économique et conjugue au mieux saveur et diététique.

Festins de Chine

Contrairement au système économique du pays, en matière culinaire, les Chinois cultivent l'ostentation. Ils aiment les repas festifs inspirés de ceux que prodiguaient jadis les dynasties impériales pour tenir leur rang. En Chine, comme dans la Rome antique, les tables des nobles regorgeaient des mets les plus délicats, les plus rares et les plus chers, dont la soupe aux ailerons de requin ou aux nids d'hirondelle, à base d'une substance gélatineuse (des algues semi-digérées) que les oiseaux régurgitent pour fixer leurs nids aux parois des falaises. Les Chinois cuisinent tout, ou presque, des organes reproducteurs de l'esturgeon aux escargots de mer – dont la chair est pourtant coriace.

La cuisine chinoise est plurielle et diverse même si, partout, on utilise en abondance gingembre, ail et oignons nouveaux, sauce soja et haricots fermentés. L'essentiel du blé cultivé au nord du pays, dans la région de Pékin, la capitale, est destiné à la fabrication des nouilles. Les cordons-bleus du Centre et de l'Ouest, dont la province du Sichuan, sont réputés pour leur usage généreux des épices, des aromates et des piments. Vers l'est, autour de Shanghai, le riz reste l'ingrédient principal d'une cuisine basée sur l'aigre-doux (grâce au gingembre et au vin de riz, le *chao-xing*). Dans le Sud, Canton est réputée pour ses fruits de mer et la virtuosité de ses cuisiniers, qui savent mettre en valeur les produits frais, généralement cuits à la vapeur.

La gamme des épices chinoises offre un vaste choix, dont le cinq-épices donne un avant-goût corsé et aromatique : anis étoilé, poivre du Sichuan *(fagara)*, graines de fenouil, clous de girofle et cannelle ou fausse cannelle (cannelle de Chine).

Piments, zestes (orange ou mandarine) et champignons séchés font toute la particularité des plats chinois. Quant à l'huile de sésame, elle vient, dans certaines préparations, ajouter la touche finale. Le vin de riz, les vinaigres vieux, la sauce d'huîtres, la sauce *hoisin* (un condiment salé à base de haricots de soja, de vinaigre, de sucre et d'épices) et la sauce soja (claire ou foncée) apportent leurs parfums. Les légumes sont parfois additionnés de glutamate, de la même manière que nous salons nos plats. Aujourd'hui, toutefois, ce produit est sous contrôle sanitaire, car sa consommation excessive peut causer suées, fièvre et maux de tête.

La gastronomie japonaise, pour sa part, n'a pas fini de nous surprendre. Certes, les sushis sont désormais répandus, et certains ingrédients nippons se trouvent dans les épiceries spécialisées, voire dans les supermarchés. Pourtant, l'art culinaire du pays échappe encore à nombre d'entre nous.

Les Japonais cuisinent une multitude d'algues, qu'ils appellent « légumes de mer » – *hijiki, kombu, agar-agar, wakame* et *nori*. Séché et pressé en fines feuilles, le *nori* enveloppe les sushis ; légèrement grillé et émietté, il relève soupes et salades, ou vient agrémenter des amuse-gueule croustillants à base de riz. D'autres ingrédients nous sont tout aussi étrangers, comme le *dashi*, un bouillon à base d'algues, ou encore le *katsuobushi*, bonite séchée qui, râpée en copeaux, permet de préparer un délicieux bouillon de poisson.

Comme cette petite Pékinoise, les Chinois aiment à manger sur le pouce, dans la rue.

Ingrédient incontournable de la cuisine japonaise, le soja s'utilise sous plusieurs formes. Ainsi, le tofu, une pâte blanche ressemblant à du fromage frais, est un élément essentiel du régime végétarien bouddhique. Il en va de même pour ses autres dérivés : la sauce soja Kikkoman, le *miso* salé (à base de haricots fermentés, parfois additionnés de blé ou de riz) et le lait de soja.

Certains légumes japonais peuvent surprendre le palais, tel le *daikon*, un énorme radis blanc à la saveur aussi forte que celle du navet cru et qui peut atteindre un mètre de long. Il est en général présenté pelé et finement râpé. Agrémenté de sauce soja, il sert de garniture à toutes sortes de plats et est souvent accompagné de wasabi vert, le raifort local, très piquant.

La gastronomie japonaise exploite également la bardane, les pousses de bambou, les feuilles de chrysanthème, les noix de ginkgo, les racines de lotus et de nombreux champignons, comme le *shiitake*, ainsi que la gourde et la patate douce.

Herbes, épices, aromates et condiments nippons nous sont parfois inconnus, comme la pérille (*shiso*), voisine de la menthe, utilisée pour décorer plats et assiettes, ou l'*umeboshi*, à base d'abricots aigres en saumure. Vinaigres et vins de riz parfument également les plats, de même que l'huile de sésame, au léger parfum de noisette. Si le mélange d'épices le plus courant est le *gomasio* (graines de sésame au sel dont on parsème le riz), le plus complexe reste le *shichimi-togarashi*, qui parfume en général les nouilles et les soupes : piments, *sansho* (poivre japonais, voir page 41), graines de moutarde, de pavot et de sésame, ainsi que *yuzu* (zeste d'agrume séché).

Les restaurants japonais

Il faut aller jusqu'à Tokyo pour prendre toute la mesure de la gastronomie nippone. Les restaurants japonais y sont classés en une trentaine de catégories, la plupart étant des cantines qui proposent soupes et nouilles (sachez distinguer les nouilles *soba*, fines, au blé noir, et les nouilles *udon*, épaisses, au blé).

Il existe de nombreux bars à sushis et restaurants de *teppanyaki*, où le cuisinier officie derrière un comptoir en Inox, sous les yeux des consommateurs. Dans les bars à *tempura*, le chef fait frire des beignets de légumes, de poisson ou de fruits de mer juste avant de les servir directement dans l'assiette du client. On trouve également des cantines spécialisées dans l'anguille grillée, des bars à sashimis (qui proposent des tranches de poisson cru), des restaurants de *sukiyaki*, grillades présentées sur plaque chauffante, ou de *shabu-shabu*, une sorte de fondue au bœuf. Quant aux bars à *oden*, ils servent des plats végétariens à base de tofu. Les amateurs d'algues frites ou grillées ont eux aussi leurs enseignes.

Vendeur d'épices vietnamien à Saigon.

Voilà pour la cuisine de tous les jours. Mais le Japon a aussi sa grande cuisine, méconnue des Occidentaux : le *kaiseki*. Au menu : treize plats déclinés chacun sous plusieurs formes (jusqu'à cinq bouchées différentes pour chaque plat), de sorte qu'un repas complet peut comprendre une cinquantaine de mets. Le cuisinier s'attache à cultiver les contrastes (couleurs, saveurs et textures) et l'esthétique. Bols et soucoupes changent à chaque plat. Un restaurant haut de gamme se doit de renouveler sa vaisselle quatre fois par an, afin d'en harmoniser les motifs à la saison.

Les Japonais affectionnent les restaurants coréens : les us culinaires y sont moins figés. Quant aux saveurs, elles sont plus franches et intenses, les aliments étant relevés avec des piments et des oignons nouveaux, salés au soja et au poisson séché en saumure (les Coréens grignotent des seiches séchées en guise d'amuse-gueule), et assaisonnés de graines et d'huile de sésame.

Riz, nouilles, orge et haricots sont les ingrédients de base de la cuisine coréenne. Les grillades (*bulgogi*) sont également très prisées, accompagnées de légumes vapeur croquants, de salades fraîches et de racines ou de feuilles sauvages – de la pousse de bambou à la radicelle de ginseng, aux vertus toniques.

La pâte de piment, ou *kochujang* (mélange de pâte de haricots de soja et de piment en poudre), vient relever les plats pendant ou après la cuisson.

La spécialité coréenne la plus connue est le *kim chee* (chou chinois en saumure), un condiment très fort présent à presque tous les repas. Salé, le chou est conservé en couches superposées dans des pots en céramique, en alternance avec du piment et du gingembre.

Comme celle de ses voisins, la Chine et la Thaïlande, la gastronomie du Viêt Nam reste axée sur le riz et les nouilles, mais, ici, les saveurs s'affirment haut et fort. Les Vietnamiens adorent les salades croquantes au goût relevé, parfois agrémentées de fruits secs et de légumes juste saisis. La soupe *pho*, riche et savoureuse, se déguste à toute heure. Vendue dans la rue, sur des étals installés à même le trottoir, elle est additionnée de nuoc-mâm (sauce au poisson fermentée) et assaisonnée d'ail, d'oignons nouveaux, de gingembre frais hachés – sans oublier le piment, séché ou fraîchement râpé, servi en condiment sur la table sous forme d'une sauce épaisse.

Enfin, les Vietnamiens affectionnent le parfum des fines herbes fraîches, comme la citronnelle, la menthe et le basilic.

nouilles togarashi (JAPON)

Composée d'œufs pochés sur une délicieuse soupe aux nouilles parfumée de sept-épices *(shichimi-togarashi)*, cette recette est très populaire au Japon : on l'appelle poétiquement « nouilles ressemblant à la lune ». La bonite, poisson voisin du thon, et les algues, *kombu* (laminaire) et *nori*, sont vendues séchées.

POUR 4 PERSONNES

1 feuille de *kombu* séchée de 10 cm de côté environ
1 litre d'eau
15 g de bonite séchée en copeaux
125 ml de sauce soja claire
2 cuil. à soupe de *mirin* (vin de riz doux) ou de xérès doux
150 g de feuilles d'épinards lavées
Gros sel
275 g de fines nouilles de blé japonaises
4 œufs extrafrais
1 feuille de *nori* séchée de 10 cm de côté environ,
    coupée en 4 lamelles
Sept-épices (voir page 44)

Essuyez le *kombu* avec un linge humide. Coupez ses extrémités. Mettez-le avec l'eau dans une casserole. Faites chauffer sur feu moyen. Dès l'ébullition, enlevez le *kombu* à l'écumoire. Jetez-le.

Mettez les copeaux de bonite dans la casserole. Laissez frémir 3 min. Ajoutez la sauce soja et le *mirin* (ou le xérès). Attendez la reprise des frémissements, puis filtrez au travers d'une passoire doublée de mousseline. Réservez ce bouillon sur feu très doux.

Faites blanchir les épinards 3 min à l'eau bouillante salée. Égouttez-les, rincez-les à l'eau froide, puis égouttez-les de nouveau. Pressez-les délicatement pour en éliminer le maximum de liquide, puis rassemblez-les en un rouleau bien serré. Découpez ce rouleau en 4 tranches (elles formeront les « nids » des œufs).

Faites cuire les nouilles à l'eau bouillante selon les indications portées sur l'emballage. Égouttez-les et répartissez-les dans 4 grands bols à soupe individuels munis d'un couvercle.

Portez de nouveau le bouillon à ébullition. Répartissez-le aussitôt sur les nouilles. Déposez un « nid » d'épinards à la surface de chaque bol, puis cassez un œuf au centre. Couvrez et laissez pocher les œufs le temps de poursuivre la recette.

Chauffez une poêle antiadhésive à sec, sur feu vif. Dorez-y les lamelles de *nori* jusqu'à ce qu'elles deviennent croustillantes.

Saupoudrez chaque bol de soupe d'un peu de sept-épices, à votre goût, puis garnissez du *nori* croustillant. Servez très chaud.

soupe piquante aigre-douce (CHINE)

Aussi facile à préparer que riche en saveurs, cette soupe est nutritive et équilibrée. Pour rester dans la tradition, renforcez son goût piquant en ajoutant 1 cuil. à café de poivre du Sichuan moulu en même temps que la Maïzena.

POUR 4 PERSONNES

25 g de champignons noirs (oreilles-de-judas) séchés
50 g de viande de porc ou de bœuf maigre émincée
    en fines lamelles
900 ml de bouillon de bœuf ou de volaille
1 cuil. à soupe de sauce soja foncée
1 cuil. à café d'huile pimentée ou de Tabasco
3 cuil. à soupe de vinaigre de riz ou de cidre
2 cuil. à soupe de sucre en poudre
Poivre blanc du moulin
1 cuil. à soupe de Maïzena (fécule de maïs)
    délayée dans 2 cuil. à soupe d'eau froide
50 g de crevettes cuites décortiquées
1 œuf battu
2 cuil. à café d'huile de sésame
2 cébettes (oignons verts) finement émincées

Mettez les champignons dans un bol. Couvrez-les d'eau chaude à hauteur. Laissez-les se réhydrater 30 min. Égouttez-les en conservant le liquide de trempage. Filtrez ce dernier, puis émincez finement les champignons.

Faites blanchir les lamelles de viande 1 min à l'eau bouillante, puis égouttez-les et rincez-les à l'eau froide.

Dans une casserole, portez le bouillon à frémissements sur feu moyen. Ajoutez les champignons, leur eau de trempage, la sauce soja, l'huile pimentée (ou le Tabasco), le vinaigre et le sucre. Donnez quelques tours de moulin à poivre. Mélangez jusqu'à reprise des frémissements. Laissez frémir 3 min.

Incorporez la Maïzena délayée. Remuez 30 s, puis ajoutez la viande et les crevettes. Laissez frémir 3 min. Ajoutez l'œuf battu en filet tout en fouettant vigoureusement. Quand l'œuf forme des filaments, ôtez du feu et incorporez l'huile de sésame.

Répartissez la soupe dans 4 bols de service. Garnissez avec les cébettes et portez aussitôt à table.

épinards au sésame (JAPON)

Ingrédient essentiel de la cuisine nippone, les graines de sésame sont le plus souvent grillées, puis écrasées. Broyées avec du sel, elles composent un condiment appelé *gomasio* (voir page 44).

POUR 4 PERSONNES

450 g de feuilles d'épinards lavées
2 cuil. à soupe de graines de sésame
2 cuil. à soupe de sauce soja

Émincez les épinards en lamelles de 2,5 cm de large. Faites-les blanchir 3 min à l'eau bouillante. Égouttez-les soigneusement. Laissez-les refroidir.

Chauffez une poêle antiadhésive à sec, sur feu vif. Faites-y griller les graines de sésame 2 min environ, en remuant. Puis concassez-les grossièrement au pilon dans un mortier. Ajoutez le quart de la sauce soja. Pilez de nouveau jusqu'à consistance granuleuse. Délayez avec le reste de sauce soja.

Mélangez la préparation précédente aux épinards. Répartissez-les dans 4 bols de service et portez à table.

nouilles en palette de sauces (TAÏWAN)

Cette recette est typique de ce qu'on appelle la « cuisine de rue », servie sur des étals ambulants : les pâtes sont présentées avec différentes petites sauces épicées, chacun effectuant le mélange dans son assiette.

POUR 4 PERSONNES

450 g de nouilles chinoises
1 cuil. à café de grains de poivre du Sichuan
8 cm de racine de gingembre finement émincée
12 gousses d'ail grossièrement émincées
1 cuil. à café de sel
5 cuil. à soupe d'eau
4 cuil. à café de piments émincés à l'huile (voir page 45)
4 cuil. à soupe de cébettes (oignons verts) finement émincées
4 cuil. à soupe de pâte de sésame *(tahini)*
8 cuil. à soupe de sauce soja claire
2 cuil. à café de sucre en poudre

Faites cuire les nouilles à l'eau bouillante selon les indications portées sur l'emballage, en les gardant al dente. Égouttez-les et rincez-les à l'eau froide. Laissez-les refroidir.

Chauffez une petite poêle antiadhésive à sec, sur feu doux. Faites-y griller le poivre du Sichuan 2 à 3 min, en remuant. Laissez refroidir, puis réduisez en poudre au pilon dans un mortier. Ajoutez le gingembre, l'ail et le sel. Pilez de nouveau jusqu'à obtention d'une pommade. Mélangez-la bien avec l'eau.

Répartissez les pâtes sur 4 assiettes de service. Déposez à la surface de chacune d'elles, côte à côte, 1 cuil. à café de piments émincés à l'huile, un quart de pâte au poivre, 1 cuil. à soupe de cébettes et 1 cuil. à soupe de *tahini*. Arrosez de la sauce soja et saupoudrez du sucre en poudre.

canard croustillant (CHINE)

La recette du canard laqué, grand classique de la gastronomie chinoise, est ici déclinée en une version très savoureuse, plus simple à réaliser et facile à réussir si l'on respecte les étapes.

POUR 6-8 PERSONNES EN ENTRÉE

1 canard prêt à cuire de 2 kg environ
1 cuil. à café de sel
2 cuil. à café de cinq-épices en poudre (voir page 44)
3 gousses d'ail écrasées
5 cm de racine de gingembre finement râpée
5 cébettes (oignons verts) finement émincées
1 cuil. à soupe de sauce soja foncée
1 cuil. à soupe de vin de riz chinois (chao-xing)
 ou de xérès mi-sec
1 cuil. à soupe d'extrait de malt (ou de miel) liquide
1 litre d'huile de maïs, de tournesol ou d'arachide

Lavez le canard à l'extérieur et à l'intérieur. Épongez-le soigneusement avec du papier absorbant. Saupoudrez-le du sel et du cinq-épices à l'extérieur et l'intérieur. Glissez l'ail, le gingembre et les cébettes à l'intérieur du canard. Enveloppez-le de film alimentaire. Laissez-le reposer 2 h à température ambiante.

Dans un bol, mélangez la sauce soja, le vin de riz (ou le xérès) et l'extrait de malt (ou le miel). Frictionnez-en uniformément le canard, puis enveloppez-le de nouveau. Réservez-le 12 h au réfrigérateur.

Déposez le canard dans un cuit-vapeur (ou un grand wok muni d'une grille), puis faites-le cuire 1 h à la vapeur et à couvert. Laissez-le refroidir.

Dans une grande sauteuse, chauffez l'huile à 180 °C. Faites-y frire le canard pendant 30 min sur feu moyen, en le retournant délicatement à mi-cuisson. Déposez-le sur du papier absorbant. Portez de nouveau l'huile à 180 °C. Faites-y de nouveau frire le canard 1 à 2 min de chaque côté, jusqu'à ce qu'il soit intensément coloré et très croustillant, puis déposez-le sur du papier absorbant. Laissez-le reposer 5 min.

Découpez et désossez le canard. Coupez sa peau croustillante et sa chair tendre en petits morceaux. Servez avec des crêpes mandarin (voir ci-dessous) fourrées d'un mélange de cébettes (émincées en long), de concombre (en bâtonnets) et de sauce *hoisin*.

crêpes mandarin (CHINE)

POUR 24 CRÊPES

450 g de farine tamisée + 2 cuil. à soupe
 pour le plan de travail
1 cuil. à café de sucre en poudre
350 ml d'eau bouillante
8 cuil. à soupe d'huile de sésame

Dans une jatte, mélangez la farine et le sucre. Ajoutez petit à petit l'eau en filet, en mélangeant vigoureusement jusqu'à obtention d'une pâte épaisse. Sur le plan de travail fariné, travaillez-la jusqu'à consistance élastique. Couvrez d'un linge. Laissez reposer 30 min.

Pétrissez de nouveau, puis divisez la pâte en 24 boulettes. Aplatissez-les légèrement au rouleau. Badigeonnez-les d'huile au pinceau, puis étalez chacune d'elles en une crêpe de 15 cm de diamètre environ.

Chauffez une grande poêle antiadhésive à sec, sur feu moyen. Faites-y cuire les crêpes deux par deux, 2 min environ de chaque côté : des taches brunes doivent apparaître à leur surface. Badigeonnez-les d'huile au pinceau et pliez-les en deux.

Si vous ne servez pas les crêpes aussitôt, réservez-les au réfrigérateur, couvertes de film alimentaire. Au dernier moment, réchauffez-les 3 à 4 min à la vapeur pour les servir bien chaudes.

soupe de poulet
aux nouilles (VIÊT NAM)

Ce délicieux plat complet, très populaire, est relevé de nuoc-mâm, condiment vietnamien à base d'anchois macérés dans une saumure.

POUR 4 PERSONNES

1,5 litre de bouillon de volaille

4 étoiles de badiane (anis étoilé)

5 cm de bâton de cannelle (ou d'écorce de casse)

20 graines de coriandre

5 cm de racine de gingembre râpée

2 cuil. à soupe de nuoc-mâm

1 cuil. à café de cassonade

½ cuil. à café de sel

Poivre noir du moulin

1 cuil. à soupe d'huile de tournesol (ou d'arachide)

4 belles échalotes finement émincées

450 g de nouilles de riz

125 g de blanc de poulet cuit finement émincé

6 à 8 cébettes (oignons verts) finement émincées

1 petit oignon détaillé en fins anneaux

1 poignée de germes de soja blanchis et égouttés

1 piment rouge très finement émincé

Le jus de 1 citron vert

4 brins de coriandre finement ciselés

Sauce *hoisin* et sauce pimentée pour servir

Dans une casserole, portez le bouillon à frémissements sur feu moyen avec la badiane, la cannelle (ou la casse), les graines de coriandre et le gingembre. Laissez frémir 20 min. Ajoutez le nuoc-mâm, la cassonade et le sel. Donnez quelques tours de moulin à poivre. Remuez jusqu'à dissolution de la cassonade, puis filtrez pour supprimer les épices. Réservez au chaud.

Dans une poêle, chauffez l'huile sur feu doux à moyen. Faites-y légèrement dorer les échalotes 10 min, en remuant régulièrement.

Faites cuire les nouilles à l'eau bouillante selon les indications portées sur l'emballage. Égouttez-les, puis répartissez-les dans 4 grands bols de service chauds. Ajoutez le poulet, les cébettes, l'oignon, les germes de soja et le piment. Couvrez avec le bouillon chaud. Arrosez du jus de citron et parsemez de la coriandre.

Servez aussitôt, avec les sauces présentées dans des coupelles : chacun en ajoutera à son gré.

calmars aux piments
et haricots noirs (CHINE)

Si la gastronomie chinoise, de tradition millénaire, est souvent complexe, difficile et longue à réaliser, la cuisine quotidienne reste simple. Elle privilégie la fraîcheur et l'équilibre des flaveurs, couleurs et textures, pour des recettes plus appétissantes les unes que les autres. Celle qui est proposée ici, facile et rapide, est aussi joliment colorée que délicieusement relevée.

POUR 4 PERSONNES

750 g de calmars nettoyés, avec leurs tentacules

1 cuil. à soupe d'huile de tournesol (ou d'arachide)

2 ou 3 cébettes (oignons verts) émincées

2 gousses d'ail finement émincées

5 cm de racine de gingembre finement émincée

2 à 4 piments rouges et verts finement émincés
    (avec ou sans les graines selon la force désirée)

1 oignon détaillé en anneaux

1 poivron vert épépiné et coupé en morceaux
    de 2,5 cm de côté environ

1 cuil. à soupe de haricots de soja noirs au sel,
    en boîte, rincés et émincés

½ cuil. à café de cinq-épices en poudre (voir page 44)

1 cuil. à soupe rase de Maïzena (fécule de maïs)
    délayée dans 100 ml de bouillon de légumes

Poivre du moulin

1 cuil. à café d'huile de sésame (facultatif)

Coupez la chair des calmars en lamelles de 4 cm de long environ. Quadrillez-les légèrement au couteau. Plongez-les, avec les tentacules, dans une casserole d'eau bouillante. Dès la reprise de l'ébullition, enlevez-les à l'écumoire et plongez-les aussitôt dans un saladier d'eau froide. Égouttez-les.

Dans un wok (ou une sauteuse), chauffez l'huile sur feu vif. Quand elle est très chaude, faites-y sauter les cébettes 30 s, puis l'ail, le gingembre et les piments 15 s, sans laisser brûler. Ajoutez l'oignon et le poivron. Poursuivez la cuisson 1 min en remuant.

Incorporez les haricots, puis les calmars. Laissez-les cuire 30 s environ : ils doivent être juste chauds à cœur. Ajoutez le cinq-épices et la Maïzena délayée. Mélangez 1 min. Ôtez du feu.

Donnez quelques tours de moulin à poivre. Arrosez éventuellement de l'huile de sésame et servez, avec des nouilles chinoises ou du riz nature.

maquereaux en sauce pimentée
(CHINE)

Dans cette délicieuse recette, les épices contribuent
à équilibrer la chair un peu grasse des maquereaux.

POUR 4 PERSONNES

4 maquereaux prêts à cuire
Le jus de 10 cm de racine de gingembre (râpée, puis
    écrasée au presse-ail)
1 cuil. à café de cinq-épices en poudre (voir page 44)
Le jus de ½ citron
1 cuil. à café de sel
1 botte de cébettes (oignons verts) nettoyées

POUR LA SAUCE

2 cuil. à soupe d'huile de tournesol (ou d'arachide)
4 gousses d'ail émincées
3 piments rouges finement émincés
1 cuil. à soupe de haricots de soja noirs au sel, en boîte,
    rincés et hachés (ou 2 cuil. à soupe de sauce soja foncée)
2 cuil. à soupe de vin de riz chinois *(chao-xing)*
    ou de xérès mi-sec
300 ml de bouillon de poisson (ou de légumes)
1 cuil. à soupe de sauce *hoisin*

Avec un couteau pointu, entaillez chaque maquereau de trois
fentes profondes, en oblique, sur chaque face. Répartissez le jus
de gingembre et le cinq-épices dans chaque entaille, en frottant
bien du bout des doigts. À l'intérieur de chaque poisson, répartissez
le jus de citron et le sel. Laissez mariner 1 h à couvert.

    Préchauffez le four à 190 °C (th. 6/7).

    Préparez la sauce. Dans un wok (ou une sauteuse), chauffez
l'huile sur feu vif. Faites-y sauter l'ail 30 s environ, sans le laisser
brûler, puis les piments 15 s. Ajoutez les haricots hachés (si vous
n'avez pas choisi la sauce soja) et mélangez 15 s. Versez le vin de
riz (ou le xérès). Mélangez 2 min environ, sans laisser le liquide
s'évaporer complètement, puis incorporez le bouillon et la sauce
soja (si vous n'avez pas choisi les haricots). Baissez le feu. Laissez
mijoter 10 min, puis ajoutez la sauce *hoisin*.

    Répartissez les cébettes sur un plat à four. Déposez les
maquereaux dessus, côte à côte, puis nappez-les de la sauce
chaude. Enfournez pour 15 min.

    Avant de servir, dans le plat de cuisson, retournez les poissons
et nappez-les de sauce brûlante. Accompagnez de riz nature.

canard poché en sauce soja
(CHINE)

En mijotant dans le bouillon aigre-doux subtilement parfumé,
la chair du canard acquiert une saveur incomparable.
Après cuisson, vous pouvez congeler ce bouillon – refroidi,
puis filtré et dégraissé – pour l'utiliser de nouveau
ultérieurement.

POUR 4 PERSONNES

1 canard prêt à cuire de 1,5 kg, coupé en quatre
300 ml d'huile de tournesol (ou d'arachide)
1 litre de bouillon de volaille (ou d'eau)
1 litre de sauce soja foncée
275 ml de sauce soja claire
400 ml de vin de riz chinois *(chao-xing)* ou 200 ml de
    xérès sec mélangé à 200 ml de bouillon de volaille
100 g de sucre en poudre
3 étoiles de badiane (anis étoilé)
3 bâtons de cannelle
Quelques feuilles de coriandre pour le décor

Épongez soigneusement les quartiers de canard avec du papier
absorbant.

    Dans un wok (ou une sauteuse), faites chauffer l'huile
à 175 °C (utilisez un thermomètre culinaire). Placez-y deux
quartiers de canard, peau dessous. Baissez le feu. Laissez griller
pendant 15 à 20 min sur feu doux, en arrosant régulièrement
la volaille avec de l'huile, mais sans la retourner : sa peau doit
être intensément colorée. Avec une écumoire, déposez ces
quartiers de canard sur du papier absorbant, puis recommencez
l'opération avec les deux autres, après avoir de nouveau fait
chauffer l'huile à 175 °C.

    Dans un faitout, mélangez le bouillon (ou l'eau) avec les
deux sauces soja, le vin de riz (ou le xérès mélangé au bouillon
de volaille), le sucre, la badiane et la cannelle. Portez à ébullition
sur feu moyen. Ajoutez les quartiers de canard. Baissez le feu.
Couvrez. Laissez frémir 1 h environ : la volaille doit être très tendre.

    Dégraissez la surface du bouillon avec une petite louche et
retirez les quartiers de volaille à l'écumoire. Laissez-les refroidir,
puis détaillez-les en petits morceaux. Disposez-les sur le plat de
service et décorez avec les feuilles de coriandre. Accompagnez
de nouilles chinoises ou de riz.

sushis (JAPON)

Le wasabi, condiment japonais préparé avec la racine d'une plante voisine du raifort, possède une saveur piquante, très légèrement amère. Il accompagne traditionnellement les sushis et les sashimis (simples assortiments de poissons crus). Le wasabi est vendu sous forme de poudre verte à mélanger avec un peu d'eau, de façon à obtenir une pâte, ou déjà prêt, en tube. Pour rouler facilement les sushis, les Japonais utilisent des petites nattes en bambou. À défaut, modelez les boulettes à la main, pratiquez un trou au centre avec le doigt, puis glissez-y la garniture détaillée en dés. Le poisson doit être de toute première fraîcheur : précisez au poissonnier qu'il sera consommé cru.

POUR 24 SUSHIS

125 g de chacun des produits marins suivants : saumon, turbot, noix de Saint-Jacques, poche de gros calmar nettoyée et langoustines décortiquées
250 g de riz rond à sushis (ou de riz gluant)
250 ml d'eau
4 cuil. à soupe de vinaigre de riz
1 cuil. à soupe de sucre en poudre
1 cuil. à café de sel
4 cuil. à café de wasabi + 1 cuil. à soupe pour servir
4 cuil. à café de *daikon* (radis du Japon) râpé
25 g de graines de sésame grillées (facultatif)
Sauce soja et *gari* (lamelles de gingembre macérées au vinaigre) pour servir

Faites tremper les produits marins 2 h dans de l'eau glacée.

Lavez le riz dans de l'eau froide, en changeant l'eau jusqu'à ce qu'elle soit claire. Laissez-le égoutter 1 h.

Dans une casserole, mélangez le riz et l'eau. Portez à ébullition sur feu moyen. Baissez le feu. Couvrez hermétiquement. Laissez cuire 15 min environ, jusqu'à absorption complète de l'eau, sans soulever le couvercle en cours de cuisson. Remontez sur feu vif pour 10 s, puis ôtez du feu. Laissez le riz reposer 15 min, toujours à couvert, puis étalez-le dans un plat de service creux.

Chauffez le vinaigre avec le sucre et le sel sur feu moyen, en mélangeant jusqu'à dissolution du sucre. Incorporez le riz, à la spatule, en séparant les grains pour les aérer. Laissez refroidir.

Égouttez les produits marins. Épongez-les soigneusement dans du papier absorbant. Découpez les poissons et les calmars en lamelles de 10 cm de long et 1 cm de large. Coupez les noix de Saint-Jacques et les langoustines en deux.

Sur 4 nattes en bambou de 20 cm de côté, répartissez le riz en une couche de 5 mm d'épaisseur environ. Répartissez dessus, sur une ligne médiane, le wasabi, puis le *daikon* et, enfin, les produits marins, en les alternant. Roulez les nattes de façon à enfermer la garniture, en appuyant délicatement pour affermir les rouleaux. Laissez reposer 5 min, puis enlevez les nattes avec précaution. Roulez éventuellement les rouleaux obtenus dans les graines de sésame et coupez chacun d'eux en 6 sushis.

Servez aussitôt, avec le *gari*, la sauce soja et le reste du wasabi présentés dans des coupelles.

sansho (JAPON)

La cuisine japonaise n'utilise quasiment pas de poivre *(Piper nigrum)*, auquel elle préfère le *sansho*, poudre poivrée et citronnée provenant des feuilles séchées du frêne épineux. Les baies séchées de cet arbre donnent ce qu'on appelle le poivre du Sichuan, pourtant non apparenté au poivre que nous connaissons !

travers de porc rôtis (VIÊT NAM)

Les flaveurs du piment et de la citronnelle font tout
le caractère de cette recette dans laquelle la viande est
longuement marinée avant d'être cuite au four.

POUR 4 PERSONNES

2 travers de porc de 12 côtes chacun
250 ml d'eau

POUR LA MARINADE

4 piments rouges finement émincés
2 tiges de citronnelle (avec le bulbe) finement émincées
2 gousses d'ail écrasées
2 cuil. à soupe d'alcool de sorgho, ou *mei-kuei-lu*,
(ou de xérès mi-sec)
1 cuil. à soupe de sauce soja
1 cuil. à soupe de nuoc-mâm
1 cuil. à café de cinq-épices en poudre (voir page 44)

Préparez la marinade. Dans un mortier, pilez les piments, la
citronnelle et l'ail jusqu'à obtenir une consistance de pommade.
Mélangez-la avec tous les autres ingrédients.

Déposez les travers de porc dans un plat creux. Badigeonnez-
les de tous côtés avec la marinade. Laissez-les macérer pendant
4 h à température ambiante, ou 12 h au réfrigérateur, en les
retournant de temps en temps.

Préchauffez le four à 200 °C (th. 6/7). Retirez les travers de
la marinade à l'écumoire. Déposez-les sur une grille placée au-
dessus de la lèchefrite. Glissez le tout dans le haut du four pour
45 min environ, en arrosant souvent la viande avec la marinade.
Vérifiez la cuisson en enfonçant la pointe d'un couteau entre
deux os : la viande doit être bien tendre.

Portez l'eau à ébullition, puis versez-la dans la lèchefrite
en grattant le fond à la spatule pour décoller les sucs de cuisson.
Filtrez la sauce obtenue.

Coupez les travers en deux, de façon à servir six côtes par
personne. Nappez de sauce et accompagnez de riz nature.

bœuf braisé aux navets (CHINE)

Haute en goût, cette recette économique est idéale
pour réchauffer les repas hivernaux.

POUR 4 PERSONNES

1,5 kg de gîte de bœuf
3 cuil. à soupe d'huile de tournesol (ou d'arachide)
2 oignons finement émincés
1 cuil. à café de cinq-épices en poudre (voir page 44)
5 cm de racine de gingembre finement émincée
3 étoiles de badiane (anis étoilé)
1 litre d'eau
4 cuil. à soupe de sauce soja foncée
2 cuil. à café de sucre en poudre
5 cuil. à soupe de vin de riz chinois *(chao-xing)*
ou de xérès mi-sec
450 g de navets coupés dans la diagonale en morceaux
de 3 cm d'épaisseur
2 cuil. à soupe de feuilles de coriandre ciselées

Faites blanchir la viande 10 min à l'eau bouillante. Égouttez-la,
rincez-la à l'eau froide, puis épongez-la dans du papier absorbant.
Coupez-la en cubes de 2,5 cm de côté.

Dans une cocotte, chauffez l'huile sur feu moyen. Faites-y
revenir les cubes de viande 5 min, en les retournant souvent.
Déposez-les à l'écumoire sur une assiette. Mettez les oignons
dans la cocotte. Faites-les revenir 7 min en remuant régulièrement,
puis incorporez le cinq-épices, le gingembre et la badiane.

Ajoutez l'eau, la sauce soja, le sucre, le vin de riz chinois
(ou le xérès) et les cubes de viande, avec le jus qu'ils ont rendu.
Portez à ébullition. Baissez le feu. Couvrez et laissez mijoter
1 h 30 à tout petits frémissements. Préchauffez le four à 200 °C
(th. 6/7).

Ajoutez les navets dans la cocotte et, éventuellement,
un peu d'eau chaude : ils doivent être totalement immergés.
Couvrez. Enfournez pour 1 h 30 à 2 h : la viande doit être
fondante. Parsemez de la coriandre et servez, dans la cocotte,
avec du riz nature.

riz sauté aux lardons (CHINE)

Préparé de multiples façons, le riz est consommé deux ou trois fois par jour par plus de la moitié des peuples du monde, surtout en Asie, où l'on ne peut concevoir un repas sans riz.

POUR 4 PERSONNES

500 g de riz cuit la veille à l'eau bouillante, égoutté, refroidi, puis conservé au réfrigérateur
2 cuil. à soupe d'huile de tournesol (ou d'arachide)
2 cébettes (oignons verts), blanc et vert finement émincés séparément
2 gousses d'ail émincées
2 cm de racine de gingembre finement émincée
2 cuil. à café de graines de cumin
1 piment rouge émincé
100 g de lardons fumés
2 cuil. à soupe de petits pois surgelés
1 carotte coupée en fins bâtonnets
1 cuil. à café de sel
Poivre du moulin
2 cuil. à soupe de sauce soja
2 cuil. à soupe de feuilles de coriandre ciselées

Avec une spatule, aérez le riz pour bien en séparer les grains. Dans un wok (ou une sauteuse), chauffez l'huile sur feu vif. Faites-y sauter le blanc des cébettes 20 s, puis incorporez l'ail, le gingembre et les graines de cumin. Poursuivez la cuisson 20 s en remuant, puis ajoutez le piment et les lardons. Laissez cuire 1 min en remuant.

Mettez dans le wok les petits pois non décongelés, la carotte et le riz. Laissez cuire 5 min sans cesser de remuer.

Rectifiez l'assaisonnement en sel, donnez quelques tours de moulin à poivre et ajoutez la sauce soja. Disposez sur le plat de service, puis parsemez de la coriandre et du vert des cébettes.

sept-épices en poudre (JAPON)

Ce condiment japonais est appelé *shichimi-togarashi*, *shichimi* signifiant « sept-épices » et *togarashi* « piments rouges séchés ». Essentiellement utilisé pour parfumer le riz ou les nouilles, il contient parfois, en plus, des graines de moutarde et de colza ainsi que de la pérille *(shiso)*, une plante japonaise mentholée – ce qui ne l'empêche pas de garder son nom de sept-épices !

1 cuil. à soupe de graines de sésame blanches un peu grillées
1 cuil. à soupe de *nori* (algue séchée) émietté
1 cuil. à café de zeste de mandarine séché émincé
1 cuil. à café de piment rouge séché émietté
1 cuil. à café de *sansho* (voir page 41) ou de poivre du Sichuan
½ cuil. à café de grains de poivre noir
½ cuil. à café de graines de pavot légèrement grillées

Réduisez tous les ingrédients en poudre au pilon, dans un mortier.

cinq-épices en poudre (CHINE)

Ainsi baptisé à cause de la valeur symbolique du chiffre cinq en Chine, le cinq-épices peut en contenir soit moins, soit davantage – il inclut alors du poivre noir, de la réglisse ou du gingembre en poudre. Au Viêt Nam et dans le sud de la Chine, il sert à assaisonner, entre autres, les marinades et les viandes rôties.

POUR 1 PETIT FLACON

2 étoiles de badiane (anis étoilé)
10 cm de bâton de cannelle cassé en petits morceaux
1 cuil. à café de grains de poivre du Sichuan
1 cuil. à café de clous de girofle
1 cuil. à café de graines de fenouil

Dans une poêle antiadhésive, faites griller les épices 30 s à sec sur feu vif, en remuant. Réduisez-les en poudre dans un moulin à café ou au mortier. Conservez dans un flacon stérilisé sec, hermétiquement fermé, à l'abri de la lumière et de la chaleur.

gomasio (JAPON)

Présenté à table, dans une coupelle, le *gomasio* est l'assaisonnement de prédilection du riz.

POUR 1 PETIT FLACON

4 cuil. à soupe de graines de sésame grillées
2 cuil. à soupe de gros sel de mer

Réduisez les graines de sésame en poudre avec le sel, dans un moulin à café ou en les pilant dans un mortier. Conservez dans un flacon stérilisé sec, hermétiquement fermé, à l'abri de la lumière et de la chaleur.

kim chee (CORÉE)

Salé et pimenté, le *kim chee* est extrêmement populaire en Corée, où il agrémente quasiment chaque repas.

POUR 1 GRAND BOCAL

1 chou chinois
150 g de sel
2 cuil. à café de piment en poudre
8 cébettes (oignons verts) émincées
10 cm de racine de gingembre râpée
2 à 4 piments rouges finement émincés
4 gousses d'ail écrasées

Détachez les feuilles du chou. Lavez-les, égouttez-les, puis épongez-les. Ôtez leurs côtes dures, puis coupez-les en larges lamelles. Dans un saladier, disposez-les par couches successives en les alternant avec le sel et le piment en poudre. Couvrez-les d'une assiette surmontée d'un poids (une grande boîte de conserve, par exemple). Laissez-les macérer une semaine.

Égouttez le chou et rincez-le soigneusement à l'eau courante. Pressez-le entre les mains, puis dans un linge, pour en extraire un maximum de liquide.

Émincez-le finement puis, dans une jatte, mélangez-le avec les cébettes, le gingembre, les piments émincés et l'ail. Pressez avec une assiette et couvrez le tout de film alimentaire.

Réservez le *kim chee* une semaine au réfrigérateur dans un bocal stérilisé sec, hermétiquement fermé.

Dégustez avec modération, en accompagnement d'une viande, d'une volaille ou d'un poisson.

piments émincés à l'huile (CHINE ET TAÏWAN)

Ce condiment à la saveur brûlante, appelé *lajiao you*, est très appréciée en Chine comme à Taïwan. Mélangez-le soigneusement avant de l'utiliser.

POUR 1 BOCAL

3 cuil. à soupe d'huile de tournesol ou d'arachide
50 g de piments rouges séchés finement émincés
½ cuil. à café de sel

Dans une poêle, faites chauffer l'huile sur feu très vif. Au premier dégagement de fumée, ôtez-la du feu. Attendez 5 s, puis ajoutez les piments : l'huile doit mousser. Dès que l'huile retombe, saupoudrez avec le sel et mélangez vivement.

Conservez ces piments dans un bocal stérilisé sec, hermétiquement fermé.

À l'heure actuelle, les saveurs thaïlandaises sont très recherchées. En gastronomie comme en toute chose, le désir d'explorer de nouveaux horizons dicte les modes et les goûts vont et viennent, entre Mexique et Liban, Inde et Chine. Mais la Thaïlande et l'Asie du Sud-Est en général cultivent un art culinaire particulier. Au-delà de l'exotisme des recettes (tels le curry vert ou le curry rouge), c'est toute une philosophie des épices qui se fait jour et qui enflamme l'imagination des chefs de la nouvelle génération – à Londres, Sydney, Paris et New York.

Si les restaurants indiens et chinois ont désormais pignon sur rue, l'art culinaire du reste de l'Asie demeure en partie méconnu. La gastronomie indonésienne, aussi épicée et pimentée que la cuisine indienne, se distingue par des saveurs plus suaves et plus exotiques encore (avec la pâte de crevettes séchées, par exemple, ou diverses sauces de poisson).

Au début des années 1980, les premiers restaurants thaïlandais nous faisaient découvrir leurs alliances raffinées de saveurs fortes et aigres-douces réalisant l'équilibre parfait entre couleur, texture et goût, ainsi que des ingrédients nouveaux tels que la citronnelle et les feuilles de combava.

Puis des ouvrages de cuisine spécialisés ont révélé au plus grand nombre les subtilités de la gastronomie thaïlandaise, tandis que les touristes revenaient de Bangkok la tête pleine de souvenirs colorés, d'images d'étals foisonnant d'épices, de fruits et de légumes…

Les nouilles thaïes (pad thaï), qui sont soit larges et plates, soit fines et transparentes, constituent le plat de base. Elles s'accompagnent de viande, de poulet ou de crevettes. Vert ou rouge, le curry est omniprésent, de même que les soupes pimentées (tom yam). La Thaïlande (ancien royaume de Siam) est aussi l'héritière d'une des gastronomies les plus raffinées au monde, née dans les cuisines du palais royal. David Thompson, chercheur à l'université de Sydney, a consacré sa vie à l'étude de la langue et de la cuisine thaïlandaises, dont les arcanes lui ont été dévoilés par d'anciens cuisiniers du palais. Il a ainsi pu reconstituer en détail l'histoire de la tradition culinaire du pays.

Aventure indonésienne

Si la Thaïlande est influente, elle ne fait pas le poids face à l'Indonésie, quatrième pays au monde par sa population (200 millions d'habitants) – après la Chine, l'Inde et les États-Unis. L'archipel comporte plus de 13 000 îles, dont les plus vastes sont Java et Sumatra.

La gastronomie locale emprunte beaucoup à la Chine, par son ingéniosité et par le large éventail des techniques utilisées. En un tournemain, les cuisiniers indonésiens transforment une modeste ration de riz ou de nouilles en un festival de saveurs où se mêlent porc, canard, poulet, poisson, fruits de mer et légumes, sans oublier les œufs et les arachides croustillantes. D'étonnants condiments en pâte, généralement alliés au *terasi* (aussi appelé *blachan*), une pâte salée à base de crevettes séchées, apportent la touche finale.

Relevées d'une sauce aux cacahouètes brûlante (satay), les brochettes de porc, de bœuf ou de poulet à l'indonésienne font l'unanimité aux quatre coins du monde, tout comme le *gado gado* (légumes croquants légèrement cuits à la vapeur, assaisonnés d'une sauce aux cacahouètes épicée).

Quant à la cuisine de Malaisie, elle marie avec bonheur les savoir-faire malais, chinois et indien. À base de riz et de lait de coco, elle décline toute une gamme de currys ardents et de grillades épicées.

Si vous séjournez à Singapour, vous découvrirez que les restaurants de cette petite île, microcosme de l'Asie du Sud-Est, offrent une anthologie des cuisines d'Indonésie.

Même si sa production reste réservée à la consommation locale, Singapour demeure une grande capitale des épices. Chaque étal est là pour rappeler que ce sont le poivre, la noix muscade et la cannelle qui attirèrent les Européens dans ces contrées lointaines.

En 1819, sir Stamford Raffles fonda le comptoir de Singapour pour la Compagnie anglaise des Indes orientales. Dès lors, l'île devint un des joyaux de la Couronne et une étape incontournable pour les navires britanniques se rendant à Hongkong via Gibraltar, Malte et Suez, Aden et Colombo. Elle n'était alors qu'une terre vierge et hostile, couverte de marécages et de forêt tropicale (quelques pans sont préservés au cœur du magnifique jardin botanique). Aujourd'hui, c'est un État prospère de plus de 4 millions d'habitants, une plaque tournante du commerce et un creuset des cultures, un New York miniature hérissé de tours bâties par les banques et les multinationales.

Singapour est également riche en restaurants : c'est l'endroit idéal pour faire un tour d'horizon des morceaux choisis de l'art culinaire asiatique. Chaque groupe ethnique a son propre marché, où des centaines de cantines en plein air proposent leur spécialité, de la soupe chinoise au poulet tandoori.

Ici, on peut manger au restaurant tous les jours sans jamais se lasser. La cuisine locale offre un échantillon représentatif du bon usage des épices pratiqué en Thaïlande, en Indonésie, en Birmanie ou au Japon. Mais elle peut aussi surprendre par son audace et sa créativité avec, par exemple, un risotto à l'asiatique (servi au célèbre hôtel international Raffles).

Le *nonya* malais

Singapour a aussi ses propres spécialités, originales et épicées, appelées *nonya*. Ce style de cuisine est apparu avec l'arrivée dans l'île d'ouvriers chinois, recrutés par sir Stamford Raffles pour le compte de la Compagnie des Indes. Les femmes n'ayant pas été autorisées à les accompagner, ils épousèrent des Malaises. Ainsi naquit le *nonya*, fruit de l'union des saveurs locales et des techniques culinaires chinoises.

Les Malaises utilisaient les produits locaux : pâte de poisson *(blachan)*, feuilles et herbes aromatiques (citronnelle et pandanus), piments frais très forts. Puis les Chinois les initièrent à l'usage du wok et d'ingrédients essentiels à leurs spécialités, comme la sauce soja, le gingembre, l'ail et les oignons blancs nouveaux. Il en est résulté une cuisine aux accents nettement plus audacieux et exubérants que les saveurs subtiles de Chine continentale.

À Singapour, j'ai eu la chance d'observer à l'œuvre une excellente cuisinière au fait des pratiques locales. Juste avant de préparer le repas, elle se promène dans son jardinet pour y cueillir une poignée de citronnelle et quelques feuilles

de combava. Aux fourneaux, elle jette des piments frais dans un wok placé sur feu vif, puis elle y ajoute des dés de poulet et les feuilles de citronnelle et de combava, le tout agrémenté de jus de citron vert et d'une demi-bouteille de sauce soja. Les saveurs obtenues sont intenses et accompagnent à merveille le riz blanc.

S'il est un plat qui résume l'essence de Singapour et l'esprit du *nonya*, c'est sans doute le crabe pimenté. Même servi avec une sauce tomate douce, il est si fort que les amateurs de cuisine épicée se laissent surprendre !

L'art culinaire d'Asie du Sud-Est utilise peu d'ingrédients « nobles » au sens occidental du terme. Ce sont les épices qui font sa quintessence. Chaque repas est un événement, chaque plat un chef-d'œuvre.

Une Balinaise trie des piments rouges et jaunes (Indonésie).

soupe de légumes (INDONÉSIE)

Cette soupe aigre-douce, légère et très parfumée, est bien équilibrée, le lait de coco modérant les ardeurs du piment.

POUR 4 PERSONNES

4 cuil. à soupe de noix de coco râpée séchée
300 ml d'eau bouillante
1 cuil. à soupe d'huile de tournesol (ou d'arachide)
1 oignon finement émincé
1 gousse d'ail écrasée
2,5 cm de racine de gingembre râpée
2 piments verts finement émincés
1 cuil. à café de curcuma en poudre
1,2 litre de bouillon de légumes
2 cuil. à café de cassonade
2 carottes coupées en fines rondelles
2 branches de céleri finement émincées
1 poireau finement émincé
1 poignée de haricots verts coupés en morceaux
Sel ou sauce soja
Le jus de 1 citron

Mettez la noix de coco dans une jatte. Arrosez-la avec l'eau bouillante. Laissez infuser 15 min. Filtrez pour éliminer les fibres de ce lait de coco.

Dans une casserole, faites chauffer l'huile sur feu moyen. Mettez-y l'oignon à fondre 2 à 3 min, en remuant. Ajoutez l'ail, le gingembre, les piments et le curcuma. Mélangez jusqu'à obtention d'une pâte épaisse, sans laisser brûler.

Mouillez avec le bouillon et le lait de coco. Portez à ébullition en remuant. Ajoutez la cassonade, les carottes, le céleri, le poireau et les haricots verts. À la reprise de l'ébullition, baissez le feu, couvrez et laissez frémir 30 min.

Rectifiez l'assaisonnement en ajoutant du sel ou de la sauce soja, selon votre goût. Juste avant de servir, très chaud, incorporez le jus de citron.

soupe laksa (SINGAPOUR)

Il existe de très nombreuses recettes de *laksa*, soupe riche en épices et en aromates. Adaptez les ingrédients selon votre goût, en variant les fruits de mer et en leur ajoutant des légumes asiatiques : germes de soja, chou chinois ou aubergines naines.

POUR 4 PERSONNES

1 crabe de 500 g
250 g de grosses crevettes roses
250 g de moules nettoyées
2 cuil. à soupe d'huile de tournesol
1 tige de citronnelle coupée en tronçons
    de 2 cm de long, de biais
3 feuilles de combava *(makrut lime)*
2 cm de racine de gingembre finement émincée
2 cuil. à soupe de feuilles de coriandre ciselées
400 ml de lait de coco
600 ml d'eau
Sel
Le jus de ½ citron vert
350 g de nouilles de riz
Feuilles de persil plat, menthe, basilic ou coriandre
    pour le décor

POUR LA PÂTE *LAKSA*
100 g d'échalotes
3 gousses d'ail
8 noix de bancoul *(buah keras)* ou amandes blanchies
1 cuil. à soupe d'huile de tournesol
1 tige de citronnelle finement émincée
3 piments rouges frais ou séchés
½ cuil. à café de pâte de crevettes séchées *(blachan)*
    ou 1 cuil. à soupe de *nam pla* (ou de nuoc-mâm)
1 cuil. à soupe de curcuma en poudre
1 cuil. à café de cumin en poudre
1 cuil. à soupe de sucre de palme *(jaggery)* ou de sucre
    demerara (sucre brut coloré avec de la mélasse)

Ouvrez la carapace du crabe, cassez ses pinces et ses pattes, puis prélevez sa chair en l'émiettant pour supprimer les cartilages ; réservez les carapaces. Décortiquez les crevettes en conservant leur queue et supprimez la veine noire de leur abdomen ; réservez les têtes et les carapaces.

Dans un faitout, faites ouvrir les moules avec 200 ml d'eau, 6 min environ sur feu vif et à couvert, en secouant le récipient de temps en temps. Égouttez-les en conservant leur jus.

Dans une sauteuse, chauffez l'huile sur feu moyen. Faites-y revenir les carapaces et les têtes des crustacés 5 min en remuant. Ajoutez la citronnelle, le combava, le gingembre et la coriandre. Mélangez. Arrosez avec le jus des moules. Laissez cuire jusqu'à évaporation, puis ajoutez la moitié du lait de coco et l'eau. Portez à ébullition, baissez le feu et laissez frémir 15 min. Filtrez. Réservez ce bouillon au chaud.

Préparez la pâte *laksa*. Mixez les échalotes, l'ail et les noix (ou les amandes) en pâte fine. Dans une poêle, chauffez l'huile sur feu moyen. Faites-y revenir cette pâte avec la citronnelle, 3 min en

remuant. Ajoutez les piments et, éventuellement, la pâte de crevettes. Remuez jusqu'à consistance granuleuse, puis incorporez le curcuma, le cumin, éventuellement le *nam pla* (ou le nuoc-mâm) et le sucre. Ajoutez le bouillon. Mélangez et laissez frémir 10 min. Incorporez le reste de lait de coco, le crabe, les crevettes et les moules. Poursuivez la cuisson 5 min. Rectifiez l'assaisonnement. Ajoutez le jus de citron. Réservez au chaud.

Faites cuire les nouilles à l'eau bouillante selon les indications portées sur l'emballage. Égouttez-les. Répartissez-les dans 4 bols de service. Versez la soupe. Décorez avec les herbes.

gambas grillées (INDONÉSIE)

Poisson et fruits de mer sont quotidiennement au menu en Indonésie, archipel de plus de 13 000 îles occupant un territoire aussi grand que l'Europe. On y consomme également des poissons d'eau douce élevés dans les rizières inondées.

POUR 4 PERSONNES À L'APÉRITIF OU EN ENTRÉE

12 à 16 gambas
½ cuil. à café de pâte de crevettes séchées, ou *blachan* **(facultatif)**
1 cuil. à soupe d'huile d'olive
2 cuil. à soupe de jus de citron vert + 2 citrons verts coupés en quartiers pour servir
3 gousses d'ail écrasées
½ cuil. à café de piment en poudre
1 cuil. à café de cassonade

Enlevez les têtes des gambas. Décortiquez-les en conservant leur queue et la partie inférieure de leur carapace. Fendez-les dans la longueur sur le ventre, supprimez la veine noire de leur abdomen, puis ouvrez-les en les aplatissant légèrement.

Si vous utilisez de la pâte de crevettes, enveloppez-la d'aluminium et faites-la rôtir, quelques secondes de chaque côté au-dessus d'une flamme ou 1 min de chaque côté sous le gril du four. Broyez-la finement en la pilant dans un mortier.

Dans un saladier, mélangez l'huile avec le jus de citron, l'ail, éventuellement la pâte de crevettes broyée, le piment et la cassonade. Ajoutez les gambas. Mélangez pour bien les enrober. Laissez-les mariner au moins 30 min, à couvert, en les retournant de temps en temps.

Faites chauffer un gril sur feu vif. Quand il est très chaud, mettez-y les gambas à griller 7 min, en les badigeonnant de marinade et en les retournant de temps en temps.

Servez très chaud, avec les quartiers de citron vert.

soupe paysanne au poulet
(SUD-EST ASIATIQUE)

Il existe différentes versions de cette soupe de base, légère et relevée, selon qu'elle est préparée en Thaïlande, au Viêt Nam ou en Malaisie.

POUR 6-8 PERSONNES

1 blanc d'œuf
3 cuil. à café de Maïzena (fécule de maïs)
2 ou 3 blancs de poulet, sans la peau, coupés en aiguillettes
2 tiges de citronnelle coupées en tronçons de 2 cm de long
1 litre de bouillon de volaille
10 petits piments rouges grossièrement émincés
5 cm de racine de galanga finement émincée
750 ml de lait de coco
1 cuil. à café de sucre de palme (*jaggery***) ou de cassonade**
1 pincée de sel
2 cuil. à soupe de *nam pla* **(ou de nuoc-mâm)**
175 ml d'huile d'arachide
Le jus de 1 citron (jaune ou vert)
Poivre du moulin
2 cuil. à soupe de feuilles de coriandre ciselées

Dans une jatte, mélangez le blanc d'œuf et la Maïzena jusqu'à consistance pâteuse. Ajoutez les aiguillettes de poulet. Mélangez pour bien les enrober. Réservez 1 h au réfrigérateur.

Avec le plat d'une lame de couteau large, écrasez les tronçons de citronnelle pour libérer leurs arômes. Versez le bouillon dans une casserole. Ajoutez les piments, le galanga et la citronnelle. Portez à frémissements sur feu doux, puis laissez frémir 10 min.

Ajoutez le lait de coco, le sucre (ou la cassonade), le sel et le *nam pla* (ou le nuoc-mâm). Mélangez. Poursuivez la cuisson 20 min à petits frémissements.

Dans un wok (ou une sauteuse), faites chauffer l'huile sur feu moyen à vif. Mettez-y les aiguillettes de poulet à frire 5 à 10 min, selon leur taille. Déposez-les à l'écumoire sur du papier absorbant.

Dans une soupière, mélangez la soupe et le poulet. Ajoutez le jus de citron. Donnez quelques tours de moulin à poivre, garnissez de la coriandre et servez, très chaud.

tom yam kung (THAÏLANDE)

Cette soupe de crevettes épicée est caractéristique de la cuisine thaïlandaise (*tom* signifiant « soupe » et *yam* « épices »), parfumée de nombre d'épices et d'aromates locaux.

POUR 4 PERSONNES

1 cuil. à soupe d'huile de tournesol (ou d'arachide)
4 échalotes émincées
3 gousses d'ail émincées
1 piment rouge finement émincé
1 cuil. à café de sel
1 litre de bouillon de poisson (de volaille ou de légumes)
1 tige de citronnelle coupée en tronçons de 5 cm de long
4 feuilles de combava (*makrut lime*)
1 cuil. à soupe de *nam pla* (ou de nuoc-mâm)
1 cuil. à soupe de sucre de palme (*jaggery*) ou de sucre *demerara* (sucre brut coloré avec de la mélasse)
500 g de crevettes décortiquées et déveinées (vous pouvez utiliser les carapaces pour enrichir le bouillon, puis le filtrer avant utilisation)
Le jus de ½ citron (jaune ou vert)
2 cuil. à soupe de feuilles de coriandre ciselées et 2 cébettes (oignons verts) émincées

Dans une poêle, faites chauffer l'huile sur feu moyen. Dorez-y légèrement les échalotes, l'ail et le piment pendant 2 à 3 min, en remuant. Versez le tout dans un mortier. Ajoutez le sel. Pilez jusqu'à consistance de pommade.

Dans une casserole, mélangez le bouillon avec la préparation précédente, la citronnelle, le combava, le *nam pla* (ou le nuoc-mâm) et le sucre. Portez à frémissements sur feu doux, puis laissez frémir 5 min.

Ajoutez les crevettes. Poursuivez la cuisson 5 min environ, jusqu'à ce qu'elles changent de couleur. Versez le tout dans une soupière. Ajoutez le jus de citron. Garnissez de la coriandre et des cébettes, puis servez, très chaud.

saté de poulet (INDONÉSIE)

Si la viande est rare en Indonésie, les poulets y sont légion, qui courent librement dans les villages et les jardins. Les deux sauces aux saveurs contrastées sont indissociables de ce saté.

POUR 4 PERSONNES

3 échalotes finement hachées
2 gousses d'ail écrasées
1 cuil. à café de gingembre en poudre
1 pincée de piment en poudre (ou de poivre du moulin)
½ cuil. à café de sel
2 cuil. à soupe de sauce soja foncée
1 cuil. à soupe de jus de citron (jaune ou vert)
1 kg de poulet (cuisses, hauts de cuisse, blancs) sans la peau, désossé, coupé en dés de la taille d'une bouchée

POUR LA SAUCE PIMENTÉE (BUMBU KECAP)

2 piments verts séchés émiettés
1 gousse d'ail écrasée
2 cuil. à soupe de sauce soja foncée
2 cuil. à café de jus de citron (jaune ou vert)
1 cuil. à soupe d'eau bouillante

POUR LA SAUCE AUX CACAHOUÈTES (BUMBU KACANG)

2 cuil. à soupe d'huile d'arachide
125 g de cacahouètes nature, frottées entre les doigts pour en éliminer la peau
2 échalotes finement émincées
2 gousses d'ail émincées
½ cuil. à café de pâte de crevettes séchées (*blachan*)
½ cuil. à café de gingembre en poudre
½ cuil. à café de coriandre en poudre
½ cuil. à café de piment en poudre
Sel
450 ml d'eau
1 cuil. à café de cassonade
Le jus de ½ citron

Dans un saladier, mélangez les échalotes, l'ail, le gingembre, le piment (ou quelques tours de moulin à poivre) et le sel. Ajoutez la sauce soja et le jus de citron. Remuez jusqu'à dissolution du sel, puis ajoutez les bouchées de poulet. Mélangez pour bien les enrober. Laissez-les mariner 1 h à couvert.

Préparez la sauce pimentée en mélangeant tous ses ingrédients dans un bol. Couvrez de film alimentaire. Laissez macérer 1 h.

Préparez la sauce aux cacahouètes. Dans une poêle, faites chauffer 1 cuil. à soupe d'huile sur feu moyen. Mettez-y les cacahouètes à griller 5 min environ en remuant, jusqu'à coloration soutenue. Laissez-les refroidir, puis réduisez-les en poudre au moulin à café.

Dans un mortier, pilez les échalotes, l'ail et la pâte de crevettes jusqu'à consistance de pommade, puis incorporez le gingembre, la coriandre, le piment et 1 pincée de sel.

Dans une sauteuse, faites chauffer le reste d'huile sur feu vif. Mettez-y la préparation précédente à revenir 30 s en remuant. Incorporez l'eau. Dès l'ébullition, ajoutez les cacahouètes et la cassonade. Remuez jusqu'à léger épaississement. Versez dans une jatte. Incorporez le jus de citron et rectifiez l'assaisonnement.

Enfilez les bouchées de poulet sur des brochettes. Faites-les griller au barbecue, sur un gril ou sous le gril du four, pendant 6 à 8 min, en les retournant souvent. Servez avec les sauces.

poulet aux piments (SINGAPOUR)

À partir du XIXᵉ siècle, la cuisine de Singapour a été fortement
influencée par la gastronomie chinoise, nombre d'ouvriers
chinois employés par les Britanniques occupant le territoire
ayant épousé des Malaises. Les femmes qui ont mêlé ces deux
cultures culinaires étaient surnommées *Nonya*, nom désignant
aujourd'hui ce style de cuisine (voir page 47). La recette qui
suit, appelée *ayam tempra*, en est un succulent exemple.

POUR 4-6 PERSONNES

1 kg de poulet (cuisses, hauts de cuisse, blancs) sans la peau,
    désossé, coupé en dés de la taille d'une bouchée
6 cuil. à soupe de sauce soja foncée
100 ml d'huile d'arachide (ou de tournesol)
6 oignons finement émincés
10 piments rouges émincés de biais
5 cuil. à soupe de sucre de palme (*jaggery*) ou de cassonade
100 ml d'eau
½ cuil. à café de sel
Le jus de 2 citrons verts (ou de 1 citron jaune)

Rincez les bouchées de poulet, puis épongez-les dans du papier
absorbant. Dans une jatte, mélangez-les avec 2 cuil. à soupe de
sauce soja. Laissez mariner 15 min à couvert.

Dans un wok, chauffez l'huile sur feu vif. Quand elle est
très chaude, faites-y sauter les oignons 30 s. Ajoutez les piments.
Faites encore sauter 30 s (attention, la vapeur dégagée est forte
et piquante : ventilez ou ouvrez une fenêtre). Prélevez un quart
des oignons et des piments sautés à l'écumoire. Réservez-les
pour le décor.

Mettez le poulet dans le wok. Faites-le dorer 2 min en remuant.
Ajoutez le sucre (ou la cassonade), l'eau, le reste de sauce soja
et le sel. Baissez le feu. Laissez cuire 30 min environ sur feu doux
à moyen, en remuant de temps en temps : la chair du poulet doit
être très tendre, mais sans se défaire.

Disposez la préparation précédente dans une jatte. Incorporez
le jus de citron. Décorez avec les oignons et les piments réservés.
Accompagnez de riz blanc.

porc au tofu (MALAISIE)

Comme la recette précédente, celle-ci est emblématique
de la cuisine de style *nonya*. Très populaire chez les Malais
d'origine chinoise, elle n'est évidemment pas consommée
par les Malais musulmans.

POUR 4 PERSONNES

2 ½ cuil. à soupe de sauce soja claire
2 ½ cuil. à soupe de sauce soja foncée
1 cuil. à soupe de cinq-épices en poudre (voir page 44)
350 g de viande de porc (jambon ou palette) coupée
    en cubes de 3 cm de côté
2 cuil. à soupe d'huile de tournesol
3 gousses d'ail écrasées
6 grains de poivre noir concassés
1 bâton de cannelle
6 clous de girofle
1 étoile de badiane (anis étoilé)
300 ml d'eau
½ cuil. à café de sucre en poudre
100 g de tofu coupé en dés
4 œufs durs coupés en deux

Dans une jatte, mélangez 2 cuil. à café de sauce soja claire
avec autant de sauce soja foncée et le cinq-épices. Ajoutez
les cubes de porc. Mélangez pour bien les enrober. Laissez
mariner 1 h à couvert.

Dans une grande casserole, faites chauffer l'huile sur feu
moyen. Ajoutez l'ail, le poivre, la cannelle, les clous de girofle
et la badiane. Laissez revenir 5 min environ, en remuant : les
fragrances dégagées doivent être intenses.

Ajoutez les cubes de porc. Montez le feu. Faites-les dorer de
tous côtés 1 à 2 min en remuant. Ajoutez le reste des deux sauces
soja, l'eau et le sucre. Portez à ébullition en mélangeant, puis
baissez le feu et laissez mijoter 30 min environ : la viande doit être
tendre et la sauce épaisse (si elle vous semble trop sèche, ajoutez
éventuellement un peu d'eau bouillante). Incorporez le tofu
et les œufs. Poursuivez la cuisson 5 min.

Enlevez le bâton de cannelle et la badiane. Servez très chaud,
avec du riz blanc.

crabe pimenté (SINGAPOUR)

Cette recette, une des plus renommées du Sud-Est asiatique, se déguste avec les doigts, dans les restaurants du bord de mer de Singapour. Pour la servir chez vous, prévoyez des rince-doigts et de nombreuses serviettes en papier, afin que chacun puisse se nettoyer les doigts après avoir dégusté les morceaux de crabe et sucé les carapaces. À défaut de procéder comme les Singapouriens, qui préparent cette spécialité très relevée avec des crabes découpés vivants, procurez-vous des crustacés de toute première fraîcheur. Ne vous étonnez pas de trouver du ketchup dans les ingrédients de la sauce : ce condiment est aujourd'hui très usité en Asie !

POUR 2 PERSONNES

2 crabes de 500 g chacun
2 cuil. à soupe d'huile d'arachide (ou de tournesol)
3 gousses d'ail émincées
3 piments rouges finement émincés
1 cuil. à café de haricots de soja noirs au sel, en boîte, rincés et émincés (ou 1 cuil. à soupe de sauce soja foncée)
Sel, poivre du moulin
Le jus de ½ citron (ou 1 cuil. à soupe de vinaigre de riz ou de vin blanc)
3 cébettes (oignons verts) grossièrement émincées
3 cuil. à soupe de feuilles de coriandre ciselées

POUR LA SAUCE

1 cuil. à soupe rase de Maïzena (fécule de maïs)
2 cuil. à soupe de sauce soja
5 cuil. à soupe de ketchup
1 cuil. à café de sucre de palme (jaggery) ou de cassonade
200 ml d'eau

Rincez rapidement les crabes. Détachez leurs pinces et leurs pattes d'un mouvement de torsion. Ouvrez leur carapace en deux, puis supprimez la substance crémeuse jaunâtre et les branchies. À l'aide d'un couperet de cuisine, découpez les crabes (chair et carapace du corps et des membres) en morceaux moyens.

Préparez la sauce. Dans une casserole, mélangez la Maïzena avec la sauce soja, puis ajoutez tous les autres ingrédients. Faites épaissir sur feu moyen en remuant jusqu'à consistance fluide, un peu visqueuse. Réservez au chaud.

Dans un wok, faites chauffer l'huile sur feu vif. Mettez-y l'ail à sauter 15 s, puis ajoutez les piments. Faites encore sauter 20 s (attention, la vapeur dégagée est forte et piquante : ventilez ou ouvrez une fenêtre). Ajoutez éventuellement les haricots, puis les morceaux de crabe. Mélangez 3 min. Ajoutez la sauce. Poursuivez la cuisson 7 min, en remuant régulièrement.

Salez légèrement, poivrez du moulin et ajoutez éventuellement la sauce soja. Mélangez. Ôtez du feu. Incorporez le jus de citron (ou le vinaigre) et rectifiez l'assaisonnement.

Garnissez avec les cébettes et la coriandre. Servez très chaud, avec du pain pour saucer et des bols d'eau citronnée pour se rincer les doigts.

Apprécié des gourmets du monde entier, le crabe est l'un des fleurons de la cuisine du Sud-Est asiatique.

filet de bœuf mariné
au rendang (BALI, INDONÉSIE)

Après la Chine et l'Inde, l'Indonésie est le troisième pays
du monde le plus peuplé. Les habitants sont majoritairement
musulmans, sauf à Bali, où les hindouistes prédominent.
Pour ces derniers, la nourriture est quasiment sacrée
puisqu'elle fait l'objet d'offrandes aux dieux.

Épices et aromates abondent en Indonésie. Réduits en
poudre, ils donnent lieu à de savants mélanges, comme dans
le *rendang*, une pâte relevée qui parfume délicieusement ces
pavés de bœuf d'une tendreté sans pareille.

POUR 4 PERSONNES

Sel, poivre du moulin
4 pavés de filet de bœuf de 150 à 200 g chacun
1 cuil. à soupe de graines de coriandre grillées et concassées
Pâte de *rendang* (voir page 63)
Huile d'olive et jus de citron pour servir

Salez et poivrez les pavés, puis répartissez la coriandre dessus
en pressant avec les doigts. Laissez reposer 15 min à couvert.

Préchauffez un gril sur feu vif. Tartinez chaque face des pavés
de pâte de *rendang*, selon votre goût. Faites-les griller 2 à 4 min
de chaque côté, suivant le degré de cuisson désiré.

Servez les pavés brûlants, arrosés d'un filet d'huile et de jus
de citron, accompagnés d'une salade verte et d'herbes fraîches.

salade karadok, sauce aux cacahouètes (JAVA, INDONÉSIE)

Les Indonésiens aiment les crudités. Ici, elles sont assaisonnées d'une sauce aux cacahouètes goûteuse, parfumée de *sambal ulek*, condiment à base de piments rouges broyés avec du sel et du vinaigre. Vous pouvez servir cette salade en entrée ou en accompagnement du plat principal.

POUR 4 PERSONNES

125 g de patates douces râpées (grille moyenne)
1 cuil. à café de sel
½ concombre
125 g de haricots verts coupés en tronçons de 1,5 cm de long
125 g de germes de soja
125 g de chou blanc (cœur) émincé
4 aubergines naines coupées en quartiers
3 cuil. à soupe de feuilles de menthe ciselées

POUR LA SAUCE

125 g de cacahouètes nature sans la peau
1 cuil. à soupe d'huile d'arachide
½ cuil. à café de pâte de crevettes séchées *(blachan)*
1 gousse d'ail
1 cuil. à café de *sambal ulek*
1 pincée de sel
300 ml d'eau bouillante
1 cuil. à café de sucre de palme *(jaggery)* ou de cassonade
Le jus de ½ citron vert

Dans une jatte, mélangez les patates douces et le sel. Couvrez d'eau très froide à hauteur. Réservez.

Préparez la sauce. Chauffez une poêle antiadhésive sur feu moyen à vif. Dorez-y les cacahouètes 5 min environ en remuant, sans laisser brûler. Réduisez-les en poudre au moulin à café.

Dans la poêle, chauffez l'huile sur feu vif. Faites-y frire la pâte de crevettes 30 s en remuant. Mettez-la dans un mortier avec l'ail, le *sambal ulek* et le sel. Pilez pour obtenir une pommade.

Dans une casserole, mélangez-la avec les cacahouètes, l'eau bouillante, le sucre (ou la cassonade) et le jus de citron. Faites cuire 2 min sur feu moyen, en remuant sans cesse. Laissez refroidir.

Égouttez les patates douces. Pelez le concombre et coupez-le en tranches fines. Sur le plat de service, répartissez les patates douces, le concombre, les autres légumes et les deux tiers de la menthe. Nappez de sauce. Parsemez du reste de menthe et servez.

lardons en sauce (MALAISIE)

Typique de la cuisine *nonya* (voir page 47), cette recette est parfumée de *rempeh*. Cette savoureuse pâte épicée contient des noix de bancoul *(buah keras)* et des feuilles de pandanus à la délicate fragrance vanillée, toutes deux de production locale. À défaut, vous pouvez remplacer les premières par des noix de macadamia, des cacahouètes ou des amandes, et les secondes par quelques gouttes d'extrait de vanille liquide.

POUR 4 PERSONNES

½ cuil. à café de pâte de *rempeh* (voir page 63)
2 cuil. à soupe d'huile de tournesol
750 g de lardons nature, découpés dans de la poitrine
    de porc maigre
250 ml de lait de coco
1 cuil. à café de sel
4 cuil. à café de sucre en poudre
1 tige de citronnelle écrasée au maillet de cuisine
3 feuilles de combava *(makrut lime)* ou
    1 zeste de citron vert râpé

Dans une sauteuse, chauffez la pâte de *rempeh* 20 s sur feu vif en remuant. Ajoutez l'huile et les lardons, faites-les revenir 1 min environ en remuant, puis incorporez tous les autres ingrédients. Mélangez bien. Baissez le feu. Laissez cuire 10 min environ sur feu moyen à doux, en remuant souvent (si la sauce réduit trop vite, complétez avec un peu d'eau chaude).

Enlevez la citronnelle et les feuilles de combava. Servez très chaud, avec du riz blanc.

currys vert et rouge (THAÏLANDE)

Les plus renommés des mets thaïlandais à travers le monde sont sans conteste les currys, richement parfumés et colorés – verts ou rouges selon les ingrédients (piments) utilisés. Chaque famille possède sa propre recette, notamment pour confectionner la pâte de curry qui en forme la base, composée de nombreux épices et aromates patiemment pilés et mélangés dans un mortier (voir page 62). Pour gagner du temps, vous pouvez utiliser un robot ménager, en procédant par petites quantités. Cette pâte de curry est toujours préalablement grillée afin de développer ses arômes. Si vous souhaitez atténuer le feu des épices, remplacez le bouillon par du lait de coco.

curry vert au bœuf

POUR 4 PERSONNES

250 g de rôti de bœuf (romsteck ou tende de tranche)
1 cuil. à soupe rase de Maïzena (fécule de maïs)
2 cuil. à soupe de sauce soja
1 blanc d'œuf légèrement battu
1 oignon blanc nouveau finement émincé
350 g de nouilles aux œufs (fraîches ou sèches)
2 carottes râpées (grille moyenne)
2 branches de céleri effilées très finement émincées
4 cuil. à soupe d'huile d'arachide (ou de tournesol)
1 gousse d'ail émincée
2 cm de racine de gingembre grossièrement râpée
1 cuil. à soupe de pâte de curry verte (voir page 62)
100 ml de bouillon de bœuf (de volaille ou de légumes)
1 cuil. à café d'huile de sésame

Coupez le bœuf, transversalement aux fibres, en lamelles très fines (pour vous faciliter la tâche, placez le rôti au congélateur 30 min avant de le trancher). Dans une jatte, mélangez la Maïzena avec la moitié de la sauce soja, le blanc d'œuf et l'oignon. Ajoutez les lamelles de viande. Mélangez pour bien les enrober. Laissez reposer 30 min à couvert.

Faites cuire les nouilles à l'eau bouillante selon les indications portées sur l'emballage. Égouttez-les. Plongez-les aussitôt dans de l'eau froide, puis égouttez-les de nouveau. Faites blanchir les carottes et le céleri 2 min à l'eau bouillante. Égouttez-les.

Dans un wok, chauffez l'huile sur feu vif. Égouttez les lamelles de bœuf. Faites-les frire 1 min de chaque côté, sans remuer. Déposez-les à l'écumoire sur du papier absorbant.

Supprimez une partie de l'huile contenue dans le wok pour n'en conserver que 1 cuil. à soupe. Faites-y sauter l'ail et le gingembre 30 s. Ajoutez la pâte de curry. Remuez jusqu'à ce qu'elle grésille, puis ajoutez les carottes et le céleri. Remuez

1 min. Incorporez le bouillon. Dès qu'il bout, ajoutez les nouilles. Remuez 30 s. Ajoutez la viande. Mélangez jusqu'à ce qu'elle soit brûlante. Arrosez avec l'huile de sésame et le reste de sauce soja. Servez aussitôt.

curry rouge au poulet et aux vermicelles

POUR 4 PERSONNES

1 cuil. à café de Maïzena (fécule de maïs)
2 cuil. à soupe de sauce soja
1 blanc d'œuf
300 g de blancs de poulet, sans la peau,
   coupés en fines lamelles
250 g de vermicelles de riz
1 cuil. à soupe d'huile d'arachide (ou de tournesol)
1 gousse d'ail émincée
1 cuil. à soupe de pâte de curry rouge (voir page 62)
100 ml de bouillon de volaille

Dans une jatte, mélangez la Maïzena avec la moitié de la sauce soja et le blanc d'œuf. Ajoutez les lamelles de volaille. Mélangez pour bien les enrober. Laissez reposer 1 h à couvert.

Faites cuire les vermicelles à l'eau bouillante selon les indications portées sur l'emballage, puis égouttez-les. Plongez-les aussitôt dans de l'eau froide et égouttez-les de nouveau.

Dans un wok, chauffez l'huile sur feu vif. Faites-y sauter l'ail 30 s. Ajoutez la pâte de curry. Remuez jusqu'à ce qu'elle grésille. Ajoutez le poulet. Laissez cuire 2 à 3 min en remuant, puis incorporez le bouillon. Dès qu'il bout, ajoutez les vermicelles. Remuez 30 s. Arrosez du reste de sauce soja et servez.

légumes acar campur (INDONÉSIE)

En Indonésie, les légumes, consommés en abondance,
sont toujours mélangés à de généreuses quantités
d'herbes ou d'épices, tant pour leurs saveurs que
pour leurs vertus médicinales. Dans cette recette
typique, ils sont gardés légèrement croquants,
avec une délicieuse sauce aigre-douce.

POUR 4 PERSONNES

6 noix de cajou
1 échalote émincée
2 gousses d'ail émincées
2 cuil. à soupe d'huile d'arachide
½ cuil. à café de curcuma en poudre
½ cuil. à café de gingembre en poudre
1 piment rouge ou vert épépiné et coupé en quatre
10 petits oignons au vinaigre
4 cuil. à soupe de vinaigre de riz
   (ou de vinaigre de vin blanc)
Sel
225 g de carottes coupées en rondelles épaisses
225 g de petits bouquets de chou-fleur
225 g de haricots verts coupés en tronçons de 3 cm de long
2 poivrons (1 rouge et 1 vert) épépinés et coupés
   en fins bâtonnets
300 ml d'eau
1 concombre
2 cuil. à café de cassonade
1 cuil. à café de moutarde forte

Dans un mortier, pilez les noix de cajou, l'échalote et l'ail jusqu'à
consistance de pommade. Dans un wok, faites chauffer l'huile sur
feu vif. Mettez-y la pommade à revenir 1 min en remuant.

Ajoutez le curcuma, le gingembre, le piment et les oignons
égouttés. Mélangez bien, puis ajoutez le vinaigre et du sel.
Baissez le feu. Couvrez. Laissez cuire 3 min sur feu moyen.

Ajoutez les carottes, les bouquets de chou-fleur, les haricots
verts, les poivrons et l'eau. Mélangez jusqu'à frémissements.
Couvrez. Laissez frémir 8 min.

Pelez le concombre et coupez-le en tranches épaisses. Ajoutez-
les dans le wok avec la cassonade et la moutarde. Mélangez.
Poursuivez la cuisson 2 min à couvert.

Découvrez le wok. Laissez cuire encore 3 min, en remuant
sans cesse. Rectifiez l'assaisonnement. Servez chaud ou froid,
avec du riz blanc.

salade tropicale au sucre de palme (MALAISIE)

Dans le Sud-Est asiatique, nombre de fruits ou de légumes croquants sont servis avec une sauce épicée. Cette recette apéritive, appelée *rujak*, mêle des fruits parfumés à une sauce sucrée-salée très relevée, pour un délicieux contraste de saveurs, de textures et de couleurs. Vous pouvez la décliner à l'envi en remplaçant, par exemple, les quartiers de mangue par des cubes d'avocat.

POUR 4 PERSONNES

150 g de papaye mûre coupée en fins quartiers
150 g d'ananas, 1 mangue verte et 1 pomme à chair ferme
(type granny-smith) coupés en fins quartiers

POUR LA SAUCE AU SUCRE DE PALME

½ cuil. à café de pâte de crevettes séchées *(blachan)*
100 g de sucre de palme *(jaggery)* ou de cassonade
200 ml d'eau
2 cuil. à café de pâte de tamarin
4 petits piments oiseaux rouges ou verts finement émincés
1 bonne pincée de sel

Préparez la sauce. Enveloppez la pâte de crevettes d'aluminium, puis faites-la rôtir quelques secondes de chaque côté au-dessus d'une flamme ou 1 min de chaque côté sous le gril du four. Ouvrez l'aluminium et écrasez la pâte avec le dos d'une cuillère.

Dans une casserole, mélangez le sucre (ou la cassonade) avec l'eau. Portez à ébullition sur feu moyen, en mélangeant pour bien dissoudre le sucre. Baissez le feu. Ajoutez la pâte de crevettes écrasée, la pâte de tamarin, les piments et le sel. Mélangez 1 min environ sur feu moyen et ôtez du feu. Laissez refroidir, puis réservez au réfrigérateur jusqu'au moment de servir.

Au dernier moment, mélangez les fruits et la sauce dans une jatte. Servez sans attendre.

mijotée de porc aux champignons (MALAISIE)

Cette recette chinoise a été adaptée en Malaisie pour y intégrer les produits locaux façon *nonya* (voir page 47). De fait, elle est plus relevée et plus riche en saveurs que la version d'origine.

POUR 4 PERSONNES

20 champignons séchés mélangés : champignons noirs
(oreilles-de-judas), cèpes et *shiitake*
3 cuil. à soupe d'huile de tournesol (ou d'arachide)
5 échalotes émincées
10 gousses d'ail émincées
5 piments verts grossièrement émincés
1 cuil. à soupe de haricots de soja noirs au sel, en boîte,
rincés et hachés
1 cuil. à soupe de graines de coriandre en poudre
500 g de palette de porc coupée en cubes de 3 cm de côté
2 cuil. à soupe de sauce soja foncée
750 ml d'eau
1 cuil. à soupe de sucre en poudre
2 clous de girofle
5 cm de bâton de cannelle coupé en deux
2 étoiles de badiane (anis étoilé) finement écrasées
Sel, poivre noir du moulin

Mettez les champignons dans une jatte. Couvrez-les d'eau chaude à hauteur et laissez-les se réhydrater 1 h. Égouttez-les en les pressant délicatement pour en extraire le maximum de liquide.

Dans un wok, faites chauffer l'huile sur feu vif. Mettez-y les échalotes à revenir 1 min en remuant, puis incorporez l'ail et les piments. Baissez le feu. Remuez 5 min sur feu moyen. Ajoutez les haricots. Mélangez 30 s, puis incorporez la coriandre.

Ajoutez le porc. Mélangez 5 min, puis ajoutez les champignons. Poursuivez la cuisson 5 min en remuant. Incorporez la sauce soja. Mélangez 2 min, puis ajoutez l'eau, le sucre, les clous de girofle, la cannelle et la badiane. Mélangez jusqu'à frémissements. Baissez le feu. Couvrez et laissez mijoter 1 h 30 environ : la viande doit être fondante et la sauce épaisse (si elle vous paraît trop sèche, complétez avec un peu d'eau chaude).

Rectifiez l'assaisonnement, puis servez avec du riz blanc.

pâte de curry verte (THAÏLANDE)

1 cuil. à café de graines de coriandre
½ cuil. à café de graines de cumin
3 gousses d'ail
6 petites échalotes roses (thaïes de préférence)
½ cuil. à café de pâte de crevettes séchées *(blachan)*
1 cuil. à café de grains de poivre blanc
2 tiges de citronnelle, avec leur bulbe, finement émincées
2 cm de racine de gingembre râpée
Le zeste râpé de ½ combava *(makrut lime)* ou ½ citron
    (jaune ou vert)
2 feuilles de combava, débarrassées de leur pédoncule,
    finement ciselées
6 feuilles de basilic (thaï de préférence : *baï kaprao*) ciselées
6 brins de coriandre, avec leurs racines, ciselés
1 pincée de noix muscade râpée
1 bonne pincée de sel

Dans une poêle antiadhésive, faites griller séparément les graines de coriandre et de cumin à sec, sur feu moyen, en remuant jusqu'à ce qu'elles développent au maximum leurs arômes. Réduisez-les en poudre au moulin à café ou au mortier.

Épluchez l'ail et les échalotes. Faites-les revenir dans la même poêle, sur feu moyen, en remuant jusqu'à légère caramélisation. Émincez-les.

Enveloppez la pâte de crevettes d'aluminium, puis faites-la rôtir quelques secondes de chaque côté au-dessus d'une flamme ou 1 min de chaque côté sous le gril du four. Mettez-la dans un mortier avec la poudre de coriandre et de cumin, l'ail et les échalotes. Pilez jusqu'à obtention d'une pommade, puis incorporez un à un tous les autres ingrédients dans l'ordre, en pilant jusqu'à consistance pâteuse. Vous pouvez employer un mixeur à la place du mortier, en ajoutant un peu d'eau pour que la pâte ne soit pas collante.

La pâte de curry est alors prête à l'emploi, mais vous pouvez la conserver 2 semaines au réfrigérateur, dans un récipient hermétique. Pour prolonger son temps de conservation (1 mois au plus, sans quoi elle perd de ses flaveurs), incorporez-y un peu d'huile végétale.

pâte de curry rouge (THAÏLANDE)

20 petits piments oiseaux rouges séchés
    ou 8 piments rouges frais épépinés et émincés
2 cuil. à café de graines de coriandre
1 cuil. à café de graines de cumin
2 gousses d'ail, 4 échalotes
½ cuil. à café de pâte de crevettes séchées, ou *blachan*
    (ou 1 cuil. à café de *nam pla* ou de nuoc-mâm)
12 grains de poivre blanc
2 clous de girofle
1 pincée de noix muscade râpée
5 cm de racine de gingembre râpée
1 cuil. à café de racine de galanga râpée
1 cuil. à café de sel
2 tiges de citronnelle, avec leur bulbe, finement émincées
2 feuilles de combava *(makrut lime)*, débarrassées de leur
    pédoncule, finement ciselées
Le zeste râpé de ½ combava ou ½ citron (jaune ou vert)
2 brins de coriandre, avec leurs racines, ciselés
5 feuilles de basilic (thaï de préférence : *baï kaprao*) ciselées

Faites tremper les piments séchés 30 min dans de l'eau chaude. Pressez-les dans du papier absorbant, puis émincez-les finement.

Dans une poêle antiadhésive, faites griller séparément les graines de coriandre et de cumin à sec, sur feu moyen, en remuant jusqu'à ce qu'elles développent au maximum leurs arômes. Réduisez-les en poudre au moulin à café ou au mortier.

Épluchez l'ail et les échalotes. Faites-les revenir dans la même poêle, sur feu moyen, en remuant jusqu'à légère caramélisation. Émincez-les.

Enveloppez la pâte de crevettes d'aluminium, puis faites-la rôtir quelques secondes de chaque côté au-dessus d'une flamme ou 1 min de chaque côté sous le gril du four.

Dans un mortier, pilez le poivre, les clous de girofle, la noix muscade, la pâte de crevettes, l'ail et les échalotes jusqu'à obtention d'une pommade. Ajoutez le gingembre, le galanga, les piments et le sel. Pilez jusqu'à homogénéité, puis incorporez un à un tous les autres ingrédients dans l'ordre (en terminant par le *nam pla* si vous l'utilisez à la place de la pâte de crevettes), jusqu'à consistance pâteuse. Vous pouvez employer un mixeur à la place du mortier, en ajoutant un peu d'eau pour que la pâte ne soit pas collante.

La pâte de curry est alors prête à l'emploi, mais vous pouvez la conserver 2 semaines au réfrigérateur, dans un récipient hermétique. Pour prolonger son temps de conservation (1 mois au plus), incorporez-y un peu d'huile végétale.

pâte de rendang
(BALI, INDONÉSIE)

2 cuil. à soupe d'huile de tournesol
4 petits piments oiseaux rouges ou verts finement émincés
1 cm de racine de galanga coupée en tranches
1 cm de racine de gingembre coupée en tranches
2 échalotes et 1 gousse d'ail émincées
1 tige de citronnelle, avec son bulbe, finement émincée
2 noix de bancoul *(buah keras)*, noix de macadamia ou
    amandes blanchies, grossièrement concassées
1 cuil. à café de graines de coriandre et autant de graines
    de cumin grillées, puis moulues
1 feuille de combava *(makrut lime)*, débarrassée de son
    pédoncule, ciselée
4 gros piments rouges coupés en tranches fines, de biais
100 ml d'eau

Dans une poêle, chauffez l'huile sur feu moyen. Mettez-y les
piments oiseaux, le galanga, le gingembre, les échalotes et l'ail,
la citronnelle et les noix. Mélangez 30 s. Baissez le feu. Laissez
cuire 5 min environ. Ajoutez la coriandre et le cumin, ainsi que
le combava. Mélangez 1 min, puis ôtez du feu.

Mettez la préparation précédente dans un mortier. Pilez
jusqu'à homogénéité (vous pouvez aussi utiliser un mixeur).
Versez la pâte obtenue dans la poêle, avec les tranches de
piment et l'eau. Portez à frémissements sur feu moyen, puis
baissez le feu et laissez épaissir 10 min, en remuant de temps
en temps (ajoutez éventuellement un peu d'eau si le liquide
réduit trop).
La pâte de *rendang* est alors prête à l'emploi, mais vous
pouvez la conserver 2 semaines au réfrigérateur, dans un récipient
hermétique. Pour prolonger son temps de conservation (1 mois
au plus, sans quoi elle perd de ses flaveurs), incorporez-y un peu
d'huile végétale.

pâte de rempeh (MALAISIE)

5 noix de bancoul *(buah keras)* ou 100 g de cacahouètes
    nature, frottées entre les doigts pour en éliminer la peau
3 piments verts émincés
5 petits piments oiseaux rouges séchés, émiettés
½ cuil. à café de pâte de crevettes *(blachan)*
1 cuil. à soupe de coriandre en poudre
2 feuilles de pandanus ciselées (ou quelques gouttes
    d'extrait de vanille liquide)
150 g d'échalotes ou de petits oignons blancs nouveaux

Dans un mixeur, broyez grossièrement les noix de bancoul et
les piments, puis incorporez les autres ingrédients un à un et
dans l'ordre, en laissant l'appareil en marche, jusqu'à obtention
d'une consistance pâteuse.
La pâte de *rempeh* est alors prête à l'emploi, mais vous
pouvez la conserver 2 semaines au réfrigérateur, dans un récipient
hermétique. Pour prolonger son temps de conservation (1 mois
au plus, sans quoi elle perd de ses flaveurs), incorporez-y un peu
d'huile végétale.

Piments frais, citronnelle,
gingembre et okras, ingrédients
essentiels à la cuisine du Sud-Est
asiatique, sont vendus en
abondance, parmi bien d'autres,
sur le marché central de
Kompong Cham, au Cambodge.

À la fin d'un copieux repas, à Istanbul, on demanda à un critique gastronomique s'il souhaitait encore quelque chose. « Oui, répondit-il, un verre d'eau… sans aubergine. »

Héritière de la tradition culinaire ottomane, la cuisine turque est réputée pour ses innombrables légumes farcis *(dolma)*. Ils sont à l'honneur dans les *mezze*, vaste choix de hors-d'œuvre locaux, dont le *taramasalata* (œufs de morue fumés), l'hoummos (pâte de pois chiches à l'ail), le *tsatsiki* (yaourt à l'ail) et le taboulé (salade de blé concassé).

Les Turcs passent des heures à évider les légumes (courgettes, carottes ou pommes de terre) pour les farcir de délicieux mélanges sucrés-salés, agrémentés de fruits secs, d'herbes et d'épices. Mais c'est l'aubergine qu'ils préfèrent. D'ailleurs, le plat emblématique de leur gastronomie est l'*imam bayildi* (littéralement « l'imam évanoui »). Reste à savoir si le saint homme fondit de plaisir en goûtant l'aubergine farcie ou s'il pâlit de stupeur en découvrant la quantité phénoménale d'huile d'olive nécessaire à la préparation originale (les imams étant, c'est bien connu, des gens fort économes). La recette donne lieu à une multitude de variantes, mais la farce est toujours à base d'oignon haché, de poivron vert, de tomate, de fruits secs, de persil, de cannelle et d'autres épices. On recouvre le tout de miettes de pain et d'huile d'olive avant d'enfourner – et on déguste froid : un véritable régal !

Mezze à volonté

D'autres *mezze* sont longuement préparés, comme les feuilles de vigne ou les calmars farcis. Les moules farcies au riz demeurent toutefois mets le plus complexe et,

À Istanbul, en Turquie, fruits secs, graines et épices sont vendus en vrac dans des sacs.

peut-être aussi, le plus fin. Ouverts à main nue, les coquillages vivants sont remplis d'un mélange de riz, d'oignon haché, de tomate et de fruits secs, puis refermés et mis à cuire dans un fond de bouillon. La minutie est de rigueur pour tenir chaque moule fermée en l'attachant avec un fil, lequel est retiré après cuisson. Mais les cuisiniers turcs ont un sens élevé de la perfection.

Le caviar d'aubergine mérite une mention particulière. Certains ouvrages de cuisine occidentale en proposent une recette simplifiée : ils suggèrent de tout d'abord faire cuire l'aubergine, avant d'en extraire la chair pour la réduire en purée, au mixeur, avec de l'huile d'olive et de l'ail. La préparation est facile, mais le résultat est peu convaincant. Tandis qu'un caviar d'aubergine confectionné par un cuisinier turc est une véritable révélation – pour les yeux comme pour le palais.

Il commence par faire griller l'aubergine de façon que la peau brûle et cloque, de préférence sous la braise pour que sa chair s'imprègne d'un petit goût fumé. Puis il saisit la queue de l'aubergine et, à l'aide d'un couteau bien aiguisé, en retire la peau. Une fois la pulpe de l'aubergine mise à nu, il la détache de la queue et la place dans un saladier où il a préalablement pilé une gousse d'ail avec du gros sel et du jus de citron. Un batteur dans une main et une bouteille d'huile d'olive vierge dans l'autre, il réduit ce mélange en purée jusqu'à le rendre mousseux et brillant. Tous les parfums donnent alors le meilleur

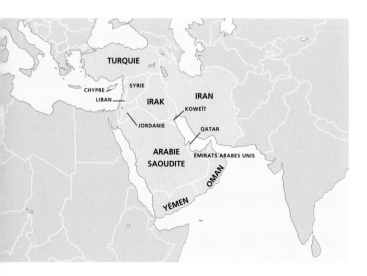

d'eux-mêmes : la douceur fruitée de l'huile, la petite pointe d'acidité du citron, le léger piquant du sel et de l'ail, la délicate amertume de l'aubergine. La manière dont les Turcs apprêtent ce *mezze* illustre parfaitement l'art avec lequel ils savent mettre en valeur toutes sortes de saveurs. Préparé à l'occidentale, le caviar d'aubergine est souvent fade, sans consistance : la purée obtenue au mixeur n'a rien à voir avec les fils soyeux tissés par le fouet manuel.

De tous les pays du Moyen-Orient, la Turquie est le plus proche de l'Europe. Au carrefour des cultures, elle est l'héritière d'une histoire aussi prestigieuse que complexe. Istanbul fut tout d'abord une cité grecque du nom de Byzance, importante place de négoce des épices au cœur de l'Empire byzantin. Puis elle fut colonisée par les Romains et Constantin, premier empereur chrétien (306-337), la rebaptisa Constantinople. Elle conserva ce nom jusqu'en 1453, date à laquelle la cité tomba aux mains des Ottomans et devint Istanbul.

Les Ottomans

Amoureux des arts et de la culture – mais aussi des plaisirs de la table –, les Ottomans atteignirent leur apogée sous le règne de Soliman le Magnifique, qui fit ériger le palais de Topkapi. L'édifice, dont l'enceinte abritait les nombreuses salles du harem, entretenait plus d'un millier de serviteurs. Les cuisiniers du sultan devaient parfois régaler jusqu'à dix mille convives. Ils excellaient à préparer les grillades – comme les tranches d'agneau rôties

sur une épée – et le *pilav*, ce généreux plat de riz agrémenté de morceaux de viande épicée et cuit dans un bouillon. Ils préparaient aussi à merveille tartes et pâtisseries – baklavas, confiseries et confitures. Parmi les nombreux cordons-bleus du palais, six étaient affectés à la fabrication de différentes sortes de halvas (pâte de sésame sucrée et parfumée).

Istanbul, la ville aux cinq mille mosquées, exerce toujours son attrait. Une promenade au bazar égyptien est l'occasion de découvrir la place faite aux épices, mais aussi aux yaourts, fromages, pâtisseries, olives et condiments.

L'Asie Mineure, qui englobait Babylone et l'Assyrie (l'Iran, l'Irak et la Syrie d'aujourd'hui), est considérée comme le berceau de la civilisation. C'est ici que furent fondées les premières écoles, par exemple. Des siècles plus tard, le savoir-faire culinaire des peuples d'antan est encore perceptible. Ils furent les premiers à utiliser les épices et à en faire commerce. Marins intrépides, les Phéniciens des régions côtières (les rivages de l'actuel Liban) longeaient les rives de la Méditerranée (au passage, ils fondèrent le port espagnol de Cadix) pour rejoindre l'océan Atlantique, puis ils remontaient vers les côtes anglaises et l'Europe septentrionale. Le safran, à l'époque cultivé dans certaines régions de Turquie, de Perse et d'Inde, était alors l'épice la plus précieuse.

La fondation de l'Empire perse remonte à deux mille cinq cents ans. C'est via la Perse que furent introduits en Europe oranges, citrons, aubergines, riz et sucre venus de Chine et d'Orient. La cuisine iranienne marie ainsi avec bonheur viandes et fruits acides – abricots, raisins et même rhubarbe.

Pour des raisons politiques, de nombreuses régions du Moyen-Orient sont fermées au tourisme, alors que leurs spécialités dépaysent les papilles… La qualité des mets servis par les restaurants libanais, par exemple, est digne des plus grandes tables.

Au carrefour de l'Afrique, de l'Inde et du Bassin méditerranéen, le Moyen-Orient propose une passionnante aventure gustative. Sur les marchés, les étals croulent sous les fruits : grenades, dattes, melons et pastèques. Les légumes offrent un véritable festival de couleurs, tandis que les fruits secs, croquants à souhait, évoquent une corne d'abondance. Les rues résonnent d'un brouhaha de voix qui se mêle au parfum entêtant des épices.

Avec tant de richesses à portée de main, il serait tentant d'abuser… Mais l'essentiel, c'est ce que l'on n'utilise pas : voilà la leçon tirée par les cuisiniers turcs après des années passées à tester, goûter, hacher, mélanger. Épices et fines herbes sont là pour apporter une touche unique, raffinée, à des ingrédients simples.

oppe d'épices et erbes séchées à na, dans le nord la Syrie.

soupe de lentilles corail
(YÉMEN)

Les lentilles sont une des légumineuses les plus consommées au Proche-Orient, notamment les lentilles corail, très tendres. Elles communiquent ici leur saveur délicate à une soupe d'hiver épaisse, énergétique et nourrissante.

POUR 4 PERSONNES

225 g de lentilles corail
2 cuil. à soupe d'huile
1 oignon émincé
1 gousse d'ail écrasée
1 litre de bouillon de volaille
Le jus de ½ citron
½ cuil. à café de graines de coriandre en poudre
½ cuil. à café de cumin en poudre
1 petit piment rouge séché émietté
Sel, poivre du moulin
3 cuil. à soupe de riz long grain (facultatif)

Rincez les lentilles, égouttez-les, puis triez-les pour éliminer les éventuels petits graviers.

Dans une casserole, chauffez l'huile sur feu moyen. Faites-y revenir l'oignon jusqu'à coloration dorée. Ajoutez l'ail. Mélangez 1 min, puis incorporez les lentilles, le bouillon, le jus de citron, la coriandre, le cumin et le piment. Salez légèrement, donnez 2 tours de moulin à poivre.

Portez à ébullition. Baissez le feu. Couvrez et laissez frémir 40 min sur feu doux.

Si vous souhaitez épaissir la soupe, ajoutez le riz et 250 ml d'eau bouillante. Poursuivez la cuisson 20 min à découvert.

Rectifiez l'assaisonnement juste avant de servir, très chaud.

feuilles de bette farcies (TURQUIE)

Si les feuilles de vigne farcies sont emblématiques de la cuisine turque, elles sont souvent remplacées par des feuilles de bette (ou blette), voire de chou vert. Cette recette végétarienne, moelleuse et parfumée, constitue une entrée de choix.

POUR 4 PERSONNES

450 g de feuilles de bette équeutées
4 gousses d'ail émincées en fins éclats
1 cuil. à café de sucre en poudre
Le jus de 1 citron
150 ml d'huile d'olive

POUR LA FARCE

225 g de riz long grain
3 tomates pelées et hachées au couteau
1 gros oignon finement émincé
2 cuil. à soupe de persil ciselé
4 cuil. à soupe de menthe ciselée
1 pincée de cannelle en poudre
1 pincée de poivre de la Jamaïque en poudre
Sel, poivre du moulin

Faites blanchir les feuilles de bette 1 min à l'eau bouillante, puis égouttez-les.

Préparez la farce. Rincez le riz, puis égouttez-le. Dans une jatte, mélangez-le avec tous les autres ingrédients.

Étalez les feuilles égouttées une par une sur le plan de travail. Déposez 1 cuil. à café de farce sur la base large de chacune d'elles. Repliez les côtés sur la farce, puis roulez en forme de gros cigare, sans trop serrer. Répétez cette opération jusqu'à épuisement de la farce.

Tapissez le fond d'une sauteuse avec le reste des feuilles de bette. Disposez-y les rouleaux farcis côte à côte, la jointure des feuilles au-dessous. Glissez les éclats d'ail entre les rouleaux.

Dans une jatte, mélangez le sucre avec le jus de citron et 150 ml d'eau, jusqu'à dissolution, puis incorporez l'huile. Versez le tout sur les rouleaux farcis. Posez une assiette résistant à la chaleur dessus, pour éviter qu'ils ne s'ouvrent à la cuisson.

Couvrez la sauteuse. Faites cuire 2 h sur feu doux, en ajoutant un peu d'eau de temps en temps pour empêcher les feuilles du fond de brûler. Laissez refroidir dans la sauteuse. Servez froid, avec éventuellement quelques quartiers de citron.

courgettes farcies (TURQUIE)

Très appréciés dans tout le Proche-Orient, les légumes farcis y sont cuisinés de multiples façons, chaque famille défendant jalousement sa recette ! Celle que nous vous proposons ici est particulièrement goûteuse.

POUR 4 PERSONNES

12 courgettes boules
2 tomates coupées en tranches fines
2 cuil. à soupe de concentré de tomates
Le jus de 1 ½ citron
2 gousses d'ail écrasées
Sel
1 cuil. à café de menthe ciselée

POUR LA FARCE

75 g de riz long grain
225 g de viande d'agneau (ou de bœuf) émincée
1 tomate pelée et hachée au couteau
2 cuil. à soupe de persil ciselé
½ cuil. à café de cannelle en poudre
½ cuil. à café de piment de la Jamaïque en poudre
Sel, poivre du moulin

Lavez et épongez les courgettes. Découpez un chapeau au sommet de chacune d'elles, du côté de la queue, puis enlevez les graines à la petite cuillère, en veillant à ne pas percer le fond.

Préparez la farce. Rincez le riz, puis égouttez-le. Dans une jatte, mélangez-le avec tous les autres ingrédients.

Répartissez la farce dans les courgettes en ne les remplissant qu'à moitié (elle va gonfler en cuisant).

Tapissez le fond d'une cocotte avec les tranches de tomate. Disposez-y les courgettes farcies côte à côte, sur deux couches.

Dans une casserole, mélangez 300 ml d'eau avec le concentré de tomates et le jus de citron (réservez-en 1 cuil. à soupe). Portez à frémissements sur feu moyen et laissez cuire 2 min.

Versez cette sauce sur les courgettes. Couvrez la cocotte. Laissez cuire 1 h sur feu doux, en ajoutant un peu d'eau si nécessaire.

Dans un bol, mélangez l'ail avec le jus de citron réservé, du sel et la menthe. Versez le tout dans la cocotte. Poursuivez la cuisson 5 min et servez.

aubergines imam bayildi
(TURQUIE)

Si cette célèbre recette s'intitule « l'imam évanoui » *(imam bayildi)*, c'est qu'elle aurait, selon la légende, fait fondre de plaisir l'imam qui la dégusta pour la toute première fois... tant elle est savoureuse.

POUR 4 PERSONNES

4 aubergines moyennes
Gros sel
4 cuil. à soupe d'huile d'olive
2 oignons finement émincés
2 poivrons verts épépinés et finement émincés
4 gousses d'ail finement émincées
3 tomates moyennes pelées, épépinées et
    hachées au couteau
50 g de raisins secs
4 cuil. à soupe de persil ciselé
1 cuil. à café de poivre de la Jamaïque en poudre
Sel fin, poivre du moulin
Le jus de 1 citron

Lavez et épongez les aubergines. Fendez-les profondément dans la longueur, sans en séparer les deux moitiés. Faites-les tremper 30 min dans de l'eau froide très salée.

Dans une poêle à fond épais, chauffez la moitié de l'huile sur feu moyen. Faites-y fondre les oignons, les poivrons et l'ail 15 min, en remuant souvent. Incorporez les tomates, les raisins, 3 cuil. à soupe de persil, le poivre de la Jamaïque, du sel et du poivre du moulin. Transférez cette farce dans une jatte et laissez-la refroidir.

Préchauffez le four à 160 °C (th. 5/6).

Égouttez les aubergines. Pressez-les doucement entre vos mains pour en exprimer le maximum d'eau, puis épongez-les. Chauffez le reste d'huile dans la poêle. Faites-y revenir les aubergines fendues sur feu moyen, en les retournant délicatement jusqu'à ce qu'elles soient tendres, sans se défaire.

Disposez les aubergines côte à côte dans un plat à four, ouverture dessus. Glissez la farce dans les fentes. Versez le jus de citron et 150 ml d'eau dans le plat. Enfournez pour 45 min.

Laissez refroidir dans le plat, puis réservez au réfrigérateur jusqu'au moment de servir, parsemé du reste de persil.

taboulé (LIBAN)

Cette salade rafraîchissante est délicieusement imprégnée de la saveur et des arômes du persil. Pour enrichir encore son goût, vous pouvez laisser tremper le boulgour toute une nuit dans du jus de tomate frais.

POUR 4 PERSONNES

150 g de boulgour
Sel
150 ml d'eau tiède
1 bouquet de persil plat
6 cébettes (oignons verts) finement émincées
3 cuil. à soupe d'huile d'olive
1 cuil. à soupe de sumac en poudre (ou le jus de ½ citron)
½ poivron vert épépiné et émincé
4 branches de menthe effeuillées et ciselées
450 g de tomates pelées et coupées en dés
Quelques quartiers de citron pour servir

Dans un saladier, mélangez le boulgour avec 1 cuil. à café de sel. Versez l'eau. Couvrez. Laissez gonfler 15 min.

Lavez et essorez le persil. Supprimez les plus grosses tiges, puis ciselez-le finement.

Remuez le boulgour à la fourchette pour bien détacher les grains. Ajoutez les cébettes, l'huile, le sumac (ou le jus de citron), le poivron, le persil, la menthe et les tomates. Mélangez soigneusement. Réservez 30 min au réfrigérateur.

Rectifiez l'assaisonnement et servez, avec les quartiers de citron.

riz précieux (IRAN ET TURQUIE)

Ce mets somptueux, considéré comme le « roi des plats persans », pare un simple riz de joyaux dignes d'un monarque. Le pilaf est prisé en Turquie, en Iran et dans tout le Moyen-Orient, mais aussi dans le nord-ouest de l'Inde, où il constitue l'héritage des Moghols. Le terme, issu de l'arabe, se décline sous de multiples formes : *pilav* en Turquie, *plov* en Asie centrale, *palaw* en Albanie, *pillau* en Inde, *polow* en Iran…

Il existe de nombreuses versions de cette recette alliant au riz des épices variées et des ingrédients divers : légumes, viande, poisson, mais aussi fruits (coings, cerises, mûres, baies d'épine-vinette, graines de grenade…). Suivez votre inspiration !

La croûte savoureuse qui se forme dans le fond du récipient de cuisson, particulièrement appréciée, est appelée *tah dig* en Iran.

La recette de pilaf proposée ici est d'origine turque, avec une touche typiquement iranienne.

300 g de riz basmati
20 filaments de safran séchés
1 ½ cuil. à soupe de cassonade
4 cuil. à soupe d'eau bouillante
90 g de beurre
25 g de raisins secs de Corinthe
25 g de baies d'épine-vinette séchées
    (ou de raisins secs de Smyrne)
75 ml d'huile de tournesol
1 petit oignon rouge finement émincé
2 cuil. à café de sel
450 g de carottes coupées en dés
½ poivron rouge épépiné, pelé et coupé en dés
600 ml de bouillon de volaille (ou de veau)
25 g d'amandes effilées
25 g de pistaches finement émincées

POUR L'ASSAISONNEMENT

1 cuil. à café de graines de cumin
1 cuil. à café de graines de coriandre
Les graines de 5 gousses de cardamome
10 grains de poivre noir
1 pincée de noix muscade râpée

Lavez le riz jusqu'à obtenir une eau claire. Mettez-le dans une jatte avec trois fois son volume d'eau. Laissez-le tremper 1 h, puis égouttez-le.

Préparez l'assaisonnement. Dans une poêle antiadhésive, faites griller toutes les épices à sec 2 à 3 min sur feu moyen, en remuant. Réduisez-les en poudre dans un moulin à café ou en les pilant dans un mortier.

Dans la poêle, faites griller le safran quelques secondes en remuant, sans le laisser brûler, puis pilez-le dans un mortier avec ½ cuil. à café de cassonade. Mélangez le tout avec l'eau bouillante. Laissez reposer 30 min, le temps que se développent arôme et couleur.

Dans la poêle, chauffez 15 g de beurre sur feu moyen. Faites-y revenir les raisins secs et les baies d'épine-vinette 1 min en remuant. Égouttez-les sur du papier absorbant.

Dans une cocotte, chauffez le reste de beurre et l'huile sur feu moyen. Faites-y fondre l'oignon 1 min en remuant. Ajoutez l'assaisonnement et le sel. Laissez dorer 2 min en remuant. Poudrez du reste de cassonade. Mélangez pour la faire fondre, puis ajoutez le riz. Remuez pour bien l'enrober des ingrédients, puis incorporez les raisins secs et les baies, les carottes et le poivron.

Mouillez avec le bouillon. Mélangez, portez à frémissements. Laissez frémir 5 min, puis baissez le feu, couvrez et poursuivez la cuisson 10 min sur feu doux. Ôtez du feu. Laissez reposer le riz 15 min, puis incorporez-en 1 louchée au mélange safrané.

Dans la poêle, faites griller les amandes et les pistaches à sec 1 min environ sur feu moyen, en remuant.

Transférez le riz sur le plat de service en remuant à la fourchette pour détacher les grains. Surmontez-le du riz au safran, puis des amandes et des pistaches grillées.

kofta kebab d'agneau (TURQUIE)

Le *kofta kebab*, à base de viande hachée, est plus digeste que le *shish kebab*, avec des morceaux entiers. Il est aussi plus parfumé, les épices y étant mélangées à la viande. Ne dégraissez pas cette dernière avant de la hacher : les boulettes, plus moelleuses, seront plus homogènes. Elles doivent parfaitement adhérer aux brochettes pour ne pas se défaire à la cuisson : les authentiques brochettes plates nécessaires à ce *kebab* sont en vente dans les magasins spécialisés.

750 g de gigot d'agneau haché
1 oignon haché
1 cuil. à soupe de persil ciselé
2 cuil. à café de cannelle en poudre
2 cuil. à café de coriandre en poudre
1 cuil. à café de cumin en poudre
2 pincées de piment en poudre
Sel, poivre du moulin
Huile d'olive pour badigeonner

Dans une jatte, mélangez la viande hachée avec l'oignon, le persil, la cannelle, la coriandre, le cumin, le piment, du sel et du poivre. Pétrissez entre vos mains humides pour obtenir une préparation pâteuse et homogène.

Roulez-la en forme de petites balles. Pressez-les autour des brochettes de façon à les envelopper complètement en les aplatissant légèrement, comme des crépinettes.

Badigeonnez-les d'huile d'olive au pinceau, puis faites-les griller sur un gril bien chaud ou au barbecue, 5 min environ de chaque côté : elles doivent être croustillantes à l'extérieur et moelleuses à l'intérieur. Servez avec une salade de tomates aux herbes et des pains pita chauds.

crevettes sauce au tamarin
(IRAN)

La cuisine du Proche-Orient, aujourd'hui influencée par bien d'autres cultures culinaires (arabe, africaine, portugaise, allemande, anglaise...), reste proche de la gastronomie indienne grâce aux épices importées du sud de l'Inde. Le tamarin est ainsi très apprécié des Iraniens pour sa délicate amertume, comme dans cette recette proche des currys indiens.

POUR 4 PERSONNES

100 g de pulpe de tamarin séchée (ou 1 cuil. à soupe de pâte de tamarin)
4 cuil. à soupe d'huile d'olive
2 oignons finement émincés
2 gousses d'ail hachées
1 à 2 cuil. à café de poudre (ou de pâte) de curry
3 tomates pelées, épépinées et hachées au couteau
Sel, poivre du moulin
6 brins de coriandre (ou de persil) ciselés
8 grosses crevettes roses crues, décortiquées

Si vous utilisez de la pulpe de tamarin séchée, mettez-la à tremper 30 min dans 200 ml d'eau bouillante. Filtrez au travers d'une passoire fine en pressant bien avec le dos d'une cuillère. Réservez le jus obtenu.

Dans une sauteuse, chauffez la moitié de l'huile sur feu moyen. Faites-y dorer les oignons et l'ail 3 min en remuant. Ajoutez le curry (poudre ou pâte). Mélangez 2 min.

Incorporez les tomates et le tamarin (jus réservé ou pâte). Baissez le feu, couvrez. Laissez mijoter pendant 20 à 30 min sur feu doux, en enlevant au besoin le couvercle en fin de cuisson si la sauce est trop longue.

Salez, poivrez et incorporez la coriandre (ou le persil).

Dans une poêle, chauffez le reste d'huile sur feu moyen. Faites-y sauter les crevettes 2 min environ, jusqu'à ce qu'elles changent de couleur. Mettez-les dans la sauce. Mélangez pour bien les enrober. Rectifiez l'assaisonnement. Servez avec du riz nature.

moules farcies au riz épicé
(TURQUIE)

Cette recette de moules, une des plus fines qui soient, fait traditionnellement partie des *mezze*, ces délicieuses petites entrées variées. Sa saveur récompense du soin et du temps apportés à la préparer...

POUR 4 PERSONNES

6 cuil. à soupe d'huile d'olive
2 oignons finement émincés
150 g de riz long grain
1 cuil. à soupe de pignons de pin
1 cuil. à soupe de raisins secs de Corinthe
1 cuil. à café de poivre de la Jamaïque en poudre
1 pincée de cannelle en poudre
1 pincée de piment en poudre
2 cuil. à café de sucre en poudre
Sel, poivre du moulin
24 grosses moules
Quelques quartiers de citron pour servir

Dans une poêle à fond épais, chauffez 4 cuil. à soupe d'huile sur feu modéré. Faites-y fondre les oignons 10 min en remuant souvent. Ajoutez le riz et les pignons. Remuez quelques minutes, jusqu'à ce que les grains de riz commencent à devenir translucides.

Incorporez les raisins secs, le poivre de la Jamaïque, la cannelle, le piment, le sucre et 200 ml d'eau. Salez et poivrez. Couvrez. Laissez cuire 10 min environ, jusqu'à ce que le riz ait absorbé le liquide. Laissez refroidir.

Lavez et grattez les moules sous l'eau courante. Avec un petit couteau pointu, ouvrez-les, du côté opposé à la charnière, en sectionnant le muscle qui les tient fermées. Ne séparez pas les deux coquilles.

Garnissez chaque moule de 1 cuil. à café de préparation au riz. Refermez-les et liez-les avec de la ficelle de cuisine.

Disposez les moules farcies côte à côte dans une sauteuse. Couvrez-les avec 200 ml d'eau. Portez à ébullition sur feu moyen. Baissez le feu, couvrez et laissez frémir 15 min.

Laissez refroidir. Ôtez les ficelles. Badigeonnez les coquilles au pinceau avec le reste d'huile pour les faire briller et servez, avec les quartiers de citron.

ragoût d'agneau aux haricots rouges (IRAN)

Si les ragoûts (khoresht) iraniens, tous plus parfumés les uns que les autres, sont parfois enrichis de fruits acidulés (abricots, airelles, raisin vert…), ils sont le plus souvent agrémentés d'oignons et d'herbes variées, notamment de feuilles de fenugrec amères. Les citrons verts séchés donnent tout son caractère à cette recette typiquement iranienne.

POUR 4 PERSONNES

150 g de haricots rouges secs
3 cuil. à soupe d'huile d'olive
2 oignons émincés
4 poireaux émincés
500 g de viande d'agneau (épaule ou gigot) coupée
    en cubes de 6 cm de côté
150 g de persil ciselé
100 g de feuilles de coriandre ciselées
25 g d'aneth ciselé
25 g de feuilles de fenugrec fraîches (ou 2 cuil.
    à café de fenugrec séché en poudre)
3 citrons verts séchés
Sel
Le jus de 1 citron jaune

Faites tremper les haricots rouges dans de l'eau froide pendant 12 h. Égouttez-les.

Faites blanchir les haricots 10 min à l'eau bouillante. Égouttez-les, rincez-les, puis mettez-les dans une casserole et couvrez-les d'eau froide. Portez à ébullition et laissez cuire 30 min. Égouttez.

Dans une cocotte, chauffez 2 cuil. à soupe d'huile sur feu moyen. Faites-y revenir les oignons et les poireaux 5 min en remuant. Ajoutez la viande. Poursuivez la cuisson 3 min en remuant.

Pendant ce temps, chauffez le reste d'huile sur feu doux dans une poêle. Faites-y « tomber » le persil, la coriandre, l'aneth et le fenugrec (frais ou séché) 5 min environ, en les mélangeant à la spatule.

Ajoutez ces herbes dans la cocotte, avec les haricots. Mouillez d'eau à hauteur. Portez à frémissements. Couvrez, baissez le feu et laissez mijoter 1 h.

Piquez régulièrement les citrons avec la pointe d'une brochette métallique. Mettez-les dans la cocotte. Salez. Mélangez. Poursuivez la cuisson 45 min.

Incorporez le jus de citron, rectifiez l'assaisonnement et servez, avec du riz nature.

blancs de poulet au safran (IRAN)

Issu d'un joli crocus violet (Crocus sativus), le safran en constitue le stigmate, partie terminale du pistil. Trifide, ce stigmate se divise en trois filaments d'un rouge vif tirant sur l'orangé, à l'arôme intense. Cette épice est très prisée dans tout le Proche-Orient, notamment en Iran.

POUR 4 PERSONNES

2 cuil. à soupe d'huile d'olive
1 oignon émincé
Sel, poivre du moulin
100 ml de bouillon de volaille
4 blancs de poulet
3 cuil. à café d'infusion de safran (voir ci-dessous)

Dans une sauteuse, chauffez l'huile sur feu modéré. Faites-y revenir l'oignon 10 min en remuant souvent. Salez légèrement, poivrez, puis versez le bouillon et ajoutez les blancs de poulet. Portez à frémissements. Couvrez. Laissez cuire 20 min sur feu doux.

Ajoutez l'infusion de safran. Poursuivez la cuisson 10 min à découvert, en retournant les blancs de poulet de temps en temps.

Rectifiez l'assaisonnement et servez avec du riz nature.

infusion de safran (IRAN)

En Iran, le safran est souvent utilisé en infusion, immédiatement prête à l'emploi.

POUR 80 ML ENVIRON

40 filaments de safran séchés
½ cuil. à café de sucre en poudre
4 cuil. à soupe d'eau bouillante

Dans une poêle antiadhésive, faites dorer les filaments de safran sur feu doux, en remuant, sans les laisser brûler. Dans un mortier, pilez-les avec le sucre pour les réduire en poudre. Arrosez-les avec l'eau bouillante, mélangez bien, puis laissez infuser 1 h à couvert.

Versez le mélange dans un flacon hermétique. Réservez au réfrigérateur. Utilisez cette infusion très colorée, au goût légèrement fumé, dans les quinze jours, pour agrémenter du riz, du poisson blanc ou de la volaille.

confiture de carottes à l'orange (TURQUIE ET MOYEN-ORIENT)

Riches et épaisses, les confitures moyen-orientales sont de véritables desserts. Elles comportent nombre de fruits (abricots, coings, agrumes, noix vertes, pistaches, amandes, écorce de melon...), de légumes (carottes, aubergines naines...) et d'épices, pour une saveur parfois inattendue, toujours extrêmement séduisante. À déguster à la petite cuillère, avec une tisane, du thé ou un café serré, et des biscuits.

POUR 3 BOCAUX DE 1 LITRE ENVIRON

2 oranges non traitées
750 g de sucre en poudre
2 kg de carottes coupées en rondelles
1 cuil. à soupe d'eau de rose
Les graines de 3 gousses de cardamome moulues
25 g de pistaches
25 g d'amandes effilées

Prélevez le zeste des oranges au zesteur. Faites blanchir les lanières obtenues 30 s dans 100 ml d'eau bouillante, puis égouttez-les. Recommencez trois fois cette opération pour réduire toute amertume. Pressez les oranges pour recueillir leur jus.

Dans un faitout, mélangez le sucre avec 650 ml d'eau. Portez à ébullition sur feu moyen, en remuant jusqu'à dissolution du sucre. Baissez le feu. Laissez frémir ce sirop 5 min sur feu doux.

Ajoutez les zestes et les carottes. Augmentez le feu. Attendez la reprise de l'ébullition. Laissez bouillir 10 min, sur feu moyen à vif, en remuant de temps en temps.

Incorporez l'eau de rose, le jus d'orange, la cardamome, les pistaches et les amandes. Poursuivez l'ébullition jusqu'à atteindre la température de 110 °C (vérifiez avec un thermomètre culinaire ou déposez un peu de confiture sur une coupelle très froide : elle doit se rider quand vous la poussez avec le doigt).

Répartissez la confiture dans des bocaux stérilisés. Fermez hermétiquement et retournez les bocaux. Laissez totalement refroidir avant de remettre les bocaux à l'endroit. Réservez-les à l'abri de la lumière et de la chaleur.

confiture d'aubergines à la cardamome (LIBAN)

Cette confiture fondante a de quoi ravir les papilles. Vous pouvez vous procurer les aubergines naines, de la taille d'un pouce, en barquettes au rayon des minilégumes.

POUR 2 BOCAUX DE 1 LITRE ENVIRON

1 kg d'aubergines naines équeutées
500 g de sucre cristallisé pour confiture
(avec gélifiant incorporé)
2 gousses de cardamome
5 clous de girofle
5 cm de bâton de cannelle
1 cuil. à soupe d'eau de rose

Avec un couteau pointu, entaillez chaque aubergine de deux fentes pour permettre à l'eau de bien les pénétrer. Dans un faitout, faites-les blanchir 15 min à l'eau bouillante, sur feu moyen. Égouttez-les. Laissez-les tiédir, puis pressez-les délicatement entre vos mains pour en extraire un maximum d'eau.

Dans une marmite, mélangez le sucre avec 500 ml d'eau. Portez à frémissements sur feu doux à moyen, en remuant jusqu'à dissolution du sucre.

Ajoutez les aubergines, les gousses de cardamome, les clous de girofle et la cannelle. Laissez frémir 1 h, en remuant délicatement de temps en temps.

Retirez les gousses de cardamome, les clous de girofle et la cannelle, puis incorporez l'eau de rose.

Répartissez la confiture dans des bocaux stérilisés. Fermez hermétiquement et retournez les bocaux. Laissez totalement refroidir avant de remettre les bocaux à l'endroit. Réservez-les à l'abri de la lumière et de la chaleur.

glace aux pignons (TURQUIE)

Le mastic, une gomme résineuse très parfumée, permet
d'épaissir les glaces. Plutôt que de la fécule de maïs
ou de pomme de terre, les Turcs utilisent du salep, issu
des tubercules d'une variété d'orchidée, vendu dans
les épiceries exotiques sous le nom de *saleb* ou *sahlab*.

POUR 4 PERSONNES

1 cuil. à soupe de fécule, salep ou Maïzena (fécule de maïs)
500 ml de lait entier
3 pincées de mastic (ou de gomme arabique)
 réduit en poudre avec autant de sucre en poudre
150 ml de crème fraîche double
100 g de sucre en poudre
100 g de pignons de pin finement émincés

Dans un bol, mélangez la fécule délayée dans 1 cuil. à soupe
de lait et le mastic sucré.

Dans une casserole, mélangez le reste de lait avec la crème
et le sucre. Portez à frémissements sur feu moyen, en remuant
jusqu'à dissolution du sucre. Hors du feu, incorporez la préparation
précédente en fouettant jusqu'à homogénéité.

Remettez la casserole sur feu doux. Laissez épaissir 8 min
environ, en remuant sans cesse, puis filtrez au-dessus d'une jatte.
Laissez refroidir complètement. Incorporez les pignons.

Faites prendre la glace dans une sorbetière, ou versez-la
dans un plat creux et placez-la au congélateur pour 6 h,
en remuant toutes les heures à la fourchette pour éviter
les cristaux. Placez la glace au réfrigérateur 15 min avant
de servir pour l'assouplir.

semoule au lait (SYRIE)

À Damas, au petit déjeuner, on sert du lait à la cannelle,
des entremets lactés et de la semoule.

POUR 4 PERSONNES

100 g de beurre
150 g de semoule
350 ml de lait
175 g de sucre en poudre
Cannelle pour saupoudrer

Dans une casserole, faites fondre le beurre sur feu moyen.
Ajoutez la semoule. Baissez le feu. Remuez 5 min sur feu doux.

Dans une autre casserole, mélangez le lait avec 250 ml d'eau
et le sucre. Portez à ébullition sur feu moyen, en remuant jusqu'à
dissolution du sucre.

Versez la préparation précédente sur la semoule. Laissez
cuire sur feu doux, en remuant souvent, 15 min environ, jusqu'à
ce que la semoule soit très tendre.

Ôtez du feu. Laissez reposer 15 min à couvert.

Avant de servir, saupoudrez généreusement de cannelle.

loukoums à la rose (TURQUIE)

C'est le mastic qui donne à ces friandises leur texture
particulière. Elles se conservent plusieurs semaines
dans une boîte hermétiquement fermée.

POUR 24 LOUKOUMS

500 g de sucre en poudre
75 g de fécule, salep ou Maïzena (fécule de maïs)
4 cuil. à café de mastic (ou de gomme arabique)
 réduit en poudre avec autant de sucre en poudre
500 ml d'eau de rose
Quelques gouttes de colorant alimentaire rouge
Sucre glace

Dans une casserole, mélangez le sucre avec 650 ml d'eau. Portez
à ébullition sur feu moyen, en remuant jusqu'à dissolution du
sucre.

Dans une jatte, délayez la fécule dans 100 ml d'eau froide.
Ajoutez le mastic sucré, l'eau de rose et le colorant. Mélangez
bien, puis incorporez le sirop bouillant, en filet, en remuant
constamment. Remettez dans la casserole. Portez à frémissements.
Baissez le feu. Laissez épaissir 10 min environ sur feu doux, sans
cesser de remuer. Vérifiez la cuisson en versant 1 cuil. à café de la
préparation dans un bol d'eau très froide : elle doit se rassembler
en boule.

Tapissez un plat creux rectangulaire de papier sulfurisé.
Versez-y la préparation précédente. Laissez refroidir complètement.

Poudrez généreusement le plan de travail de sucre glace.
Retournez le plat dessus pour démouler la pâte. Coupez-la en
24 loukoums. Roulez-les dans le sucre pour les enrober de tous côtés.

Poudrez-les à nouveau de sucre glace pour les conserver.

zhug (YÉMEN)

Cette sauce haute en goût et en couleur se déguste tartinée
sur du pain chaud, type pita, ou des galettes croustillantes.

POUR 1 BOCAL DE 200 ML ENVIRON

5 piments verts mi-forts
1 piment rouge très fort
3 gousses d'ail écrasées
6 branches de persil effeuillées et ciselées
6 branches de coriandre effeuillées et ciselées
1 cuil. à soupe de graines de cumin grillées et moulues
12 grains de poivre noir moulus
Les graines de 12 gousses de cardamome moulues
4 cuil. à soupe environ d'huile d'olive (ou de tournesol)
Sel

Coupez tous les piments en deux. Ôtez les graines et les membranes,
puis émincez-les.

Mixez-les avec l'ail, le persil, la coriandre, le cumin, le poivre
et la cardamome, tout en versant l'huile en filet, jusqu'à obtenir
une consistance de pommade. Salez selon votre goût.

Réservez la sauce dans un bocal stérilisé, hermétiquement
fermé, au réfrigérateur. Elle se conserve plusieurs semaines,
à condition d'ajouter un peu d'huile après chaque utilisation.

za'atar (JORDANIE)

Dans ce mélange d'épices, utilisé à travers tout le Moyen-
Orient, la fragrance du thym s'allie à l'arôme citronné du sumac
et à la douceur du sésame. On en saupoudre le pain avant
cuisson, comme on en relève le *mankoushi*, galette garnie
de haloumi (fromage de chèvre moyen-oriental) cuite au four.

POUR 1 BOCAL DE 60 ML

½ cuil. à soupe de graines de sésame
2 cuil. à soupe de thym séché
1 cuil. à soupe de sumac en poudre
½ cuil. à café de sel

Dans une poêle antiadhésive, faites griller les graines de sésame
à sec sur feu moyen, en remuant. Mélangez-les avec les autres
ingrédients. Utilisez aussitôt ou laissez refroidir avant de réserver,
dans un flacon hermétiquement fermé.

advieh doux (IRAN)

Proche du *garam masala* indien, l'*advieh* doux est saupoudré sur tous types de mets, à l'envi.

POUR 1 BOCAL DE 400 ML ENVIRON

30 filaments de safran séchés
100 g de cassonade
1 pincée de pétales de rose non traités séchés et émiettés
100 g de pistaches en poudre
50 g de graines de coriandre moulues
25 g de cannelle en poudre
Les graines de 10 gousses de cardamome moulues

Dans une poêle antiadhésive, faites griller le safran à sec sur feu doux, en remuant, sans le laisser brûler. Pilez-le dans un mortier avec ½ cuil. à café de cassonade, puis mélangez-le avec le reste de cassonade et tous les autres ingrédients. Réservez dans un bocal hermétiquement fermé, de préférence au réfrigérateur.

advieh piquant (IRAN)

Ce mélange très aromatique était, à l'origine, utilisé par les médecins perses. Il fait notamment merveille dans les ragoûts de mouton, dont il modère la saveur un peu grasse.

POUR 2 BOCAUX DE 125 ML ENVIRON

20 grains de poivre noir moulus
50 g de cumin en poudre
50 g de graines de coriandre moulues
50 g de curcuma en poudre
25 g de cannelle en poudre
Les graines de 10 gousses de cardamome moulues
3 clous de girofle moulus

Mélangez tous les ingrédients. Réservez dans des bocaux hermétiquement fermés.

pickles de légumes (IRAN ET TURQUIE)

Si la conservation des légumes au vinaigre est universelle, elle prend tout son caractère au Moyen-Orient, grâce aux épices qui les parfument. La qualité du vinaigre est essentielle, surtout quand, comme ici, il est coupé d'eau.

POUR 2 BOCAUX DE 1 LITRE ENVIRON

1 beau chou-fleur détaillé en bouquets recoupés
    en 2 ou 3 morceaux
3 poivrons (rouges ou verts) épépinés et coupés en lanières
    de 2,5 cm de large
250 g de carottes coupées en tronçons de 2,5 cm
250 g de céleri-branche effilé et coupé en tronçons de 2,5 cm
4 petits concombres fendus en quatre, puis en deux
100 g de haricots verts effilés et coupés en deux
4 gousses d'ail coupées en deux
4 brins d'aneth
300 ml de vinaigre de cidre (ou de vin blanc)
50 g de sel
2 cuil. à soupe de graines de coriandre
2 cuil. à soupe de graines de nigelle
1 cuil. à café de menthe séchée

Répartissez les légumes, l'ail et l'aneth dans des bocaux préalablement stérilisés.

Dans une casserole, mélangez le vinaigre avec 750 ml d'eau, le sel, la coriandre, la nigelle et la menthe. Portez à frémissements sur feu doux à moyen. Laissez frémir 5 min, puis versez dans les bocaux. Fermez hermétiquement. Réservez à l'abri de la lumière et de la chaleur. Attendez 6 semaines avant de déguster.

Les cuisines d'Afrique se distinguent par leur diversité. Ce sont surtout des critères géographiques qui déterminent les tendances culinaires des nombreux pays de ce continent : cernée par les océans, l'Afrique est tournée à l'ouest vers les Amériques, outre-Atlantique ; à l'est, l'océan Indien la sépare de l'Extrême-Orient ; au nord, la Méditerranée la relie à l'Europe et au Proche-Orient. Au fil des siècles s'y sont développées des cultures contrastées, composant une mosaïque qui reflète plus l'histoire du continent que son relief ou son climat.

Pendant des millénaires, l'Afrique est restée un haut lieu du commerce des épices – un rôle auquel sa situation géographique la destinait tout naturellement. Le Caire était l'une des principales destinations des caravanes qui rapportaient les précieux aromates d'Orient, via l'Inde et la Perse. Les marchands s'y approvisionnaient puis revendaient le tout en Grèce et à Rome, avant de converger vers les grands ports de Gênes et de Venise.

L'Afrique du Nord se démarque du reste du continent. Intégrée au monde hellénique et romain jusqu'au VIIIe siècle, elle fut envahie par les conquérants musulmans et assimilée

à l'Empire arabe, lequel s'étendait de la Tunisie au Maroc, de l'Algérie à l'Espagne. C'est ainsi que s'épanouit un art culinaire raffiné, venu de Perse. Sucre et miel, dattes et amandes, herbes fraîches et épices chaudes dominent la gastronomie maghrébine actuelle, tout en saveurs subtiles. Certaines spécialités d'Afrique du Nord sont devenues internationales, tels le couscous relevé de harissa ou le tagine. Le Maghreb propose également quelques délicieuses spécialités à base de pâte feuilletée, comme les *borek* tunisiennes à l'œuf, au poisson ou à la viande, ou encore les *b'stilla* marocaines, farcies au pigeon et nappées d'un glaçage sucré. Un repas complet ne saurait se concevoir sans une salade à l'assaisonnement relevé, où se mêlent légumes cuits et légumes crus, tomates, olives, fines herbes, huile d'olive et jus de citron. Les mélanges d'épices maghrébins sont complexes – la *chermoula*, par exemple, dont on badigeonne viandes et poissons à griller, ou le ras-el-hanout, qui allie des douzaines d'aromates différents.

Les régions côtières

Malgré l'immensité et la diversité de son territoire, l'Afrique n'a jamais été un grand producteur d'épices. Il est vrai que la majeure partie du continent est couverte de déserts arides ou de forêts tropicales impénétrables. Une seule exception : la côte occidentale. C'est là que les marins venus d'Europe découvrirent la graine de paradis (maniguette ou poivre de Guinée), que les Romains utilisaient déjà à la place du poivre, très cher à l'époque. On retrouve cette épice dans l'Europe médiévale, où elle aromatise bières et vins chauds, comme l'hypocras. Aujourd'hui, son usage perdure en Scandinavie – c'est elle qui parfume l'aquavit.

Au large de la côte est, Zanzibar demeura longtemps sous la domination du sultanat d'Oman, qui s'étendait le long des côtes d'Afrique orientale. C'est de cette île, alors un des premiers producteurs d'épices au monde, que les négociants organisaient

Jeune Égyptien pétrissant le pain selon la tradition dans le Sinaï.

des rafles sur le continent afin de s'approprier ivoire et esclaves. Les sultans d'Oman exploitaient aussi des bataillons d'esclaves pour cultiver à moindre coût les plantations de girofliers établies sur l'île et, partant, contrecarrer le monopole de la Compagnie hollandaise des Indes orientales sur ce commerce lucratif. Zanzibar est encore un grand producteur de girofle, sans compter la noix muscade, le gingembre et la cardamome, qui confèrent une touche résolument exotique à la cuisine insulaire.

Lié au commerce triangulaire, le piment est omniprésent dans la cuisine africaine. Les rivages ghanéens sont jalonnés d'une vingtaine de forts où les prisonniers attendaient d'être vendus sur les marchés aux esclaves. Plus de trois millions d'Africains furent ainsi déportés aux Amériques (au Brésil, aux Antilles et en Louisiane) pour travailler dans les plantations de canne à sucre. Sous le climat chaud d'Amérique centrale, ils continuèrent à cultiver ignames, patates douces, manioc, gombos et haricots. Puis, à la faveur de l'« échange colombien » (échange de produits entre le Nouveau et l'Ancien Monde), le continent africain découvrit la dinde, le chocolat, la vanille, les tomates, le maïs et… le piment, précieux pour relever les modestes ragoûts, comme les beignets de farine de maïs, le *foufou* (bouillie de manioc fermenté) et le *foutou* (purée de manioc et de plantain).

L'Afrique du Sud

Cette terre reste une curiosité gastronomique. Le régime des peuplades indigènes, fondé sur quelques denrées de base (sorgho, petits oiseaux et insectes), a rapidement cédé la place aux us des différentes vagues de colons successives (Anglais, Hollandais et Français), qui ne pouvaient se satisfaire de la frugalité des plats locaux.

Au XIXᵉ siècle, le gouvernement, en mal de main-d'œuvre bon marché, fit venir des Sri Lankais, des Indiens et des Malais. C'est à ces « musulmans du Cap » que l'Afrique du Sud doit les plus vives couleurs de son arc-en-ciel culinaire. Parmi les authentiques spécialités sud-africaines, citons le *bobotie* (un hachis de viande aux amandes, aux œufs et au curry), les *sosatie* (brochettes épicées) et les currys de légumes, ainsi que certains condiments très relevés, comme le *sambal*.

Les rues des villes sud-africaines sont jalonnées de stands d'en-cas à grignoter sur le pouce, tous tenus par des musulmans du Cap. Commandez et, derrière un rideau, on vous emballe en un tournemain une galette garnie d'une farce aux pommes de terre ou aux légumes généreusement pimentée – un délice ! À l'est du pays, la ville de Durban porte bien son nom de « petite Inde ». Au-delà des frontières sud-africaines, l'influence indienne se mêle, au nord, à la culture culinaire arabe.

Vendeur d'épices au marché de Khan el-Khalili, au Caire.

Le véritable carrefour, toutefois, demeure l'île de Zanzibar, où l'empreinte des colons britanniques et portugais reste sensible, alors que les derniers Arabes d'Oman ne furent expulsés que dans les années 1960. À Zanzibar perdurent les rites culinaires du Soudan et de l'Éthiopie à travers, entre autres, la sauce *berberi*, hautement pimentée.

Enfin voici l'Égypte et son passé glorieux. Au hasard d'une promenade en bateau sur le Nil, rejoignez les autochtones réunis pour un repas de famille ; au berceau de la civilisation, dégustez le *foul midamess*, une soupe de fèves préparée dans la plus pure tradition locale – vieille de cinq mille ans.

six salades marocaines

Le Maroc possède un vaste répertoire de salades, utilisant des ingrédients crus ou cuits (parfois un peu des deux) et tout un éventail d'herbes fraîches et d'épices. On en sert généralement plusieurs à la fois, dans des petits bols, à l'apéritif.

salade de citrons

Une mise en bouche piquante et rafraîchissante. Les olives étant déjà salées, il est inutile d'ajouter du sel à l'assaisonnement.

POUR 4-6 PERSONNES

4 citrons
12 olives noires dénoyautées
12 olives vertes dénoyautées
100 ml d'huile d'olive vierge extra
1 cuil. à café de cumin en poudre
½ cuil. à café de piment en poudre
1 cuil. à soupe de persil ciselé

Épluchez les citrons. Coupez la pulpe en dés. Mélangez-la avec tous les autres ingrédients.

Parsemez du persil et servez.

salade de carottes épicée

Une recette aussi simple et relevée que délicieusement inattendue en bouche.

POUR 4 PERSONNES

500 g de carottes
2 cuil. à soupe d'huile d'olive
Le jus de 1 citron
½ cuil. à café de piment en poudre
1 cuil. à café de cannelle en poudre
1 cuil. à café de sucre en poudre
1 gousse d'ail écrasée avec 1 cuil. à café de sel
½ cuil. à café de gingembre en poudre
1 cuil. à soupe de persil ciselé

Épluchez et lavez les carottes. Mettez-les dans une casserole. Couvrez-les d'eau froide à hauteur. Portez à ébullition sur feu moyen. Laissez cuire 20 min. Ôtez du feu. Couvrez et laissez reposer 1 h dans le liquide de cuisson.

Égouttez les carottes. Coupez-les en rondelles épaisses. Remettez-les dans la casserole. Mélangez-les avec tous les autres ingrédients. Faites chauffer quelques minutes sur feu moyen, pour libérer les arômes. Laissez refroidir à couvert.

Servez parsemé du persil.

salade d'oranges aux olives

Une composition sucrée-salée des plus harmonieuses et aussi des plus prisées au Maroc.

POUR 4-6 PERSONNES

6 à 8 oranges
20 olives violettes (type Calamata) dénoyautées
Le jus de ½ citron
1 bonne pincée de cumin en poudre
1 pincée de piment en poudre
1 cuil. à café de sucre en poudre
1 pincée de sel

Pelez les oranges à vif, puis détachez les quartiers en supprimant la fine pellicule qui les enveloppe. Procédez au-dessus d'une jatte pour recueillir le jus qui s'écoule. Mettez les quartiers d'orange au fur et à mesure dans la jatte. Ajoutez tous les autres ingrédients. Mélangez bien.

Réservez au réfrigérateur jusqu'au moment de servir.

salade de betteraves aux pommes de terre

Cette salade peut constituer un plat complet végétarien.

POUR 4-6 PERSONNES

500 g de pommes de terre nouvelles, gros sel
Le jus de 1 citron
Sel fin, poivre du moulin
1 cuil. à café de sucre en poudre
½ cuil. à café de cumin en poudre
1 pincée de piment en poudre (facultatif)
4 cuil. à soupe d'huile d'olive vierge extra
1 kg de betteraves cuites coupées en dés
500 g de tomates pelées, épépinées et coupées en dés
1 oignon rouge (ou ½ oignon d'Espagne) finement émincé
1 cuil. à soupe de persil ciselé
Quelques olives noires dénoyautées pour le décor

Faites cuire les pommes de terre 20 à 25 min à l'eau bouillante salée. Égouttez-les. Laissez-les refroidir, puis épluchez-les et tranchez-les.

Dans un saladier, mélangez le jus de citron avec du sel, du poivre, le sucre et les épices, puis émulsionnez avec l'huile. Incorporez tous les autres ingrédients (sauf les pommes de terre et les olives).

Disposez le mélange précédent en dôme sur le plat de service. Entourez des pommes de terre et décorez des olives.

carottes râpées à l'orange

Pour plus de parfum, ajoutez un peu d'eau de fleur d'oranger.

POUR 4-6 PERSONNES

2 oranges
Le jus de ½ citron
1 cuil. à café de cannelle en poudre
1 cuil. à soupe de sucre en poudre
500 g de carottes râpées

Pelez les quartiers des oranges à vif. Mélangez leur jus avec celui du citron, la cannelle et le sucre, jusqu'à dissolution de ce dernier. Incorporez les quartiers d'orange et les carottes. Servez bien frais.

Très utilisée au Maroc pour parfumer les salades, la cannelle se présente en bâtons, en poudre ou sous forme d'huile aromatisée.

tomates et poivrons verts rôtis en salade

Classique au Maroc, cette salade se déguste froide.
La cuisson des légumes peut varier selon les recettes :
rôtis, grillés, voire frits.

POUR 4-6 PERSONNES

4 poivrons verts
8 belles tomates
Le jus de 1 citron
Sel, poivre du moulin
1 bonne pincée de cumin en poudre
2 cuil. à soupe d'huile d'olive
4 cébettes (oignons verts) émincées
1 cuil. à soupe de persil ciselé
Quelques olives noires dénoyautées pour le décor

Préchauffez le four à 200 °C (th. 6/7). Faites-y rôtir les poivrons
et les tomates 30 min.

Pour ôter leur peau facilement, enfermez les poivrons dans
un sac en plastique alimentaire. Laissez-les tiédir.

Épluchez les tomates et les poivrons. Coupez-les en deux,
épépinez-les, puis détaillez-les en dés.

Dans un saladier, mélangez le jus de citron avec du sel,
du poivre et le cumin, puis émulsionnez avec l'huile. Ajoutez
les tomates, les poivrons et les cébettes. Mélangez. Laissez refroidir.

Parsemez du persil, décorez des olives et servez.

croquettes croustillantes
(AFRIQUE DU SUD)

Ces bouchées délicieusement épicées, appelées *dhaltjies*, sont
idéales pour l'apéritif. Leur recette est héritée des Indiens
qui furent déportés en Afrique du Sud, avec les Malais et
les Malgaches, à la fin du XVIIe siècle.

POUR 24 CROQUETTES

175 g de farine de pois chiches tamisée
75 g de farine de blé
1 cuil. à café de levure chimique
1 bonne pincée de sel
½ cuil. à café de piment en poudre
1 cuil. à café de curcuma en poudre
1 cm de racine de gingembre râpée
1 cuil. à café de cumin en poudre
1 cuil. à café de *garam masala* (voir page 31)
2 œufs battus
3 branches de coriandre effeuillées et ciselées
1 litre d'huile de maïs

Dans un saladier, mélangez les deux farines avec la levure et le sel.
Ajoutez 150 ml d'eau en filet, en mélangeant jusqu'à obtention
d'une pâte lisse.

Ajoutez le piment, le curcuma, le gingembre, le cumin, le
garam masala et les œufs. Mélangez, puis incorporez la coriandre.

Dans une sauteuse, faites chauffer l'huile à 180 °C. Plongez-y
la pâte par cuillerées (6 environ à la fois). Laissez frire les
croquettes jusqu'à ce qu'elles soient bien dorées et remontent
à la surface.

Déposez-les au fur et à mesure sur du papier absorbant.
Servez-les chaudes ou tièdes.

sosatie d'agneau
(AFRIQUE DU SUD)

Brochettes traditionnelles en Afrique du Sud, les *sosatie* sont originaires de Malaisie. La confiture d'abricots qui sert de base à la sauce confère sa douceur acidulée à l'ensemble. Préparez la viande la veille (elle doit mariner pendant 12 h) et faites gonfler les abricots séchés dans de l'eau chaude durant 1 h.

POUR 4 PERSONNES

1 kg de gigot d'agneau désossé
2 oignons émincés
2 gousses d'ail finement émincées
2 cm de racine de gingembre râpée
2 feuilles de laurier émiettées
4 clous de girofle
1 cuil. à soupe de *garam masala* (voir page 31)
1 cuil. à café de curcuma en poudre
2 cuil. à soupe de cassonade
1 bonne pincée de sel
300 ml de vinaigre de malt
16 abricots séchés
1 cuil. à café de Maïzena (fécule de maïs)
2 cuil. à soupe de confiture d'abricots

Coupez la viande en cubes de 2,5 cm de côté. Mettez-les dans un saladier avec les oignons, l'ail, le gingembre, le laurier, les clous de girofle, le *garam masala* et le curcuma.

Dans un bol, mélangez la cassonade et le sel avec le vinaigre, jusqu'à dissolution. Versez le tout sur le contenu du saladier. Mélangez bien. Couvrez de film alimentaire. Laissez mariner 12 h au réfrigérateur, en remuant de temps en temps.

Faites tremper 8 brochettes en bois 1 h dans de l'eau froide, pour éviter qu'elles ne brûlent à la cuisson.

Sur ces brochettes, enfilez les cubes de viande et les abricots égouttés, en les alternant. Faites-les griller sur un gril très chaud ou au barbecue, 10 à 15 min, en les retournant souvent.

Dans une casserole, délayez la Maïzena dans 2 cuil. à soupe d'eau. Incorporez-y la confiture et 2 cuil. à soupe d'eau. Laissez épaissir sur feu doux, en remuant.

Servez les brochettes nappées de sauce, avec du riz nature.

ragoût de patates douces
aux cacahouètes (GHANA)

La cuisine ghanéenne est très riche, intensément parfumée et, en général, fortement épicée.

POUR 4-6 PERSONNES

3 cuil. à soupe d'huile de tournesol (ou d'arachide)
2 oignons finement émincés
2 gousses d'ail émincées
5 cm de racine de gingembre râpée
750 g de patates douces coupées en dés
Le cœur de ½ chou blanc émincé
1 à 2 cuil. à café de piment en poudre
2 cuil. à soupe de paprika
1 cuil. à café de sel
4 tomates pelées, épépinées et coupées en dés
1 cuil. à soupe de concentré de tomates
350 ml de bouillon de volaille
200 g de cacahouètes
Quelques petits morceaux d'ananas frais, rondelles de banane et feuilles de coriandre pour le décor

Dans une sauteuse, chauffez l'huile sur feu doux à moyen. Faites-y dorer les oignons 10 min environ, en remuant, sans les laisser brûler. Ajoutez l'ail et le gingembre. Poursuivez la cuisson 5 min, en remuant.

Ajoutez les patates douces, le chou, le piment, la moitié du paprika et le sel. Mélangez 1 min. Incorporez les tomates, le concentré de tomates et le bouillon. Portez à frémissements. Laissez frémir 20 min environ : les patates doivent être tendres.

Dans une poêle antiadhésive, faites chauffer les cacahouètes à sec, sur feu vif, en remuant jusqu'à ce que la peau commence à se détacher. Enveloppez-les dans un linge et frottez-les vivement pour supprimer totalement cette peau, puis pilez-les dans un mortier. Incorporez-les au ragoût. Poursuivez la cuisson 2 à 3 min. Décorez des fruits et de la coriandre, saupoudrez du reste de paprika et servez.

tagine de poulet (MAROC)

Ce grand classique de la cuisine nord-africaine, délicieusement acidulé grâce aux citrons confits, embaume de tous les aromates qui le parfument. Pour magnifier sa saveur, laissez mariner le poulet toute une nuit.

POUR 4 PERSONNES

1 poulet coupé en 8 morceaux
2 oignons émincés
2 cuil. à soupe de persil ciselé
2 cuil. à soupe de feuilles de coriandre ciselées
1 bâton de cannelle
2 citrons confits au sel rincés, égouttés et coupés
   en quartiers
250 g d'olives violettes (ou vertes) rincées, égouttées
   et dénoyautées
Le jus de ½ citron

POUR LA MARINADE
2 gousses d'ail finement émincées
5 filaments de safran séchés
½ cuil. à café de cumin en poudre
½ cuil. à café de gingembre en poudre
½ cuil. à café de paprika
½ cuil. à café de sel
2 ou 3 tours de moulin à poivre
4 cuil. à soupe d'huile de tournesol (ou d'olive)

Préparez la marinade en mélangeant tous les ingrédients dans un saladier. Ajoutez-y les morceaux de poulet et tournez-les pour bien les enrober. Couvrez. Réservez au moins 6 h au réfrigérateur, en retournant le poulet de temps en temps.

Versez la viande et sa marinade dans une cocotte. Ajoutez les oignons, le persil, la coriandre et la cannelle. Mouillez d'eau jusqu'à mi-hauteur. Portez à ébullition. Baissez le feu, couvrez et laissez mijoter 30 min sur feu doux, en retournant souvent le poulet. Découvrez partiellement la cocotte et poursuivez la cuisson 20 min. Ajoutez un peu d'eau si la sauce semble trop courte.

Incorporez les citrons et les olives. Laissez cuire encore 10 min.

Avec une écumoire, déposez le poulet, les citrons et les olives sur le plat de service. Couvrez pour garder au chaud.

Enlevez le bâton de cannelle de la sauce, puis laissez-la réduire sur feu vif, à découvert, pour qu'il n'en reste que 250 ml environ. Incorporez le jus de citron, rectifiez l'assaisonnement et versez sur le poulet. Servez sans attendre.

bredie d'agneau (AFRIQUE DU SUD)

Dans cette version sud-africaine du tagine marocain (voir page ci-contre), la viande mijote longuement avec des légumes. Procédez à la cuisson sur deux jours, en laissant refroidir le *bredie* entre les deux : il n'en sera que plus savoureux. La recette proposée ici est à base de potiron, mais vous pouvez varier à l'envi : chou, chou-fleur, petits pois, haricots, épinards, lentilles, tomates...

POUR 4 PERSONNES

3 cuil. à soupe d'huile de tournesol (ou d'arachide)
3 oignons émincés
1 kg de viande d'agneau (épaule ou gigot) coupée
 en cubes de 3 cm de côté
2 piments séchés émiettés
1 bonne pincée de sel
1 cuil. à soupe de cassonade
1 kg de chair de potiron coupée en cubes de 2,5 cm de côté
2,5 cm de racine de gingembre râpée
1 cuil. à soupe de *garam masala* (voir page 31)

Dans une cocotte, chauffez l'huile sur feu moyen. Faites-y revenir les oignons 10 min en remuant. Ajoutez les cubes d'agneau. Laissez-les revenir 15 min, en les retournant souvent.

Ajoutez les piments, le sel et la cassonade. Mélangez jusqu'à légère caramélisation, sans laisser brûler. Mouillez avec 100 ml d'eau. Portez à ébullition. Baissez le feu, couvrez et laissez mijoter 1 h sur feu doux, en ajoutant un peu d'eau si le liquide réduit trop.

Ôtez du feu, laissez refroidir, puis réservez au réfrigérateur jusqu'au lendemain.

Ajoutez le potiron, le gingembre et 100 ml d'eau. Portez à ébullition sur feu moyen, en remuant. Baissez le feu, couvrez et laissez mijoter 1 h sur feu doux, en surveillant le liquide de cuisson.

Incorporez le *garam masala* et servez.

fattoush (ÉGYPTE)

Dans l'Égypte ancienne, les pharaons contrôlaient la route des épices, leur territoire se trouvant sur le chemin emprunté par les caravanes. Si, géographiquement, l'Égypte appartient au nord-est du continent africain, sur le plan culinaire, elle emprunte beaucoup au Liban tout proche. Les herbes fraîches – persil et menthe – occupent ainsi une place de choix, comme dans cette salade.

POUR 4 PERSONNES

Le jus de 1 citron
Sel, poivre
4 cuil. à soupe d'huile d'olive vierge extra
1 concombre pelé et coupé en dés
4 tomates coupées en quartiers
8 feuilles de laitue iceberg déchirées en morceaux
1 poivron vert épépiné et coupé en dés

POUR LA GARNITURE

2 branches de menthe effeuillées et ciselées
2 branches de persil effeuillées et ciselées
2 tranches de pain frites à l'huile d'olive coupées en dés
1 cuil. à café de sumac en poudre

Dans un grand saladier, mélangez le jus de citron avec du sel et du poivre, puis émulsionnez avec l'huile.

Ajoutez le concombre, les tomates, la laitue et le poivron. Mélangez bien.

Surmontez de tous les éléments de la garniture. Mélangez à table, devant les convives.

couscous aux sept légumes
(MAROC)

La cuisine nord-africaine, très relevée, utilise fréquemment la harissa, pâte de piment brûlante et parfumée. Pour accompagner ce couscous riche et goûteux, servez la sauce harissa à part, afin que chacun puisse en relever son assiette à son gré. Cette recette, originaire de la ville de Fès, gagnera en saveur si vous procédez à la première partie de la cuisson la veille.

POUR 4-6 PERSONNES

25 g de beurre
1 cuil. à soupe d'huile d'olive
1 poulet coupé en 8 morceaux
4 oignons coupés en quatre
8 carottes coupées en quatre
2 piments verts entiers piqués de part en part
1 bouquet de coriandre ciselé
1 bâton de cannelle
½ cuil. à café de curcuma en poudre
Sel, poivre du moulin
1,5 litre de bouillon de volaille (ou d'eau)
5 filaments de safran séchés
250 g de pois chiches en boîte
2 navets coupés en quatre
1 poivron rouge épépiné et coupé en huit
4 tomates pelées, épépinées et coupées en quatre
3 courgettes coupées en tronçons de 3 cm
200 g de chair de potiron coupée en dés de 3 cm de côté
425 g de semoule moyenne pour couscous, précuite,
    préparée selon les indications portées sur l'emballage,
    pour servir

POUR LA SAUCE HARISSA
1 cuil. à café de pâte de harissa (voir page 98)
Le jus de ½ citron
1 cuil. à soupe d'huile d'olive
Quelques feuilles de coriandre ciselées

Dans une cocotte, chauffez le beurre et l'huile sur feu moyen à vif. Faites-y dorer les morceaux de poulet 5 min, en les retournant souvent. Ajoutez la moitié des oignons et des carottes, puis les piments, la coriandre, la cannelle, le curcuma, du sel et du poivre.

Dans une petite casserole, portez 1 louchée du bouillon (ou de l'eau) à ébullition sur feu moyen. Ajoutez le safran en pressant bien avec le dos d'une cuillère, pour libérer les arômes, puis versez le tout dans la cocotte. Mélangez. Couvrez, baissez le feu et laissez mijoter 10 min. Ajoutez le reste de bouillon (ou d'eau). Portez à frémissements. Laissez frémir 1 h à couvert. Ôtez du feu et laissez refroidir. (Pour une saveur accrue, réservez au réfrigérateur jusqu'au lendemain.)

Dégraissez la surface du bouillon de cuisson avec une cuillère. Remettez sur feu moyen. Ajoutez les pois chiches égouttés, les navets, le reste d'oignons et de carottes. Portez à frémissements. Couvrez et laissez cuire 20 min. Incorporez le poivron, les tomates, les courgettes et le potiron. Attendez la reprise des frémissements, couvrez et poursuivez la cuisson 40 min environ sur feu doux à moyen.

Préparez la sauce harissa. Dans un bol, mélangez la pâte de harissa avec le jus de citron et l'huile, puis incorporez 4 à 6 cuil. à soupe du bouillon de cuisson. Parsemez de la coriandre.

Versez la volaille et les légumes dans un plat creux, le bouillon dans une jatte. Servez avec la semoule et la sauce harissa.

bokoboko (ZANZIBAR)

Ce plat nourrissant et savoureux est un grand classique à Zanzibar, île de l'océan Indien dont la culture culinaire se partage entre Afrique et Inde.

POUR 4-6 PERSONNES

1 kg de blé complet
100 g de *ghee* (voir page 14)
1 kg de viande de bœuf hachée
Les graines de 5 gousses de cardamome moulues
10 cm de bâton de cannelle finement concassé

Réduisez le blé en poudre dans un moulin à café. Couvrez-le d'eau bouillante à hauteur. Laissez-le tremper 30 min.

Dans une cocotte à fond épais, chauffez le *ghee* sur feu moyen. Faites-y revenir la viande 5 min, en remuant. Ajoutez la cardamome et la cannelle. Poursuivez la cuisson 3 min, en remuant.

Incorporez le blé et son eau de trempage. Couvrez. Baissez le feu au minimum. Laissez mijoter pendant 2 à 3 h, en ajoutant un peu d'eau si le *bokoboko* attache.

falafels (ÉGYPTE)

Ces boulettes croustillantes et relevées, élaborées à l'origine en Égypte, sont également dégustées en Israël, sur les étals ambulants de la « cuisine des rues ». On les fourre dans des pains pita, avec de la salade et du *tahini* (pâte de sésame). À base de fèves en Égypte, elles sont préparées avec des pois chiches en Israël, au Liban, en Syrie et en Jordanie.

POUR 4 PERSONNES

450 g de fèves sèches (ou de pois chiches)
1 oignon haché
6 cébettes (oignons verts) finement émincées
2 gousses d'ail écrasées
2 cuil. à café de cumin en poudre
2 cuil. à café de coriandre en poudre
1 bouquet de coriandre (ou de persil) effeuillé et ciselé

1 pincée de piment en poudre
Sel, poivre du moulin
1 litre d'huile d'arachide
Graines de sésame pour enrober

Faites tremper les fèves (ou les pois chiches) 24 h dans de l'eau froide. Égouttez-les. Mixez-les jusqu'à obtention d'une pâte lisse.

Ajoutez l'oignon, les cébettes, l'ail, le cumin, la coriandre et l'herbe ciselée, le piment, du sel et du poivre. Mélangez bien. Laissez reposer la préparation 30 min, puis formez des boulettes de 2,5 cm de diamètre.

Dans une sauteuse, chauffez l'huile à 180 °C (utilisez un thermomètre culinaire). Faites-y frire les boulettes, par petites quantités, 3 min environ de chaque côté : elles doivent être croustillantes et bien dorées.

Déposez-les au fur et à mesure sur du papier absorbant. Enrobez-les de graines de sésame et servez.

bobotie (AFRIQUE DU SUD)

Emblématique de la cuisine sud-africaine, ce pain de viande moelleux possède une saveur sucrée-salée subtilement épicée.

POUR 8 PERSONNES

1 cuil. à soupe d'huile de tournesol (ou d'arachide)
2 oignons finement émincés
1 gousse d'ail émincée
1 kg de viande de bœuf hachée
2 cuil. à soupe de curry en poudre
1 cuil. à café de *garam masala* (voir page 31)
3 tranches de pain rassis écroûtées et émiettées
2 cuil. à soupe de vinaigre de malt
2 œufs battus
15 g de raisins secs
3 cuil. à soupe de confiture d'abricots
1 bonne pincée de sel
20 g de beurre

POUR LA CROÛTE

2 œufs
300 ml de lait
20 amandes effilées

Dans une sauteuse, chauffez l'huile sur feu moyen à vif. Faites-y dorer les oignons et l'ail 3 min en remuant. Ajoutez la viande. Mélangez 3 min environ.

Ajoutez le curry et le *garam masala*. Mélangez 2 min.

Incorporez les miettes de pain, le vinaigre, les œufs, les raisins, la confiture et le sel. Baissez le feu. Couvrez et laissez mijoter 30 min sur feu doux.

Préchauffez le four à 180 °C (th. 6). Beurrez un moule à cake de 8 cm de profondeur. Répartissez-y la préparation précédente. Enfournez pour 30 min.

Préparez la croûte. Fouettez les œufs avec le lait jusqu'à homogénéité. Répartissez le tout sur le *bobotie*. Parsemez des amandes effilées. Enfournez de nouveau pour 20 min environ : la croûte et les amandes doivent être bien dorées. Servez chaud.

foul midamess (ÉGYPTE)

Traditionnellement, cette soupe de fèves nourrissante mijote toute la nuit sur le coin du fourneau pour être dégustée le lendemain matin, au petit déjeuner. Elle permet aux travailleurs de force ou aux ouvriers agricoles de « tenir » jusqu'au repas de midi. Vous pouvez très bien la servir pour un brunch dominical.

POUR 4 PERSONNES

450 g de fèves sèches
Sel, poivre du moulin
100 à 150 ml d'huile d'olive
2 citrons (frais, non traités, ou confits au sel, rincés et égouttés) coupés en quartiers
1 cuil. à café de graines de cumin grillées et moulues
2 cuil. à café de graines de coriandre grillées et moulues
4 à 8 cuil. à soupe de persil ciselé
2 gousses d'ail finement émincées
1 bouquet de cébettes (oignons verts) émincées

Faites tremper les fèves dans de l'eau froide pendant 12 h.

Égouttez les fèves. Rincez-les, puis mettez-les dans une casserole à fond épais. Couvrez-les d'eau froide à hauteur. Portez à ébullition sur feu moyen. Baissez le feu, couvrez et laissez mijoter au moins 2 h sur feu très doux. Salez et poivrez en fin de cuisson.

Versez l'huile dans une coupelle. Déposez chacun des autres ingrédients sur une soucoupe ou une petite assiette. Disposez-les sur la table.

Versez les fèves dans des bols de service. Chacun y ajoutera les ingrédients de son choix.

curry de morue (TANZANIE)

Partout dans le monde, on sale le cabillaud pour le conserver : il est alors appelé morue. Grands spécialistes en la matière, les Portugais introduisirent ce poisson salé en Tanzanie vers 1505.

POUR 4 PERSONNES

500 g de morue
2 cuil. à soupe d'huile de tournesol (ou d'arachide)
1 oignon finement émincé
2 gousses d'ail émincées
2 pommes de terre coupées en dés
1 poivron vert épépiné et émincé
1 tomate pelée, épépinée et hachée au couteau
1 cuil. à soupe de graines de coriandre moulues
2 cuil. à café de graines de cardamome moulues
1 cuil. à café de curcuma en poudre
½ cuil. à café de piment en poudre

Faites dessaler la morue 12 h dans de l'eau froide, peau dessus, en changeant l'eau trois ou quatre fois.

Égouttez la morue. Mettez-la dans un faitout. Couvrez-la d'eau froide. Portez à frémissements. Faites-la pocher 15 min à couvert. Égouttez-la. Enlevez la peau, puis effeuillez-la en supprimant toutes les arêtes.

Dans une sauteuse, chauffez l'huile sur feu moyen. Faites-y revenir tous les autres ingrédients 10 min, en remuant souvent.

Incorporez la morue. Poursuivez la cuisson 5 min environ : les pommes de terre doivent être tendres. Servez avec du riz nature.

ragoût d'agneau épicé (ÉTHIOPIE)

Ce ragoût consistant et relevé, appelé *yebeg wot*, est assaisonné de *berberi*, mélange d'épices quotidiennement utilisé en Éthiopie. On l'enrichit parfois d'œufs durs, en fin de cuisson.

POUR 4-6 PERSONNES

2 cuil. à soupe d'huile d'arachide (ou de tournesol)
2 oignons finement émincés
50 ml de *berberi* (voir page 96)
50 ml de beurre clarifié aromatisé (voir page 99)
2,5 cm de racine de gingembre râpée
1 gousse d'ail émincée
6 tomates épépinées et hachées au couteau
Sel, poivre du moulin
1 kg de gigot d'agneau désossé, coupé en cubes
    de 3 cm de côté

Dans une cocotte à fond épais, chauffez l'huile sur feu moyen. Faites-y revenir les oignons 5 min en remuant. Ajoutez le *berberi*. Remuez 2 min, puis incorporez le beurre clarifié aromatisé. Baissez le feu. Couvrez. Laissez mijoter 10 min sur feu doux.

Ajoutez le gingembre et l'ail. Remuez 5 min, puis incorporez les tomates, du sel et du poivre. Laissez mijoter 15 min à couvert.

Ajoutez les cubes de gigot. Mélangez bien. Couvrez. Poursuivez la cuisson 1 h environ, jusqu'à ce que la viande soit très tendre, en remuant de temps en temps. Ajoutez un peu d'eau si le ragoût risque d'attacher au fond de la cocotte. Servez avec du riz nature.

Sur le fleuve Congo, cette marchande propose aux chalands de l'huile de palme e d'autres préparation à base d'épices, richement colorées.

darnes de saumon masala
(AFRIQUE DU SUD)

Les Sud-Africains ont adopté les épices originaires
de l'Inde, du Sri Lanka et du sud-est de l'Asie
pour cuisiner le poisson, notamment la morue,
le haddock, le saumon, le mulet et la lotte.

POUR 4 PERSONNES

4 darnes de saumon de 250 g chacune
1 cuil. à soupe d'huile de tournesol (ou d'arachide)

POUR LA SAUCE *MASALA*

2 cuil. à soupe d'huile de tournesol (ou d'arachide)
2 cuil. à café de *garam masala* (voir page 31)
2,5 cm de racine de gingembre râpée
1 piment vert épépiné et finement émincé
1 gousse d'ail écrasée
Le jus de 1 citron vert (ou jaune)
1 bonne pincée de sel

Préparez la sauce en mixant (ou en pilant dans un mortier) tous
les ingrédients jusqu'à obtention d'une pâte fine.

Enduisez les deux côtés des darnes de saumon avec cette pâte.
Mettez-les dans un plat. Couvrez de film alimentaire. Laissez
mariner 1 h.

Préchauffez le four à 200 °C (th. 6/7).

Dans une poêle à fond épais allant au four (avec queue
amovible), chauffez l'huile sur feu moyen à vif. Faites-y revenir les
darnes enduites de sauce 1 min de chaque côté, puis enfournez
pour 8 min.

Servez aussitôt, avec du riz nature et un *sambal* d'oignons
(voir page 98).

tarte au lait (AFRIQUE DU SUD)

Classique en Afrique du Sud, ce dessert est parfumé de
cannelle et de zeste de mandarine séché. Vous le réaliserez
facilement en plaçant la peau d'une mandarine non traitée
dans un four très doux pour plusieurs heures, jusqu'à ce
qu'elle soit très sèche et friable. Émiettez-la en la pilant dans
un mortier, puis réservez-la dans un récipient hermétique.

POUR 6 PERSONNES

20 g de beurre mou
1 pâte brisée prête à cuire
4 œufs battus
4 cuil. à soupe de sucre en poudre
1 cuil. à café d'extrait de vanille liquide
2 cuil. à soupe de farine
600 ml de lait
2 cuil. à café de cannelle en poudre
1 cuil. à soupe de zeste de mandarine séché émietté

Préchauffez le four à 220 °C (th. 7/8). Beurrez un moule à tarte de
24 cm de diamètre. Garnissez-le avec la pâte. Couvrez-la de papier
d'aluminium, puis de légumes secs. Enfournez pour 15 min. Ôtez
du four. Baissez la température de ce dernier à 200 °C (th. 6/7).
Enlevez les légumes secs et le papier d'aluminium qui recouvrent
la pâte.

Dans une jatte, fouettez les œufs avec le sucre et la vanille
jusqu'à blanchiment.

Dans une casserole, mélangez la farine avec 2 cuil. à soupe de
lait, puis délayez avec le reste de lait. Faites épaissir sur feu doux
à moyen, en remuant sans cesse. Incorporez la cannelle et le zeste
de mandarine. Ôtez du feu dès les premiers frémissements, puis
versez en filet sur la préparation précédente, en fouettant jusqu'à
homogénéité. Répartissez sur le fond de pâte précuit.

Enfournez pour 20 à 25 min, jusqu'à jolie coloration dorée.
Servez de préférence chaud, ou tiède.

ras-el-hanout (MAROC)

Ce mélange d'épices est un des plus complexes qui
soient puisqu'il peut contenir jusqu'à plusieurs douzaines
d'ingrédients. À la base, on trouve de la cardamome,
de la noix muscade, du macis, de la cannelle, du poivre
de la Jamaïque, du poivre noir, du gingembre et des clous
de girofle, parfois complétés par du piment, du curcuma,
du galanga, du cubèbe (poivre de Bornéo), de la coriandre,
de la graine de paradis (maniguette ou poivre de Guinée),
de l'ail séché, de la lavande et du safran... entre autres !
Cette version simplifiée conserve l'essentiel du caractère
aromatique du ras-el-hanout.

POUR 1 BOCAL DE 150 À 200 ML

Les graines de 12 gousses de cardamome
1 cuil. à café de grains de poivre noir
2 clous de girofle
1 bâton de cannelle émietté
1 noix muscade râpée
1 cuil. à café de macis en poudre
1 cuil. à café de poivre de la Jamaïque en poudre
1 cuil. à café de curcuma en poudre
1 cuil. à soupe de gingembre en poudre
1 cuil. à café de piment en poudre

Dans une poêle antiadhésive, faites griller à sec les graines de
cardamome, les grains de poivre, les clous de girofle et la cannelle
2 à 3 min sur feu moyen, en remuant.

Réduisez-les en poudre dans un moulin à café ou en les pilant
dans un mortier, puis mélangez-les avec tous les autres ingrédients.

Réservez le ras-el-hanout dans un flacon hermétiquement
fermé. Utilisez-le pour parfumer un tagine, un couscous ou du riz.

berberi (ÉTHIOPIE)

Cette pâte rouge très relevée est utilisée comme condiment
pour agrémenter nombre de mets éthiopiens. Si vous
souhaitez une saveur plus piquante encore, augmentez
la quantité de piment.

POUR 1 BOCAL DE 500 ML ENVIRON

1 cuil. à soupe de piment en poudre
1 cuil. à soupe de paprika
1 cuil. à café de graines de coriandre grillées et moulues
1 cuil. à café de poivre noir du moulin
1 pincée de noix muscade râpée
4 clous de girofle
1 pincée de cannelle en poudre
1 pincée de poivre de la Jamaïque en poudre
1 cuil. à café de graines de cardamome moulues
4 échalotes émincées
2 gousses d'ail émincées
1 cuil. à soupe de sel
250 ml d'eau bouillante
Huile d'olive pour couvrir

Mixez tous les ingrédients (sauf l'huile) en ajoutant l'eau bouillante
petit à petit, jusqu'à obtention d'une pâte aussi fine que possible.
Versez-la dans un bocal stérilisé, puis couvrez-la d'un film d'huile.

Le *berberi* se conserve plusieurs mois au réfrigérateur, à condition
de le recouvrir d'un peu d'huile après chaque utilisation.

sambal d'oignons (AFRIQUE DU SUD)

Dans la région du Cap, très influencée par la cuisine malaise, le *sambal*, condiment très frais plus ou moins relevé, accompagne de nombreuses recettes. Proche des pickles ou du relish, il est généralement à base de légumes (oignons, carottes, tomates, concombre…), parfois de fruits (pommes).

POUR 4-6 PERSONNES

2 piments verts
2 oignons finement émincés
1 gousse d'ail finement émincée
1 cuil. à soupe de vinaigre de malt (ou de jus de citron)
1 cuil. à café de sucre en poudre
1 bonne pincée de sel

Coupez les piments en deux. Retirez les graines et les membranes, puis émincez-les finement.

Mettez les oignons dans un bol. Couvrez-les d'eau bouillante à hauteur. Laissez-les tremper 30 min pour les adoucir, puis égouttez-les, rafraîchissez-les à l'eau froide et égouttez-les de nouveau. Épongez-les délicatement entre deux couches de papier absorbant.

Mélangez les piments et les oignons avec tous les autres ingrédients. Servez avec le plat de votre choix.

sambal de concombre
(AFRIQUE DU SUD)

POUR 4-6 PERSONNES

1 concombre
3 cuil. à café de sel
1 cuil. à café de sucre en poudre
1 cuil. à café de vinaigre (de malt ou de vin)
1 piment vert finement émincé
1 gousse d'ail finement émincée

Pelez le concombre et coupez-le en tranches fines. Répartissez-les sur un plat creux. Saupoudrez-les avec le sel et laissez-les dégorger 1 h. Égouttez-les, rincez-les, puis épongez-les dans du papier absorbant.

Dans une jatte, mélangez le sucre avec le vinaigre jusqu'à dissolution. Ajoutez le concombre, le piment et l'ail. Mélangez bien et servez.

pâte de harissa (AFRIQUE DU NORD)

Disponible dans le commerce, en tube ou en bocal, la pâte de harissa est facile à préparer. Elle se conserve au moins deux mois au réfrigérateur (à condition de la recouvrir d'un peu d'huile après chaque utilisation) : elle y gagne en saveur et en parfum !

POUR 1 BOCAL DE 150 ML ENVIRON

25 g de piments rouges séchés
1 gousse d'ail émincée
1 cuil. à café de graines de carvi
½ cuil. à café de graines de coriandre en poudre
½ cuil. à café de cumin en poudre
½ cuil. à café de concentré de tomates
½ cuil. à café de sel
4 cuil. à soupe d'huile d'olive

Mettez les piments dans une jatte. Couvrez-les d'eau bouillante à hauteur et laissez-les se réhydrater 1 h.

Égouttez les piments, puis émincez-les. Mixez-les avec l'ail, le carvi, la coriandre, le cumin, le concentré de tomates, le sel et la moitié de l'huile, jusqu'à obtention d'une pâte lisse.

Versez dans un bocal stérilisé, couvrez avec le reste d'huile et réservez au réfrigérateur.

mélange d'épices ardentes
(NIGERIA ET GHANA)

Dans tout l'ouest de l'Afrique, ce mélange brûlant rehausse les ragoûts de viande et de légumes.

POUR 1 BOCAL DE 120 ML ENVIRON

1 cuil. à soupe de piments rouges séchés émiettés
¼ de piment *habanero* finement émincé
1 cuil. à soupe de grains de graine de paradis (maniguette ou poivre de Guinée)
10 cm de racine de gingembre râpée
1 cuil. à café de grains de cubèbe (poivre de Bornéo)

Réduisez tous les ingrédients en poudre dans un moulin à café ou en les pilant dans un mortier. Réservez le mélange obtenu dans un bocal hermétiquement fermé.

beurre clarifié aromatisé
(ÉTHIOPIE)

POUR 1 BOCAL DE 250 À 300 ML

100 g de beurre
1 petit oignon émincé
1 gousse d'ail émincée
2,5 cm de racine de gingembre râpée

Dans une casserole, faites fondre le beurre avec 3 cuil. à soupe
d'eau sur feu moyen, en remuant. Incorporez l'oignon, l'ail et
le gingembre. Portez à frémissements en écumant. Ôtez du feu,
laissez refroidir (le beurre ne doit pas figer) et filtrez.
    Réservez dans un bocal stérilisé hermétiquement fermé.
Vous pouvez conserver ce beurre clarifié 2 mois au réfrigérateur.

sauce pili-pili (NIGERIA ET GHANA)

Parfaite pour relever les mets un peu fades, cette sauce est
quotidiennement utilisée dans tout l'ouest de l'Afrique.

POUR 1 BOCAL DE 650 ML ENVIRON

4 tomates mûres pelées, épépinées et hachées au couteau
½ piment *habanero* émincé
½ oignon émincé
2 gousses d'ail émincées
1 cuil. à soupe de racine de raifort râpée
2 cuil. à soupe d'huile de tournesol (ou d'arachide)

Mixez tous les ingrédients jusqu'à obtention d'une sauce fine
et homogène. Versez-la dans un bocal stérilisé. Fermez
hermétiquement et réservez jusqu'à 2 mois au réfrigérateur.

condiment de mangue verte (ZANZIBAR)

L'influence de la cuisine indienne est très sensible sur toute
la côte est de l'Afrique, où ce condiment délicatement amer
accompagne aussi bien la viande que le poisson.

POUR 4-6 PERSONNES

6 mangues vertes coupées en tranches très fines
1 oignon finement émincé
2 poivrons verts épépinés et émincés
5 cm de racine de gingembre râpée
2 gousses d'ail finement émincées
2 cuil. à café de sel

Mélangez tous les ingrédients dans une jatte, puis transférez
dans un récipient à fermeture hermétique. Réservez 2 semaines
au réfrigérateur avant de servir, en remuant de temps en temps.

Magnifiquement
présentées, ces épices
sont proposées à la
vente dans une échoppe
de Djerba, en Tunisie.

La cuisine des Antilles et de l'Amérique latine est toujours très épicée : marinades brûlantes des îles caribéennes, soupes poivrées de la Jamaïque, crevettes relevées du Brésil, notamment dans le Nord, où les influences africaines sont plus sensibles. Mais c'est surtout au Mexique que le goût des saveurs relevées se manifeste – presque tous les plats y sont pimentés.

L'Amérique latine est une vaste entité géographique qui s'étend des régions tropicales humides des Antilles aux plaines du sud de l'Argentine, où la Patagonie plonge ses doigts glacés dans l'Antarctique, en passant par les forêts équatoriales du Brésil, du Pérou et de l'Équateur, et les déserts arides du nord du Chili. L'est et l'ouest du continent sont séparés par la cordillère des Andes, qui s'étire sur près de 8 000 kilomètres, du Venezuela à la Terre de Feu, entre deux zones climatiques contrastées. À l'est, les neiges andines alimentent les rivières qui vont irriguer les coteaux viticoles de l'Argentine, tandis qu'à l'ouest les cours d'eau qui dévalent les versants montagneux vont arroser les vergers chiliens.

Depuis toujours, la cuisine antillaise puise dans les épices du cru. Le poivre de la Jamaïque est omniprésent. Il sert notamment à préparer l'*angustura*, une boisson amère fabriquée sur l'île de la Trinité. La Grenade, quant à elle, produit la meilleure noix muscade du monde. Son climat est propice à la culture de toutes les épices.

Et les explorateurs débarquèrent…

En 1492, Christophe Colomb levait l'ancre pour les Indes sans savoir qu'il allait découvrir l'Amérique. De ces contrées lointaines, il devait rapporter de l'or et des denrées précieuses, mais aussi des épices rares, comme la cannelle ou le mastic. La seule qu'il trouva fut le poivre de la Jamaïque, qu'il confondit avec du poivre noir car leurs graines se ressemblent – le premier croît sur un arbrisseau alors que le second pousse sur un sarment. On appelle parfois le poivre de la Jamaïque toute-épice, car son parfum en évoque beaucoup d'autres, dont ceux de la cannelle et de la noix muscade. Grâce à cette trouvaille, les colons français et espagnols inventèrent un style de cuisine original, baptisé créole – de l'espagnol *criolla*, qui signifie « mélange ».

Aux Antilles, le piment est exploité sous toutes ses formes. Il se marie avec les herbes et les épices qui poussent spontanément sous ces latitudes, dont le poivre de la Jamaïque, mais aussi bien d'autres qui furent introduites par les marchands espagnols, portugais et britanniques, comme le gingembre, la cannelle et la noix muscade.

Très appréciée en Amérique centrale, la vanille est originaire des forêts tropicales du Mexique. Le cacao entre également dans la composition de la plupart des *moles*, sauces mexicaines à base de douze à seize épices et herbes séchées.

Les graines de rocou *(achiote)*, à la saveur un peu acide, sont surtout utilisées pour leur couleur. Leur pulpe agrémente certaines sauces, tandis que les cuisiniers mexicains badigeonnent les poissons à griller de graines entières moulues. Au Chili, les graines, frites puis filtrées, donnent un colorant alimentaire, le *color Chileno*. En Grande-Bretagne, les colorants à base de rocou *(annatto)* étaient jadis employés pour donner aux beurres et fromages des nuances mauves et orangées (cheddar).

En Amérique latine, un repas ne saurait se concevoir sans sauce au piment, qu'elle soit présentée en flacon ou fraîche, sous forme de piments verts mélangés à des rondelles de citron vert. Au Mexique, les piments sont également servis sous forme de sauces, de purées avec du citron vert et de l'avocat, ou encore grillés et réduits en purée. Les marchés proposent jusqu'à soixante variétés de piments frais ou séchés, des plus doux aux plus « enragés ». Sur l'échelle de chaleur de Scoville (voir page 219), ils oscillent entre deux ou trois pour les variétés destinées à être farcies, comme l'*ancho* ou le *mulato*, et dix pour le *habanero*.

Pour les cordons-bleus d'Amérique du Sud, la subtilité et l'arôme de la pulpe du piment comptent autant que sa chaleur. Certains piments séchés, ou parfois fumés, comme le *chipotle*, apportent une touche fruitée délicieusement tropicale. Savoir extraire d'un piment toute la gamme de ses saveurs est un véritable art culinaire.

Les trente et un États du Mexique cultivent tous une tradition culinaire originale. À l'ouest, la région côtière du Guerrero est réputée pour ses spécialités de crevettes et de poisson. On peut y déguster de petits vivaneaux grillés badigeonnés d'une pâte de quatre piments séchés, comme l'*ancho*, le *pasilla*, le *mulato* et l'*arbol*, puis enrobés de rocou.

Le *mole* mexicain

La ville d'Oaxaca, au sud de Mexico, est en grande partie peuplée de métis indiens et espagnols, qui se targuent d'avoir inventé les sept *moles* d'Oaxaca. Le terme *mole* semble dérivé du terme *nahuatl* signifiant « mélange ». Longuement mijotées avec de la viande, du poisson ou de la volaille, ces sauces à base d'herbes, d'épices et de fruits secs forment des ragoûts que l'on nomme également *moles*. Le grand classique des *moles* d'Oaxaca est le *mole negro*, à base de *chilhuacle*, un piment noir et rond cultivé dans la région. Le *mole coloradito* se reconnaît à sa couleur brique, le *mole rojo* se prépare avec des piments séchés, et le *mole verde* doit sa couleur aux herbes et aux *jalapenos* qui le composent. Le *mole amarillo*, aux piments jaunes, est souvent utilisé pour farcir *empanadas* et *tamales*, enveloppés dans des feuilles de maïs. Le sixième *mole* a été baptisé *mancha manteles* (« qui tache la nappe »), tandis que le septième, le *chichilo mole*, tire son nom d'un piment local dont on fait noircir les graines sur une flamme.

Les tortillas (galettes fines de farine de maïs) sont le pain quotidien des Mexicains. Les haricots et le riz, relevés de piments hachés ou de sauce au piment, sont également consommés de façon courante. Mais, à mesure que l'on progresse vers le sud, la pomme de terre, originaire des hauts plateaux du Pérou (elle y est cultivée depuis deux mille cinq cents ans), prend peu à peu le dessus. Ce tubercule est aussi très apprécié en Colombie. Les régions côtières (atlantique et pacifique) du pays sont spécialisées dans le poisson au lait de coco, tandis que les habitants des hauteurs préfèrent les ragoûts de viande et de volaille.

Les Chiliens sont de grands amateurs de fruits de mer, comme les ormeaux et les clams, qui rosissent à la cuisson, ou les *piures* (variété de violets), des coquillages qui ressemblent à des nids de corneille et qui vivent en colonies sur les rochers à plusieurs mètres de profondeur. Les restaurants de Santiago servent en général le poisson avec du fromage fondu. Sur les marchés, on trouve des graines et des haricots secs, tandis que des stands proposent des soupes pimentées et des ragoûts d'agneau ou de tripes.

À l'est du Chili, l'Argentine recèle de nombreux trésors naturels, dont les immenses *pampas*, les prairies les plus riches au monde. Rien d'étonnant à ce que le plat national soit la viande grillée ou rôtie à la broche, relevée d'une sauce au piment corsée !

Avec 200 millions d'habitants et une superficie égale à celle des États-Unis, le Brésil est le plus vaste pays d'Amérique latine. Cinq siècles d'Histoire agitée, à commencer par l'arrivée des Portugais au XVIᵉ siècle, expliquent la diversité de sa culture culinaire.

São Paulo (16 millions d'habitants) et Rio de Janeiro (12 millions) comptent parmi les plus grandes métropoles du monde, après Mexico et Calcutta. Le plat national, la *feijoada*, est un ragoût de haricots noirs, de viandes séchées, salées ou fumées (une douzaine de sortes), de *couve* vert (chou frisé) et de riz blanc accompagné de rondelles d'orange et de piment, ainsi que de *farofa* (préparation à base de farine de manioc revenue dans le beurre).

São Paulo, qui abrite une importante communauté japonaise, s'enorgueillit de posséder un millier de bars à sushis et quelques-uns des meilleurs restaurants italiens hors d'Italie. Rio offre d'excellents restaurants de poissons et crustacés, mais aussi des rôtisseries de *gaucho*, comme dans le grand Sud. C'est toutefois l'État de Bahia, dans le Nord-Est, qui présente la cuisine la plus typée. Ici, 90 % de la population descend du million d'esclaves que les colons brésiliens firent venir d'Afrique de l'Ouest pour cultiver les plantations de canne à sucre. Parmi les fleurons de la gastronomie locale, citons le *xinxin* (ragoût de poulet et de crevettes), le *casqwuinhos recheados* (crabe farci au piment), la *moqueca* (ragoût de crevettes) et l'*acarje*, un beignet de haricots vendu au bord des routes.

Les Brésiliens adorent manger sur le pouce et se contentent volontiers de grignoter quelques *salgadihos* (petites bouchées) : feuilletés cuits à la poêle ou au four (*empanadas*), boulettes frites (*bolinhos*) ou toasts (*torradhinos*). D'innombrables douceurs à base de patate douce et de citrouille côtoient des flans aux œufs, souvent parfumés à la cannelle, un héritage des sœurs portugaises qui enseignèrent aux indigènes les secrets de leur préparation.

Au Brésil, la cuisine n'est pas forcément pimentée, quoique… vous trouverez toujours un bol de piments hachés ou de sauce brûlante à portée de main !

utes sortes de
ments sont vendus
r ce marché mexicain.

pommes de terre à la crème
(MEXIQUE)

Ou comment transformer de simples pommes de terre
en un mets succulent, à la fois relevé et onctueux.

POUR 4 PERSONNES

Le jus de ½ citron
3 piments rouges séchés émiettés
Sel fin, poivre du moulin
1 oignon détaillé en anneaux
8 pommes de terre moyennes à chair ferme
Gros sel
1 piment frais (rouge ou vert) épépiné
    et coupé en fines lamelles
2 œufs durs coupés en deux et 12 olives noires
    dénoyautées pour garnir

POUR LA SAUCE

175 g de mozzarella coupée en gros morceaux
225 ml de crème fraîche double
1 cuil. à café de curcuma en poudre
1 piment frais (rouge ou vert) non épépiné finement émincé
3 cuil. à soupe d'huile d'olive

Dans un bol, mélangez le jus de citron avec les piments séchés,
du sel et du poivre. Faites-y mariner les anneaux d'oignon le temps
de poursuivre la recette.

Épluchez et lavez les pommes de terre, puis faites-les cuire
20 à 25 min à l'eau bouillante salée : elles doivent être cuites
à cœur, sans se défaire.

Préparez la sauce en mixant tous les ingrédients, sauf l'huile,
jusqu'à homogénéité. Dans une casserole, chauffez l'huile sur feu
doux à moyen. Faites-y épaissir la préparation précédente 5 min,
en remuant.

Disposez les pommes de terre sur le plat de service chaud.
Nappez-les de sauce. Surmontez-les avec les anneaux d'oignon
égouttés et les lamelles de piment. Garnissez avec les œufs et
les olives, puis servez.

beignets de cornilles (BRÉSIL)

Cette recette de beignets de cornilles (petits haricots encore
appelés doliques à œil noir), nommés *acaraje*, a été introduite
au Brésil par les esclaves africains qui y furent déportés à
partir du XVIe siècle. Cousins des *falafal* égyptiens, ces beignets
se particularisent, notamment à Bahia, par l'addition de
crevettes séchées à la saveur très forte, mais cet ajout n'est
pas indispensable.

POUR 20 BEIGNETS

450 g de cornilles secs
50 g de crevettes séchées et 2 cuil. à soupe
    d'huile d'olive (facultatif)
1 oignon émincé
3 ou 4 pincées de piment en poudre
Sel
1 litre environ d'*azeite de dende* (huile de dendê,
    palmier d'origine africaine) ou d'huile de maïs

Concassez grossièrement les cornilles dans un robot ménager,
juste pour en briser les peaux. Faites-les tremper dans de l'eau
froide au moins 4 h, au mieux 12 h.

Égouttez les cornilles. Mettez-les dans un saladier d'eau froide,
puis frottez-les vigoureusement entre vos mains pour en détacher
les peaux. Dès que ces dernières remontent à la surface, éliminez-
les à l'écumoire. Égouttez les cornilles, couvrez-les d'eau très chaude
(mais non bouillante) et laissez-les refroidir. Frottez-les de nouveau
pour supprimer les résidus de peaux. Égouttez-les et rincez-les.

Si vous utilisez des crevettes séchées, mettez-les dans une
petite casserole, couvrez-les d'eau froide à hauteur, puis portez
à frémissements. Laissez frémir 1 min. Égouttez les crevettes,
rincez-les à l'eau froide et séchez-les dans du papier absorbant.
Faites-les frire 1 à 2 min dans l'huile d'olive très chaude. Égouttez-
les. Émincez-les grossièrement.

Mélangez les haricots, l'oignon et, éventuellement, les crevettes.
Mixez jusqu'à obtention d'une pâte fine. Assaisonnez du piment
et d'un peu de sel.

Versez l'*azeite de dende* (ou l'huile de maïs) dans une sauteuse
à fond épais, sur 8 cm de hauteur. Faites-la chauffer à 180 °C.

Formez 20 boulettes de pâte entre vos doigts humides.
Faites-les frire 4 min environ dans l'huile chaude, cinq par cinq :
les beignets doivent être bien dorés. Déposez-les au fur et à
mesure sur du papier absorbant.

Servez chaud, avec de la salsa pimentée (voir page 115).

guacamole (MEXIQUE)

Dans cette recette mexicaine typique, la douceur moelleuse de l'avocat est rehaussée par la fraîcheur croquante des tomates, l'acidité du jus de citron et le piquant de l'ail, des cébettes et du piment. À servir avec des tacos, des tortillas ou des pains pita.

POUR 4 PERSONNES

2 avocats bien mûrs
Le jus de ½ citron (jaune ou vert)
1 cuil. à soupe d'huile d'olive
1 tomate mûre et ferme, pelée, épépinée et coupée en dés
1 piment vert épépiné et finement émincé
4 cébettes (oignons verts), blanc et vert finement
  émincés séparément
2 ou 3 brins de coriandre finement ciselés
  + quelques feuilles pour le décor

1 gousse d'ail émincée
½ cuil. à café de gros sel de mer, sel fin
3 ou 4 pincées de piment de Cayenne (ou de paprika)
  pour parsemer

Coupez les avocats en deux, dénoyautez-les et prélevez la chair à la petite cuillère. Écrasez-la à la fourchette (au mixeur, la texture serait trop lisse) avec le jus de citron et l'huile.

Ajoutez la tomate, le piment, le blanc des cébettes et la coriandre ciselée. Mélangez.

Dans un mortier, pilez l'ail avec le gros sel pour bien l'écraser, puis incorporez-le à la préparation précédente. Rectifiez au besoin l'assaisonnement.

Répartissez le guacamole dans les demi-coques d'avocat ou mettez-le dans une jatte. Couvrez de film alimentaire. Réservez au réfrigérateur jusqu'au moment de servir.

Garnissez du vert des cébettes, décorez des feuilles de coriandre et parsemez du cayenne (ou du paprika).

vivaneaux grillés épicés

(MEXIQUE)

Appelée *talla*, la grille des barbecues mexicains a donné son nom à nombre de restaurants de plage situés sur la côte ouest du Pacifique, dans l'État de Guerrero, au nord d'Acapulco. Attablés à l'ombre de charmilles de feuilles de palme, les convives choisissent les poissons frais pêchés avant de les déguster grillés. Deux des piments les plus utilisés au Mexique sont l'*arbol*, à la saveur brûlante subtilement noisetée, et le *guajillo*, de force moyenne. La marinade est colorée par du rocou *(achiote)*, graines du rocouyer (arbuste d'Amérique centrale) réduites en poudre.

POUR 4 PERSONNES

4 petits vivaneaux (ou 4 petites brèmes) étêtés, vidés mais non écaillés
50 g de beurre fondu

POUR LA MARINADE
Le jus de 2 citrons verts
1 cuil. à soupe de rocou
1 cuil. à soupe de sel

POUR LA SAUCE
8 piments *guajillo* séchés
4 piments *arbol* séchés
500 g de tomates pelées et épépinées
2 cuil. à café d'origan séché
1 cuil. à café de thym séché
1 cuil. à soupe de vinaigre de vin blanc
1 oignon rouge émincé
3 échalotes émincées
3 gousses d'ail émincées
1 cuil. à café de cumin en poudre
2 cuil. à soupe d'huile de tournesol
Sel, poivre du moulin

Demandez à votre poissonnier de couper les vivaneaux en deux dans l'épaisseur, en les fendant du côté du ventre et en laissant les deux moitiés attachées par le dos.

Préparez la marinade en mélangeant bien tous les ingrédients. Badigeonnez-en les poissons côté chair.

Préparez la sauce. Mettez tous les piments dans un bol. Couvrez-les d'eau chaude à hauteur. Laissez-les tremper 10 min. Égouttez-les, puis mixez-les finement avec 250 ml d'eau, les tomates, les herbes séchées, le vinaigre, l'oignon, les échalotes, l'ail et le cumin.

Dans une casserole à fond épais, faites chauffer l'huile sur feu moyen. Ajoutez la sauce. Portez à frémissements en mélangeant sans cesse, puis baissez le feu. Laissez épaissir 15 min environ sur feu doux, en remuant de temps en temps. Rectifiez au besoin l'assaisonnement et laissez refroidir.

Faites griller les vivaneaux au barbecue ou sur un gril très chaud 10 min, côté écailles, en les arrosant souvent avec la sauce. Retournez les poissons. Badigeonnez-les avec le beurre fondu. Poursuivez la cuisson 5 à 10 min.

Servez sans attendre, avec du riz nature et une salade verte.

marmite de haricots (MEXIQUE)

Les haricots *(frijoles)* sont quotidiennement consommés au Mexique. Ils sont généralement parfumés de piment et d'épazote, une herbe dont la saveur moutardée rappelle celle de la roquette. Son arôme quasi médicinal, qui évoque la créosote utilisée pour conserver le bois, disparaît à la cuisson. À défaut, remplacez-la par du laurier ou de la moutarde.

POUR 4-6 PERSONNES

450 g de haricots secs (rouges, pintos veinés ou noirs)
1 cuil. à soupe de bicarbonate de soude
1 oignon émincé
12 gousses d'ail pelées
2 brins d'épazote fraîche ou séchée (à défaut, 3 feuilles
de laurier ou 1 cuil. à soupe de moutarde)
3 piments rouges séchés
Sel

Couvrez les haricots de 2 litres d'eau froide. Ajoutez le bicarbonate pour ramollir la peau. Laissez-les tremper 12 h.

Égouttez et rincez les haricots. Mettez-les dans une marmite. Couvrez-les de 2 litres d'eau froide et portez à ébullition sur feu moyen. Laissez-les blanchir 10 min. Égouttez-les et rincez-les soigneusement.

Remettez-les dans la marmite. Ajoutez 2 litres d'eau, l'oignon, l'ail, l'épazote (à défaut, le laurier ou la moutarde) et les piments. Ne salez pas (à ce stade, le sel durcirait la peau des haricots).

Portez à frémissements sur feu moyen. Laissez frémir de 1 h 30 à 2 h : les haricots doivent être très tendres. Ajoutez éventuellement un peu d'eau en cours de cuisson. (Vous pouvez également utiliser un autocuiseur, ce qui réduit le temps à 30 min environ.) Salez en fin de cuisson.

Prélevez 4 cuil. à soupe des haricots, puis écrasez-les avec le dos d'une cuillère. Remettez cette purée dans la marmite pour épaissir la sauce. Rectifiez l'assaisonnement. Servez chaud, avec du riz nature et de la crème aigre (crème sûre) ou du yaourt.

purée de haricots (MEXIQUE)

Préparée avec un reste de haricots cuits, frits et écrasés, cette purée porte le nom de *frijoles refritos*.

POUR 4 PERSONNES

Saindoux (ou huile végétale)
250 g de haricots cuits (voir recette ci-contre)
Sel

Dans une sauteuse à fond épais, faites fondre 3 cuil. à soupe de saindoux (ou d'huile) sur feu moyen. Quand la matière grasse est chaude, mettez-y plusieurs cuillerées des haricots. Remuez sans cesse en écrasant les haricots avec le dos d'une cuillère en bois.

Continuez jusqu'à épuisement des haricots, en ajoutant éventuellement un peu de saindoux (ou d'huile) : vous devez obtenir une purée onctueuse. Ôtez du feu quand elle commence à dorer en attachant au fond de la sauteuse.

Servez en accompagnement d'un plat de viande ou de poisson, avec du riz.

moqueca aux crevettes (BRÉSIL)

Cette recette du nord du Brésil doit sa couleur orangée et son arôme typique à une variété locale d'huile de palme, l'*azeite de dende*. Mais elle n'est pas indispensable.

POUR 4 PERSONNES

100 ml d'huile d'olive
2 belles tomates pelées, épépinées et coupées en dés
1 gros oignon doux (type oignon d'Espagne) finement émincé
Sel, poivre du moulin
700 g de crevettes roses crues décortiquées
4 cuil. à soupe d'*azeite de dende* (facultatif)

Dans une sauteuse, chauffez l'huile d'olive sur feu moyen. Faites-y revenir les tomates et l'oignon 20 min, en remuant souvent. Salez et poivrez.

Ajoutez les crevettes. Poursuivez la cuisson 5 min, en les retournant souvent. Incorporez éventuellement l'*azeite de dende*.

Servez avec du riz nature, un bol de salsa pimentée (voir page 115) et une coupelle de piments *malagueta*.

bœuf braisé aux piments
(COLOMBIE)

Bordée par deux océans, le Pacifique et l'Atlantique (mer des Caraïbes), la Colombie possède à la fois des sommets enneigés et des forêts tropicales. Ces contrastes extrêmes influencent sa cuisine, mâtinée de traditions locales et espagnoles : elle fut conquise par les Espagnols au début du XVIe siècle, puis acquit son indépendance en 1819. Cette recette marie les deux cultures.

POUR 4 PERSONNES

2 cuil. à soupe d'huile d'olive
900 g de flanchet de bœuf roulé et ficelé en rôti
1 oignon émincé
1 gousse d'ail émincée
2 branches de céleri émincées
4 petits piments verts fendus dans la longueur
1 cuil. à café de cumin en poudre
Sel, poivre du moulin
1 cuil. à soupe de Maïzena (fécule de maïs)
25 g de beurre fondu
50 g de chapelure

Dans une cocotte à fond épais, faites chauffer l'huile sur feu moyen. Dorez-y le rôti de flanchet sur toutes ses faces, 5 min environ. Réservez-le sur une assiette.

Mettez l'oignon et l'ail dans la cocotte. Faites-les revenir 5 min, puis remettez le rôti. Ajoutez le céleri, les piments, le cumin, du sel, du poivre et 500 ml d'eau. Portez à frémissements. Baissez le feu et couvrez. Laissez mijoter 2 h sur feu très doux.

Sortez le rôti. Enlevez la ficelle et déroulez-le. Égouttez-le sur du papier absorbant. Allumez le gril du four.

Filtrez le jus de cuisson en pressant bien les ingrédients avec le dos d'une cuillère. Dans une casserole, mélangez-le avec la Maïzena délayée dans 1 cuil. à soupe d'eau. Portez à frémissements. Laissez épaissir 1 min en remuant. Rectifiez l'assaisonnement de cette sauce.

Disposez le rôti sur une grille placée au-dessus de la lèchefrite. Badigeonnez-le du beurre fondu, puis parsemez-le de la chapelure. Faites-le brunir sous le gril très chaud, sans laisser brûler la chapelure.

Coupez le rôti en tranches fines. Servez-les avec la sauce chaude, des pommes vapeur et une salade verte.

soupe callaloo (JAMAÏQUE)

Succulente, cette soupe est inspirée de celle que préparaient les esclaves avec les ingrédients dédaignés par leurs maîtres, espagnols puis anglais : crabes, porc et légumes tropicaux, entre autres. Les feuilles de callaloo (également appelé taro, chou caraïbe, dasheen…) peuvent être remplacées par des feuilles d'épinards.

POUR 4 PERSONNES

2 cuil. à soupe d'huile de tournesol
1 oignon finement émincé
125 g de lard de poitrine maigre salé, détaillé
   en dés de 2 cm de côté
4 cébettes (oignons verts) émincées
2 gousses d'ail émincées
1 pincée de piment *habanero* finement émincé
3 clous de girofle moulus
3 ou 4 pincées de poivre de la Jamaïque en poudre
1 pincée de thym séché
425 g de feuilles de callaloo (ou d'épinards)
   grossièrement ciselées
1,5 litre de bouillon de volaille
125 g d'okras (gombos) coupés dans la longueur
250 g de chair de crabe cuite émiettée + 4 pinces cuites
   grossièrement rompues au casse-noix
Sel, poivre du moulin

Dans une sauteuse, chauffez l'huile sur feu moyen. Faites-y revenir l'oignon sans le laisser prendre couleur, puis ajoutez les dés de lard. Laissez-les fondre 3 à 4 min, en remuant.

Ajoutez les cébettes, l'ail, le piment, les clous de girofle, le poivre de la Jamaïque et le thym. Remuez 1 min.

Incorporez les feuilles de callaloo (ou d'épinards), puis ajoutez le bouillon. Portez à frémissements. Laissez frémir 20 min, en remuant de temps en temps. Incorporez les okras. Poursuivez la cuisson 10 min.

Incorporez la chair et les pinces de crabe. Laissez cuire encore 5 min. Rectifiez l'assaisonnement.

Répartissez dans 4 bols et servez très chaud, garni de riz nature.

mole de poulet (MEXIQUE)

Les célèbres *moles* (sauces) d'Oaxaca, ville métissée du sud
du Mexique, sont particulièrement hauts en saveur. Ces sauces
piquantes, richement parfumées de nombreux épices et
aromates, sont mitonnées en ragoûts du même nom avec
du poulet, de la dinde, du porc ou du poisson, ainsi que,
très souvent, des fruits frais ou secs, voire du chocolat amer
dans certaines variantes. La recette de ragoût proposée
ici contient des tomatillos, fruits jaune-vert d'une variété
mexicaine de physalis. Acidulés et très juteux, ils peuvent
être remplacés par des tomates.

POUR 4 PERSONNES

2 cuil. à soupe d'huile de tournesol
1,5 kg de poulet coupé en morceaux, sans la peau
1 feuille de laurier
Sel
25 g de beurre
2 bananes plantains, 1 poire, 2 tranches d'ananas frais
    et 1 pomme coupées en cubes
Quelques feuilles de coriandre pour le décor

POUR LA SAUCE

10 piments mexicains séchés (de préférence, un mélange
    des variétés *mulato*, *ancho* et *pasilla*)
1 cuil. à soupe d'huile de tournesol
1 oignon émincé
2 gousses d'ail émincées
1 pincée d'origan et de thym séchés
2 cuil. à café de cannelle en poudre
2 clous de girofle
250 g de tomatillos en boîte égouttés (ou 3 belles tomates
    pelées), coupés en morceaux
8 amandes (ou noix) mondées
1 brin de coriandre

Dans une cocotte, faites chauffer l'huile sur feu moyen. Dorez-y le poulet 10 min, en remuant souvent. Ajoutez 500 ml d'eau, le laurier et du sel. Portez à frémissements. Couvrez. Laissez frémir 20 min environ. Déposez les morceaux de poulet à l'écumoire sur un plat. Filtrez le bouillon. Remettez-en 300 ml dans la cocotte.

Préparez la sauce. Grillez les piments à sec dans une poêle antiadhésive, 2 min environ sur feu moyen, en remuant. Mettez-les dans un bol. Couvrez-les d'eau chaude à hauteur. Laissez-les tremper 20 min.

Faites chauffer l'huile dans la même poêle. Mettez-y l'oignon à revenir 3 min, en remuant. Ajoutez l'ail, l'origan et le thym, la cannelle, les clous de girofle et les tomatillos (ou les tomates). Laissez cuire 5 min, en remuant.

Mixez la préparation précédente avec les piments égouttés, les amandes (ou les noix) et la coriandre, jusqu'à obtention d'une pâte fine. Mélangez-la avec le bouillon de la cocotte. Portez à frémissements sur feu moyen. Laissez réduire 20 min. Remettez le poulet. Laissez frémir 5 min.

Chauffez le beurre dans la poêle. Faites-y sauter les bananes plantains 5 min, puis incorporez les autres fruits. Versez le tout dans la cocotte. Mélangez. Poursuivez la cuisson 5 min sur feu doux. Décorez des feuilles de coriandre et servez.

bœuf aux tomatillos

(GUATEMALA)

Ce plat économique et goûteux est fréquemment servi au déjeuner dans toute l'Amérique centrale.

POUR 4 PERSONNES

3 cuil. à soupe d'huile d'arachide (ou autre huile végétale)
1 oignon émincé
2 gousses d'ail émincées
1 piment *serrano* épépiné et émincé
2 poivrons verts épépinés et émincés
1 kg de bœuf à braiser coupé en cubes de 2,5 cm de côté
150 ml de bouillon de bœuf
250 g de tomatillos en boîte égouttés (ou 3 belles tomates pelées), coupés en morceaux
1 feuille de laurier
2 clous de girofle
½ cuil. à café d'origan séché
Sel
1 cuil. à soupe de farine de maïs

Dans une cocotte à fond épais, chauffez l'huile sur feu moyen. Faites-y revenir l'oignon 5 min, en remuant, puis incorporez l'ail, le piment et les poivrons. Poursuivez la cuisson 5 min.

Ajoutez les morceaux de viande. Laissez-les dorer 5 à 10 min, en remuant. Ajoutez le bouillon, les tomatillos (ou les tomates), le laurier, les clous de girofle et l'origan. Salez.

Délayez la farine dans 2 cuil. à soupe d'eau. Versez-la dans la cocotte. Mélangez bien. Dès les premiers frémissements, baissez le feu et couvrez. Laissez mijoter 2 h sur feu très doux, en remuant de temps en temps et en ajoutant éventuellement un peu d'eau chaude. Rectifiez l'assaisonnement. Servez avec du riz nature.

pepperpot (ANTILLES)

Inspirée de la cuisine des esclaves antillais, cette recette combine l'art de faire mariner et l'art de faire mijoter.

POUR 4 PERSONNES

1,5 kg de bœuf à braiser (ou d'épaule d'agneau désossée) coupé en cubes de 2,5 cm de côté
2 cuil. à soupe d'huile végétale
2 cuil. à café de cassonade
500 ml de bouillon de bœuf (ou de volaille)
2 piments (ou davantage, selon votre goût) émincés

POUR LA MARINADE SÈCHE

1 oignon et 1 gousse d'ail hachés
2 cuil. à café de poivre de la Jamaïque en poudre
1 cuil. à café de thym séché
1 cuil. à café de coriandre en poudre
Sel, poivre du moulin

Préparez la marinade. Dans une jatte, mélangez tous les ingrédients avec du sel et du poivre. Enrobez-en les cubes de viande à la main. Couvrez. Réservez 12 h au réfrigérateur.

Dans une cocotte à fond épais, chauffez l'huile sur feu moyen. Ajoutez la cassonade. Laissez-la caraméliser quelques secondes, en remuant, puis ajoutez la viande et sa marinade. Faites bien colorer les morceaux de tous côtés, sans laisser brûler.

Ajoutez le bouillon et les piments. Mélangez en grattant le fond à la spatule. Dès les premiers frémissements, baissez le feu et couvrez. Laissez mijoter 3 h sur feu très doux, en ajoutant éventuellement un peu d'eau chaude en cours de cuisson.

Servez avec du riz, des patates douces et des légumes verts.

piments farcis (MEXIQUE)

Les légumes farcis sont très populaires au Mexique et offrent une grande variété de recettes selon les ingrédients disponibles. La farce à la viande, appelée *picadillo*, peut également garnir des tortillas. Les piments *poblano*, de force moyenne, peuvent être remplacés par des poivrons verts, à la saveur plus douce. Dans ce cas, ajoutez à la farce des piments *serrano*, assez forts.

POUR 4 PERSONNES

4 gros piments *poblano* (ou 4 poivrons verts)
1 litre d'huile de friture
1 ½ cuil. à soupe de farine

POUR LA FARCE

2 cuil. à soupe d'huile d'olive
1 oignon émincé
500 g de viande de porc (ou de bœuf) hachée
4 gousses d'ail émincées
2 piments *serrano* (si vous utilisez des poivrons)
1 pomme (ou 1 poire) pelée, épépinée et coupée
   en dés (facultatif)
2 cuil. à soupe de raisins secs
1 abricot séché finement émincé
3 tomates moyennes pelées, épépinées et coupées en dés
25 g d'amandes (de pignons de pin ou de noix
   de cajou) effilées
1 pincée de cannelle en poudre
1 pincée de clous de girofle (ou de poivre de la Jamaïque)
   en poudre
Sel

POUR LA SAUCE

450 g de tomates pelées, épépinées et coupées en morceaux
½ oignon moyen
1 gousse d'ail émincée
2 cuil. à soupe d'huile d'olive
225 ml de bouillon (de volaille ou de bœuf)
Sel, poivre du moulin

POUR L'ENROBAGE

2 œufs, blancs et jaunes séparés
½ cuil. à café de sel

Faites griller les piments *poblano* (ou les poivrons) sur une flamme (ou sous le gril du four très chaud), en les retournant souvent, jusqu'à ce que leur peau noircisse. Enfermez-les 5 min dans un sac en plastique, puis épluchez-les. Fendez-les d'un côté. Retirez leurs graines et leurs membranes, sans les percer.

Préparez la farce. Dans une poêle, faites chauffer l'huile sur feu moyen. Mettez-y l'oignon à fondre 5 min, en remuant, puis ajoutez la viande et l'ail. Laissez revenir 10 min, en remuant souvent. Incorporez éventuellement les piments et la pomme (ou la poire), puis les raisins secs, l'abricot, les tomates, les amandes (les pignons ou les noix de cajou), les épices et du sel. Baissez le feu. Laissez compoter 15 min à découvert, sur feu doux.

Préparez la sauce. Mixez les tomates, l'oignon et l'ail jusqu'à homogénéité. Dans une sauteuse, faites chauffer l'huile sur feu moyen. Ajoutez la préparation précédente et le bouillon. Poivrez et mélangez. Portez à frémissements. Baissez le feu et laissez réduire 15 min. Rectifiez l'assaisonnement.

Préparez l'enrobage. Dans une jatte, battez les blancs en neige avec le sel. Dans un bol, battez légèrement les jaunes à la fourchette, puis incorporez-les délicatement à la neige, en soulevant la masse à la spatule.

Garnissez les piments (ou les poivrons) avec la farce. Dans une sauteuse, faites chauffer l'huile sur feu moyen.

Passez les légumes farcis dans la farine. Plongez-les dans l'enrobage, puis dans l'huile très chaude. Faites-les frire jusqu'à obtenir une jolie coloration dorée. Déposez-les au fur et à mesure sur du papier absorbant, à l'aide d'une écumoire.

Servez les piments (ou les poivrons) farcis sur un lit de sauce chaude, avec du riz nature ou des tortillas.

jerk de porc (JAMAÏQUE)

Cette recette est une des plus populaires de la cuisine
jamaïcaine. Le terme *jerk* vient de *jerki*, lui-même dérivé
de l'espagnol *charqui*, qui signifie « viande boucanée ».
Après avoir investi l'île au xvᵉ siècle, les Espagnols en furent
chassés par les Anglais, qui la colonisèrent au xviiᵉ siècle.
Les Hispaniques se replièrent alors sur Cuba, et les esclaves
jamaïcains rebelles, dits marrons, se réfugièrent dans les
montagnes. Pour se nourrir, ils chassaient des cochons
sauvages, dont ils conservaient la viande en la boucanant,
c'est-à-dire en la faisant sécher et en la fumant.
Généreusement enrobée d'épices et d'herbes aromatiques,
cette viande était grillée sur le feu : le *jerk* était né.
On peut aujourd'hui le préparer avec du porc frais,
de la volaille ou du poisson.

POUR 4 PERSONNES

4 côtes de porc
Pâte pour *jerk* (voir page 115)

Enrobez les côtes de porc de pâte pour *jerk*, des deux côtés.
Déposez-les sur une assiette, couvrez-les de film alimentaire,
puis réservez-les au réfrigérateur jusqu'au lendemain.

  Faites-les griller au barbecue (ou sur un gril) très chaud,
5 min environ de chaque côté.

curry de chevreau (JAMAÏQUE)

Les chèvres et les moutons furent introduits à la Jamaïque et
dans les Grandes Antilles par les Espagnols. Pour cette recette,
les puristes utilisent de la viande non désossée – l'os donnant
du goût. Dans ce cas, doublez la quantité. La caramélisation
à l'huile et au sucre, caractéristique de la cuisine antillaise,
communique une saveur unique à la chair.

POUR 4-6 PERSONNES

750 g d'épaule de chevreau (ou d'agneau) désossée,
  coupée en cubes de 2,5 cm de côté
Le jus de 2 citrons verts (ou de 1 citron jaune)
1 oignon moyen haché
1 gousse d'ail écrasée
2,5 cm de racine de gingembre râpée
Sel
2 cuil. à soupe d'huile de tournesol

1 cuil. à soupe de sucre en poudre
4 cuil. à café de curry en poudre (ou 1 cuil. à café de chacune
  des épices en poudre suivantes mélangées : poivre de la
  Jamaïque, cumin, coriandre et piment)
500 ml de bouillon de volaille
2 brins de thym frais (ou 1 cuil. à café de thym séché)
1 feuille de laurier

Dans un saladier, mélangez la viande avec le jus de citron, l'oignon,
l'ail, le gingembre et du sel. Couvrez. Laissez mariner 2 h.

  Dans une cocotte à fond épais, faites chauffer l'huile sur feu
moyen. Ajoutez le sucre. Laissez-le caraméliser quelques secondes,
en remuant, puis ajoutez la viande et sa marinade. Laissez brunir
les cubes de viande 3 à 5 min, en les retournant souvent.

  Baissez le feu. Ajoutez le curry (ou les épices mélangées).
Remuez bien. Laissez mijoter 10 min environ sur feu très doux.

  Mouillez avec le bouillon. Augmentez le feu et portez à
frémissements sur feu moyen, en grattant le fond de la cocotte
à la spatule. Ajoutez le thym et le laurier. Baissez le feu, couvrez,
puis laissez mijoter 2 h sur feu doux, en ajoutant éventuellement
un peu d'eau chaude si la sauce réduit trop vite.

  Servez avec du riz nature, des patates douces, des ignames
et des légumes verts.

yeux de belle-mère (BRÉSIL)

Dans ce dessert brésilien, les pruneaux sont fourrés de noix de
coco râpée, un clou de girofle figurant la pupille. Ce dernier
sera enlevé au moment de la dégustation : son parfum aura
alors suffisamment imprégné la délicieuse garniture.

POUR 30 FRIANDISES

200 g de sucre en poudre
100 ml d'eau bouillante
250 g de pulpe de noix de coco fraîche râpée
2 jaunes d'œufs extrafrais
30 pruneaux dénoyautés, réhydratés 30 min dans de l'eau
  chaude, puis égouttés
30 clous de girofle
Sucre glace pour saupoudrer

Dans une jatte placée sur un bain-marie frémissant, faites dissoudre
le sucre en poudre dans l'eau bouillante. Incorporez la noix de
coco, puis les jaunes d'œufs un par un, en fouettant jusqu'à
épaississement.

Ôtez du feu. Laissez refroidir.

Fourrez les pruneaux avec la préparation précédente, en lui donnant la forme d'une boule pour figurer l'œil.

Déposez 1 clou de girofle au centre de chaque œil, puis saupoudrez généreusement de sucre glace.

flan au caramel (MEXIQUE)

Au Mexique, ce dessert classique, agrémenté de poudre d'amandes, est toujours préparé dans un grand moule et non dans des ramequins individuels.

POUR 4 PERSONNES

175 g de sucre en poudre
900 ml de lait
1 gousse de vanille fendue dans la longueur
   (ou 1 cuil. à café d'extrait de vanille liquide)
2 œufs entiers + 6 jaunes
25 g de poudre d'amandes
1 pincée de sel

Dans un moule à manqué métallique de 1,5 litre de contenance, mélangez la moitié du sucre avec 2 cuil. à soupe d'eau. Faites caraméliser sur feu moyen, sans laisser trop brunir. Ôtez du feu, puis inclinez le moule en tous sens pour bien répartir le caramel sur le fond et jusqu'à mi-hauteur des parois.

Préchauffez le four à 160 °C (th. 5/6). Mettez le lait et la vanille dans une casserole. Portez à frémissements, ôtez du feu, puis laissez refroidir à couvert. Si vous avez utilisé une gousse, enlevez-la.

Dans une jatte, fouettez les œufs entiers et les jaunes avec le reste de sucre, jusqu'à blanchiment. Incorporez le lait versé en filet, sans cesser de fouetter, puis la poudre d'amandes et le sel.

Versez la préparation précédente dans le moule caramélisé. Déposez-le dans un grand moule à bord haut tapissé de papier absorbant. Remplissez ce dernier d'eau chaude à mi-hauteur. Enfournez le tout pour 15 min.

Baissez la température du four à 120 °C (th. 4). Laissez cuire encore 40 min environ (vérifiez la cuisson avec une lame de couteau : elle doit ressortir sèche).

Laissez le flan refroidir, puis démoulez-le avec précaution. Servez à température ambiante.

confiture de lait (BRÉSIL)

Vanille et cannelle parfument cette confiture gourmande, à la consistance proche de celle du lait concentré. Elle se conserve jusqu'à une semaine au réfrigérateur.

POUR 4 PERSONNES

3 litres de lait
1 kg de sucre en poudre
1 gousse de vanille fendue dans la longueur
2 bâtons de cannelle

Dans une casserole, portez le lait à frémissements avec le sucre, sur feu moyen, en mélangeant pour bien dissoudre ce dernier. Ajoutez la vanille et la cannelle. Baissez le feu au maximum. Laissez cuire 1 h 30 sur feu très doux, à découvert, en remuant de temps en temps pour éviter que la préparation n'attache.

En fin de cuisson, la préparation s'épaissit en réduisant et le sucre caramélise en formant des petits grumeaux : mélangez pour bien homogénéiser.

Enlevez la vanille et la cannelle. Versez la confiture de lait dans une jatte, laissez refroidir, puis réservez au réfrigérateur jusqu'au moment de déguster, avec une salade de fruits ou une crème glacée, par exemple.

beignets de rêve (BRÉSIL)

Bien gonflés, ces beignets aériens sont délicieusement enrobés de sucre à la cannelle.

POUR 12 BEIGNETS

250 ml de lait
1 cuil. à soupe de sucre en poudre
3 pincées de sel
150 g de farine de manioc
4 jaunes d'œufs
1 litre d'huile de friture
2 cuil. à soupe de sucre glace
1 cuil. à café de cannelle en poudre

Dans une casserole antiadhésive, portez le lait à frémissements avec le sucre et le sel, sur feu moyen, en remuant jusqu'à dissolution.

Ôtez du feu. Versez aussitôt la farine d'un seul coup et mélangez vigoureusement, avec une cuillère en bois, jusqu'à ce que la pâte forme une boule qui se détache des parois de la casserole. Incorporez-y les jaunes d'œufs un par un, en mélangeant bien après chaque ajout, pour obtenir une pâte lisse.

Dans une sauteuse, faites chauffer l'huile à 180 °C. Versez-y 4 cuil. à soupe de pâte, en leur donnant à chacune la forme d'une petite boule avec le doigt. Laissez cuire les beignets 1 min environ : ils doivent être bien dorés. Continuez jusqu'à épuisement de la pâte, en déposant les beignets au fur et à mesure sur du papier absorbant à l'aide d'une écumoire.

Mélangez le sucre glace et la cannelle. Roulez les beignets dedans avant de les servir, chauds.

douceur coco (CUBA)

Cette recette originale combine des ingrédients tout simples en un dessert riche et savoureux, dans lequel la cannelle est complice de la noix de coco.

POUR 4 PERSONNES

350 g de sucre en poudre
350 g de pulpe de noix de coco fraîche râpée
3 jaunes d'œufs légèrement battus
1 cuil. à café de cannelle en poudre
4 cuil. à soupe de xérès sec

Dans une casserole, faites fondre le sucre dans 150 ml d'eau, en remuant sur feu doux. Augmentez le feu. Faites chauffer ce sirop sur feu vif jusqu'à 104 °C (juste avant le point d'ébullition), puis baissez le feu et incorporez le reste des ingrédients en remuant vivement. Laissez épaissir quelques minutes sur feu doux, en remuant sans cesse.

Allumez le gril du four. Versez la préparation précédente dans un plat à four de service. Faites dorer le dessus sous le gril très chaud, sans laisser brûler.

Servez aussitôt, avec de la crème anglaise très froide ou de la crème glacée.

salsa pimentée (BRÉSIL)

Très relevée, cette salsa accompagne quotidiennement toutes sortes de mets sur les tables brésiliennes.

POUR 4 PERSONNES

1 oignon rouge finement émincé
1 grosse tomate pelée, épépinée et coupée en dés
2 cuil. à soupe de vinaigre de vin rouge
1 gousse d'ail finement émincée
2 cuil. à soupe d'huile d'olive (ou de tournesol)
1 cuil. à soupe de feuilles de coriandre (ou de persil plat)
   finement ciselées
Quelques gouttes d'huile pimentée aux piments *malagueta*
   (ou autre huile pimentée)
2 pincées de sel, 2 ou 3 tours de moulin à poivre

Dans une jatte, mélangez tous les ingrédients de la salsa. Réservez 1 h au réfrigérateur, puis mélangez de nouveau et rectifiez l'assaisonnement selon votre goût.

sauce brûlante (ARGENTINE)

Ce condiment de table très usité en Argentine est appelé *aji molido con aceite* (« piments écrasés dans de l'huile d'olive »). On le dilue parfois dans du vin blanc afin d'y faire mariner du bœuf ou de l'agneau avant de les griller au barbecue *(parilla)*. Prenez garde à ne pas vous toucher les yeux après avoir manipulé les piments. Portez des gants ou lavez soigneusement vos mains à l'eau chaude ensuite.

POUR 1 BOCAL DE 600 ML

25 g de petits piments séchés
5 cuil. à soupe d'huile d'olive
1 gousse d'ail finement émincée
1 bonne pincée de sel
300 ml de bouillon de bœuf (ou d'eau)

Coupez les piments en deux. Épépinez-les. Mettez-les dans un bol. Couvrez-les d'eau chaude à hauteur. Laissez-les tremper 30 min, puis égouttez-les. Mettez-les dans le bol d'un mixeur avec 5 cuil. à soupe d'huile, l'ail et le sel.
   Faites chauffer le bouillon (ou l'eau) sans atteindre l'ébullition. Versez dans le bol du mixeur. Mixez jusqu'à consistance lisse et homogène.

Transférez la sauce dans un bocal stérilisé. Couvrez d'un filet d'huile. Fermez. Réservez au réfrigérateur en ajoutant un filet d'huile après chaque utilisation.

pâte pour jerk (JAMAÏQUE)

POUR 1 BOCAL DE 600 ML

12 cébettes (oignons verts) finement émincées
100 g de baies de poivre de la Jamaïque moulues
50 g de grains de poivre moulus
½ cuil. à soupe de cannelle (ou de noix muscade) en poudre
50 g de thym séché émietté
50 g de racine de gingembre râpée
1 piment *habanero* **finement émincé**
100 g de sel
4 cuil. à soupe d'huile d'olive (ou d'huile de tournesol)

Dans un mortier, pilez tous les ingrédients jusqu'à obtention d'une pâte fine, en incorporant l'huile petit à petit (vous pouvez également utiliser un mixeur). Réservez au réfrigérateur dans un bocal stérilisé hermétiquement fermé.

Climat, culture et tradition ont façonné les cuisines d'Europe et d'Amérique du Nord. Les épices exotiques importées ne manquent pas, mais les fines herbes et les aromates du jardin sont pour beaucoup dans le caractère de ces gastronomies.

Pendant des siècles, la graine de moutarde fut l'épice la plus répandue et la plus cultivée de part et d'autre de l'océan Atlantique. En Scandinavie et en Allemagne, on parfume aussi les plats de baies de genièvre, d'aneth et de graines de carvi. Un peu plus au sud, les gros piments rouges de Hongrie et d'Espagne servent à fabriquer le paprika et le *pimentón*, qui confèrent aux spécialités locales leur originalité. L'Espagne cultive aussi le crocus d'automne aux fleurs mauves, dont les stigmates d'un rouge flamboyant donnent le safran, l'épice la plus chère. Le safran des plaines de la Manche, au sud-est de Madrid, est considéré comme le meilleur du monde.

En Louisiane, les piments locaux forment la matière première de l'un des condiments les plus prisés : le Tabasco.

L'usage que nous faisons actuellement des épices remonte aux Romains, comme en témoignent les célèbres *Dix Livres de la cuisine*, rédigés au Iᵉʳ siècle de notre ère par Apicius. Cet ouvrage – qui fut très probablement une œuvre collective – décrit avec force détails la gastronomie romaine. Poissons et viandes étaient accompagnés de sauces épicées et agrémentées de fines herbes (menthe, coriandre, rue, sarriette, livèche, persil, fenouil et autres feuilles) ainsi que de graines moulues (poivre, gingembre, cumin, coriandre, noix muscade, clou de girofle et moutarde), auxquelles on ajoutait de l'huile d'olive, du vinaigre, du miel et du *garum* (une sauce de poisson qui rappelle le nuoc-mâm d'Asie du Sud-Est).

La France, ou la cuisine sans épices

Dignes héritiers des Romains, les gastronomes français utilisèrent beaucoup d'épices jusqu'au XIVᵉ siècle. Ainsi, dans son ouvrage *le Viandier*, Taillevent mentionne la cannelle, le clou de girofle, le gingembre en poudre, le poivre noir et le poivre long, le cubèbe, la graine de paradis (maniguette), la noix muscade, le macis et le safran. On ajoutait aussi aux plats presque autant de sucre que de sel.

Puis une évolution étrange se produisit. Au milieu du XVIIᵉ siècle, *le Cuisinier français*, un livre de référence sur l'art culinaire moderne, établit les fondements d'une nouvelle cuisine. En rupture totale avec la tradition médiévale, son auteur, l'illustre La Varenne, décréta que les fines herbes qui croissaient sur le sol français étaient meilleures et plus saines que les épices exotiques, trop souvent destinées à dissimuler la mauvaise qualité des ingrédients. Il bannissait aussi le sucre,

sauf dans les desserts. Seules quelques épices exotiques étaient acceptées : le poivre, le macis, la noix muscade et le clou de girofle. « Les amateurs de mets épicés seront déçus en France », écrivait un auteur allemand du XVIIIᵉ siècle.

Trois siècles plus tard, les Français redécouvrent les épices, les grands chefs intégrant à leurs cartes des recettes épicées issues des anciennes colonies – agneau marocain à la cannelle, poisson vietnamien à l'anis étoilé ou homard tahitien à la vanille. Ce sont d'ailleurs les Français qui développèrent la culture de la vanille, sur l'île de la Réunion, puis à Madagascar, à Tahiti et en Guadeloupe. Aujourd'hui, les grands chefs français utilisent même couramment les épices dans leurs créations culinaires.

Même si les Français boudent les épices, ils sont passés maîtres dans l'art de confectionner les moutardes et notamment la moutarde au vinaigre de Dijon. La moutarde de Dijon, au goût salé et relevé, se prépare à partir de graines entières macérées dans du vinaigre, puis broyées et tamisées. La moutarde Colman's (Angleterre), elle aussi très forte, est pour sa part faite avec de la poudre de graines moulues.

Chaque pays cultive sa propre conception de la moutarde. Pour obtenir la moutarde de Crémone, les Italiens font macérer des fruits dans un mélange de moutarde et de sirop de sucre ; la *mostarda di Cremona* est un condiment très apprécié avec le *bollito misto* (assiette de viandes bouillies). Douce, foncée et crémeuse, la moutarde allemande se marie parfaitement avec les nombreuses sortes de saucisses que l'on trouve outre-Rhin – saucisse de Francfort, *leberwurst* (saucisse de foie) ou salami. Particulièrement forte en Grande-Bretagne, la moutarde est servie avec les viandes grasses (tourtes au bœuf, au porc ou à la saucisse, par exemple), car elle rend les graisses plus digestes. Quant aux Scandinaves, ils l'utilisent pour conserver les légumes en saumure ou au vinaigre.

Si le carvi et le genièvre restent emblématiques de la cuisine allemande, le clou de girofle et la noix muscade y sont également à l'honneur, surtout dans les marinades dévolues aux venaisons et les ragoûts de bœuf ou de porc. Les Hollandais affectionnent les saveurs douces, les jambons et les fromages. Mais ils s'accordent aussi un petit plaisir

épicé qui fait écho à leur histoire coloniale aux Indes orientales, le *rijsttafel*, assortiment de petites assiettes de currys de viande, de poulet, de poisson et de légumes servies avec du riz.

De l'aneth, les Scandinaves utilisent les feuilles, fines et aériennes, aussi bien que les graines, dont la saveur amère et anisée accompagne à merveille le poisson. L'aneth entre également dans la composition de la marinade du *gravad lax* (saumon en saumure) et de la salade de harengs aux pommes de terre. On le retrouve dans certains alcools et dans les préparations apaisantes pour bébés, pour ses vertus calmantes.

Marins intrépides, les Scandinaves ont rapporté des épices des quatre coins du globe. En Suède, le poisson se conserve dans un mélange de graines de poivre, d'aneth, de sucre et de poivre de la Jamaïque. L'ajout de ce dernier, récent, remonte à une année où les pêcheurs de harengs, rentrés bredouilles, se rabattirent sur un petit poisson appelé *sild*, si fade avec la marinade traditionnelle qu'il devint indispensable de rehausser son goût. Le poivre de la Jamaïque fut alors une révélation. Puis le hareng revint en abondance dans les filets, mais cette épice est toujours utilisée pour la marinade du poisson.

Le paprika

Les Espagnols, comme les Hongrois, adorent le paprika, même si les uns et les autres l'emploient différemment. En Hongrie, toute la culture culinaire porte l'empreinte du paprika. Les cuisiniers commencent presque toujours par faire frire une ou deux cuillerées à soupe de paprika dans du saindoux pour préparer un plat. C'est le cas pour le goulache (ragoût de bœuf aux oignons), le *porkolt* (à base de porc, de viande rouge, de poisson, de gibier ou d'oie braisés) ou le *paprikash* (veau, poulet, agneau ou poisson cuits au paprika et liés avec de la crème).

Importé du Nouveau Monde au début du XVIᵉ siècle, le piment doux est arrivé en Hongrie via la Turquie. À l'origine, ce n'était qu'une plante de jardin décorative, que l'on utilisa peu à peu en raison de ses propriétés médicinales. La poudre de piment, ou paprika (mot d'origine serbe), est une invention des Hongrois, qui faisaient sécher les piments mûrs avant de les moudre en poudres de plus en plus fines et douces, comme le *kulongeges* (fin) et le très célèbre *edesnemes* (fin et doux). En Espagne, le *pimentón*,

l'équivalent du paprika, est essentiel à la fabrication des nombreux *embutidos*, saucisses de porc salées et séchées à l'air (comme le *salchichón*, le chorizo, le *fuet* et le *sobrasada*, un pâté de porc aux couleurs vives, spécialité des îles Baléares).

Dès la conquête romaine, en 55 av. J.-C., les cuisiniers de Grande-Bretagne ont appris à faire un usage généreux des épices. Les Romains ont implanté la moutarde, qui pousse si bien sous ces climats humides, même si, aujourd'hui, la plus grande partie des graines sont importées du Canada. Tandis que les Normands faisaient de la Grande-Bretagne un centre du commerce des épices, les marchands anglais investissaient les marchés de Champagne et de Flandre. À l'ère élisabéthaine, la cuisine anglaise était la plus épicée d'Europe. À la Cour, les mélanges d'épices agrémentaient tous les mets des grandes occasions ; les fêtes populaires, elles, ne pouvaient se passer de pain d'épices. Les cuisiniers du palais doraient la croûte des tourtes avec du safran. Pendant des siècles, l'Essex et le comté de Cambridge furent émaillés de champs de crocus à safran. Mais la récolte revenait cher, et la culture du safran fut abandonnée.

Les colons d'Amérique du Nord ont gardé cette même culture des épices à laquelle, au fil du temps, se sont mêlées bien d'autres influences. Aujourd'hui, à New York, c'est la culture européenne qui prévaut, avec les cuisines juive et italienne surtout ; la côte ouest est tournée vers la Chine et le Japon, le Sud-Ouest assume ses racines mexicaines. La Louisiane fait exception, avec des spécialités créoles qui sont autant de mariages réussis entre les cuisines espagnole et caribéenne ; quant à la cuisine cajun de la communauté française, elle est héritée des premiers colons bretons.

Dans le sud des États-Unis, le piment est roi. Le Tabasco a été inventé par un banquier, Edmund McIlhenny, qui avait épousé la fille d'un juge dont la propriété s'élevait sur une immense mine de sel. Des années durant, McIlhenny s'employa à saler les tabascos qui poussaient sur les domaines familiaux de Louisiane avant de les diluer dans du vinaigre. C'est ainsi qu'il concocta un nectar de piment qui fit le tour du monde. La première fois qu'il voulut l'envoyer à ses amis pour le leur faire goûter, il acheta un lot de bouteilles de parfum et les remplit de sa sauce. L'idée est restée, et le Tabasco est presque aussi connu que le Coca-Cola !

Pour apprécier le Tabasco dans un cadre adéquat, traversez les marécages embrumés de Louisiane pour rejoindre une maison en bois sur pilotis au milieu d'un bayou. Là, régalez-vous d'une langouste cajun cuite dans une bassine en métal, accompagnée de pommes de terre en robe des champs et… d'une sauce tomate rehaussée d'une pointe de Tabasco !

goulache (HONGRIE)

Cette recette hongroise ancestrale (dont le nom est dérivé de celui des gardiens de bœufs magyars, les *gulyas*) doit sa couleur et son parfum au paprika qui l'aromatise. Elle est traditionnellement cuisinée au saindoux, ici remplacé par de l'huile d'olive, plus légère.

POUR 4 PERSONNES

1 cuil. à soupe d'huile d'olive
1 oignon finement émincé
4 cuil. à café de paprika doux
500 g de poitrine de bœuf coupée en petits morceaux
1 poivron rouge épépiné et grossièrement émincé
250 ml de vin blanc sec
Sel fin, poivre du moulin
500 g de pommes de terre moyennes à chair ferme
   coupées en quatre
Gros sel

Dans une cocotte, chauffez l'huile sur feu moyen. Faites-y revenir l'oignon 5 min, en remuant.

Saupoudrez du paprika, mélangez bien, puis ajoutez la viande et le poivron. Poursuivez la cuisson 10 min environ, en retournant souvent les morceaux de bœuf et en veillant à ce que le paprika ne brûle pas.

Versez le vin. Salez, poivrez et mélangez. Baissez le feu et couvrez. Laissez mijoter au moins 45 min sur feu doux : la viande doit être bien tendre.

Pendant ce temps, faites cuire les pommes de terre 15 à 20 min dans de l'eau bouillante salée : elles doivent rester un peu fermes. Égouttez-les, puis incorporez-les au contenu de la cocotte.

Poursuivez la cuisson 10 min environ, jusqu'à ce que les pommes de terre soient bien cuites sans se défaire. Rectifiez l'assaisonnement et servez, très chaud.

bortsch (RUSSIE)

Chaque famille russe possède sa propre recette de cette soupe savoureuse, richement colorée par les betteraves, mêlant à l'envi épices et aromates pour une saveur douce-amère caractéristique. Roborative, elle réchauffe les repas hivernaux.

POUR 6 PERSONNES

450 g de bœuf à braiser coupé en cubes de 2,5 cm de côté
4 petites betteraves crues pelées
2 carottes grossièrement râpées
375 g de chou blanc émincé
2 branches de céleri
250 g de tomates pelées et hachées au couteau
1 cuil. à soupe de vinaigre de vin rouge
1 cuil. à soupe de sucre en poudre
2 feuilles de laurier
5 baies de poivre de la Jamaïque (ou 2 cuil. à café de poivre
   de la Jamaïque en poudre)
Sel, poivre du moulin
1 cuil. à soupe de jus de citron
1 cuil. à soupe d'aneth et autant de persil ciselés
Crème aigre (crème sûre) pour servir

Mettez la viande dans un faitout. Arrosez de 1,8 litre d'eau. Portez à ébullition sur feu moyen, en écumant. Baissez le feu et couvrez. Laissez frémir 45 min sur feu doux.

Râpez grossièrement 3 betteraves. Mettez-les dans le faitout avec les carottes, le chou et le céleri. Dès la reprise des frémissements, couvrez et laissez cuire 25 min.

Incorporez les tomates, le vinaigre, le sucre, le laurier et le poivre de la Jamaïque. Salez et poivrez. Dès la reprise des frémissements, poursuivez la cuisson 15 min, toujours à couvert.

Râpez très finement la dernière betterave. Dans une petite casserole, mélangez-la avec 2 louchées du bouillon de cuisson et laissez bouillir 5 min. Égouttez le tout au-dessus du faitout, au travers d'une passoire fine, en pressant bien sur la betterave avec le dos d'une cuillère.

Incorporez le jus de citron. Mélangez bien et rectifiez l'assaisonnement. Parsemez des herbes et servez, accompagné d'un bol de crème aigre : chacun en ajoutera à son gré.

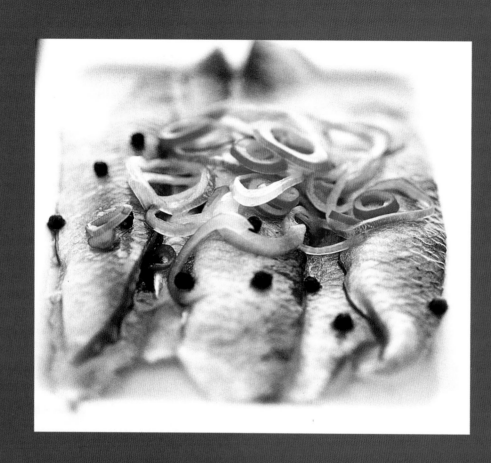

harengs marinés (DANEMARK)

Le poivre est essentiel dans cette recette danoise classique, préparée avec des harengs salés. Ces derniers peuvent être remplacés par des rollmops, filets de hareng roulés aux aromates : avant de les utiliser, déroulez-les et rincez-les soigneusement à l'eau froide, puis épongez-les délicatement dans du papier absorbant.

POUR 6 PERSONNES

6 harengs salés
100 g de sucre en poudre
20 grains de poivre noir
200 ml de vinaigre de vin blanc
2 échalotes détaillées en anneaux

Mettez les harengs salés dans un saladier. Couvrez-les largement d'eau froide. Laissez-les dessaler 12 h, en renouvelant l'eau de temps en temps.

Égouttez les harengs, puis levez les filets. Épongez-les soigneusement dans du papier absorbant. Déposez-les dans un plat creux.

Dans une casserole, mélangez le sucre et le poivre avec le vinaigre, jusqu'à dissolution. Portez à frémissements sur feu moyen. Faites frémir 5 min, puis laissez refroidir.

Versez le vinaigre aromatisé sur les filets de hareng. Couvrez de film étirable. Laissez-les mariner pendant 2 à 3 h au réfrigérateur.

Juste avant de servir, surmontez les filets de hareng des anneaux d'échalote.

Pour une recette encore plus goûteuse, coupez les filets de hareng en lamelles après les avoir épongés, puis mélangez-les avec une mayonnaise relevée de jus de citron et de 1 cuil. à soupe de curry en poudre.

soupe aux haricots (ÉTATS-UNIS)

Cette soupe riche et parfumée est très populaire en Floride, État du sud-est des États-Unis dont la cuisine est mâtinée des cultures espagnole et antillaise (notamment cubaine). Le pied de porc lui donne son aspect gélatineux caractéristique.

POUR 4 PERSONNES

250 g de haricots noirs secs
250 g de bœuf à braiser coupé en petits morceaux
1 pied de porc prêt à cuire
2 oignons émincés
½ citron non traité coupé en deux
2 clous de girofle
1 pincée de poivre de la Jamaïque en poudre
1 ½ cuil. à soupe de sel, poivre du moulin
4 cuil. à soupe de xérès
Quelques rondelles de citron (jaune ou vert) non traité pour garnir

Faites tremper les haricots 12 h dans de l'eau froide. Égouttez-les. Mettez-les dans une casserole avec 1 litre d'eau. Portez à ébullition sur feu moyen. Laissez-les blanchir 10 min, puis égouttez-les.

Mettez les haricots dans un faitout avec la viande, le pied de porc, les oignons, les quartiers de citron, les clous de girofle, le poivre de la Jamaïque, le sel et du poivre. Couvrez de 1,5 litre d'eau. Portez à ébullition sur feu moyen. Baissez le feu. Couvrez et laissez mijoter au moins 3 h sur feu doux.

Avec une écumoire, déposez la viande dans une jatte, puis ôtez le pied de porc, les quartiers de citron et les clous de girofle.

Mixez la soupe de haricots. Remettez-la dans le faitout. Détaillez la viande en lamelles et ajoutez-les, ainsi que le xérès. Portez à frémissements et laissez frémir 5 min.

Servez très chaud, en garnissant chaque assiette de quelques rondelles de citron.

roulé au pavot (POLOGNE)

Dans ce gâteau léger et moelleux, délectable à toute heure,
les graines de pavot apportent leur délicate saveur noisetée.

POUR 8 PERSONNES

450 g de farine tamisée + 1 cuil. à soupe
   pour le plan de travail
7 g de levure du boulanger lyophilisée en poudre
1 pincée de sel
425 ml de lait
300 g de graines de pavot
6 cuil. à soupe de miel
6 gouttes d'extrait de vanille liquide
1 cuil. à café de cannelle en poudre
150 g de beurre fondu + 20 g pour le plat
2 œufs battus

Réchauffez un saladier en le remplissant d'eau bouillante, puis
videz-le et essuyez-le rapidement. Mélangez-y la farine, la levure
et le sel. Creusez un puits au centre.

   Dans une petite casserole, faites tiédir la moitié du lait sur
feu moyen. Versez-le dans le puits et mélangez jusqu'à obtention
d'une pâte lisse. Couvrez d'un linge, puis laissez reposer au chaud
(près d'un radiateur, par exemple) pendant 1 h 30 à 2 h : la pâte
doit doubler de volume.

   Plongez les graines de pavot dans de l'eau très chaude, puis
égouttez-les dans une passoire doublée de mousseline. Réduisez-
les en poudre au mortier ou au mixeur.

   Portez le reste de lait à frémissements avec le miel, sur feu
doux, en remuant. Ajoutez les graines de pavot en poudre et la
vanille. Laissez épaissir quelques minutes en remuant, puis ajoutez
la cannelle et 125 g de beurre fondu. Mélangez bien, ôtez du feu
et laissez refroidir.

   Enfoncez le poing dans la pâte pour en chasser l'air, puis
incorporez-y les œufs, en pétrissant jusqu'à obtention d'une boule
élastique. Sur le plan de travail fariné, étalez la pâte au rouleau
sur 5 mm d'épaisseur, en un rectangle de 30 × 20 cm environ.

   Répartissez-y la préparation au pavot en une couche uniforme,
jusqu'à 1 cm des bords. Humidifiez ces derniers au pinceau. Roulez
le rectangle de pâte sur lui-même.

   Déposez le roulé dans un plat à four beurré, jointure dessous.
Couvrez d'un linge. Laissez reposer au chaud pendant 1 h 30 à 2 h.

   Préchauffez le four à 190 °C (th. 6/7).

   Badigeonnez le roulé au pinceau avec le reste de beurre fondu.
Enfournez pour 35 à 40 min. Servez à température ambiante.

poissons au four (PORTUGAL)

Traditionnellement, les pêcheurs portugais réalisent cette
recette avec les variétés de poissons dont ils disposent
au retour de la pêche. Vous pouvez l'adapter à ceux de votre
choix, voire y inclure des fruits de mer ou des mollusques
(coques, encornets...). Ce mets haut en goût est relevé de
piri-piri, sauce brûlante à base de piments pili-pili (africains),
d'huile et de jus de citron (ou de vinaigre).

POUR 4 PERSONNES

225 g de chacun des poissons suivants prêts à cuire :
   sardine, anguille, merlan et thon
Sel de mer
6 cuil. à soupe d'huile d'olive
2 oignons émincés
8 tomates pelées et grossièrement hachées au couteau
1 poivron vert épépiné et émincé
4 gousses d'ail émincées
1 pincée de noix muscade râpée
½ cuil. à café de poivre de la Jamaïque en poudre
1 cuil. à soupe de *piri-piri*
150 ml de vin blanc sec
1 poignée de feuilles de coriandre ciselées
4 tranches de pain écroûtées

Préchauffez le four à 180 °C (th. 6). Coupez les poissons en petits
morceaux. Saupoudrez-les très légèrement de sel.

   Dans une cocotte, faites chauffer la moitié de l'huile sur feu
moyen. Mettez-y les oignons, les tomates et le poivron à revenir
10 min, en remuant de temps en temps.

   Ajoutez l'ail, la noix muscade, le poivre de la Jamaïque,
le *piri-piri*, le vin blanc et 4 cuil. à soupe d'eau. Poursuivez
la cuisson 5 min, en remuant.

   Badigeonnez un plat à gratin au pinceau avec 2 cuil. à soupe
d'huile. Déposez-y une couche de morceaux de poisson, puis
une couche de la préparation précédente. Parsemez d'un peu
de coriandre. Poursuivez jusqu'à épuisement des ingrédients.
Couvrez avec les tranches de pain, puis arrosez-les du reste d'huile.
Enfournez pour 30 min environ : les morceaux de poisson
doivent être cuits à cœur.

   Servez aussitôt, avec des pommes de terre (vapeur ou en
purée) et du pain frais.

poivrons et tomates farcis
(BASSIN MÉDITERRANÉEN)

Cette recette est déclinée dans tous les pays limitrophes de la Méditerranée. La farce, à base de viande (agneau ou bœuf) et de riz, est parfumée de menthe et de paprika.

POUR 4 PERSONNES

4 poivrons verts plus ronds qu'allongés
Gros sel
4 belles tomates mûres et fermes
1 cuil. à soupe d'huile d'olive
1 cuil. à soupe de farine
25 g de beurre en parcelles
2 cuil. à café de concentré de tomates
½ cuil. à café de paprika

POUR LA FARCE

2 cuil. à soupe d'huile d'olive
1 oignon finement émincé
250 g d'épaule d'agneau (ou de bœuf) dégraissée hachée
25 g de riz rond
1 cuil. à café de sel
1 cuil. à café de paprika
2 cuil. à soupe de persil ciselé
1 cuil. à soupe de menthe ciselée
½ cuil. à café de poivre du moulin

Découpez un chapeau au sommet des poivrons. Évidez-les à la petite cuillère, en veillant à ne pas les percer. Faites-les blanchir 5 min à l'eau bouillante salée, puis égouttez-les.

Découpez un chapeau au sommet des tomates. Évidez-les à la petite cuillère, en réservant la pulpe recueillie. Retournez-les sur une grille pour bien les égoutter.

Préchauffez le four à 180 °C (th. 6).

Préparez la farce. Dans une sauteuse, faites chauffer l'huile sur feu moyen. Dorez-y l'oignon et la viande 5 min environ, en remuant. Ajoutez le riz, la pulpe de tomate réservée, le sel, le paprika et 4 cuil. à soupe d'eau. Portez à frémissements, couvrez, puis laissez frémir 15 min environ, jusqu'à absorption totale du liquide. Incorporez le persil, la menthe et le poivre.

Huilez un plat à four assez grand pour contenir tous les légumes farcis côte à côte. Avec une cuillère, remplissez délicatement les tomates et les poivrons de farce et mettez-les dans le plat. Saupoudrez la farce de farine, puis parsemez-la du beurre en parcelles.

Mélangez le concentré de tomates avec 5 cuil. à soupe d'eau et le paprika. Versez le tout dans le fond du plat, autour des légumes. Enfournez pour 45 à 50 min. Servez chaud ou froid, dans le plat de cuisson.

salade de betteraves au raifort (POLOGNE)

Cette recette relevée fait le bonheur des Polonais depuis le Moyen Âge !

POUR 4 PERSONNES

4 petites betteraves cuites
2 cuil. à soupe de racine de raifort fraîche râpée
**   (ou de pâte de raifort)**
Sel
Le jus de 1 citron (ou 1 ½ cuil. à soupe de vinaigre
**   de vin blanc dilué avec un filet d'eau)**

Pelez les betteraves et coupez-les en bâtonnets. Dans un saladier, répartissez-les par couches, en alternant avec le raifort. Salez légèrement, arrosez avec le jus de citron (ou le vinaigre dilué). Couvrez de film étirable. Réservez 24 h au réfrigérateur.

Avant de servir, mélangez et rectifiez l'assaisonnement.

La saveur douce et fine de la betterave est appréciée dans toute l'Europe septentrionale.

mijotée de légumes (BALKANS)

Voisine de la ratatouille méditerranéenne, cette recette préserve au mieux la riche saveur des légumes. Elle peut mitonner en cocotte, sur feu doux, mais rien ne vaut la cuisson au four pour concentrer les arômes. Dans les Balkans, on utilise pour cela un plat en terre cuite, le *guvec*. Les Grecs ajoutent de l'ail, et les Bulgares des piments verts : les deux sont utilisés ici.

POUR 4-6 PERSONNES

1 belle aubergine coupée en petits morceaux
Sel
450 g de pommes de terre coupées en gros morceaux
450 g d'oignons grossièrement émincés
450 g de courgettes coupées en tronçons
225 g de haricots verts coupés en trois
225 g de petits pois écossés (frais ou surgelés)
1 poivron vert épépiné et coupé en lanières
125 g d'okra (ou *bamya*, facultatif)
2 cuil. à soupe de concentré de tomates
2 gousses d'ail écrasées et 1 piment vert émincé (facultatifs)
1 bouquet de persil plat ciselé
4 cuil. à soupe d'huile d'olive
2 cuil. à café de paprika
450 g de tomates coupées en tranches

Mettez les morceaux d'aubergine dans une passoire. Saupoudrez-les de 2 cuil. à café de sel. Laissez-les dégorger 1 h, puis épongez-les soigneusement dans du papier absorbant.

Préchauffez le four à 200 °C (th. 6/7).

Dans un grand plat à four à fond épais, mélangez tous les légumes avec le concentré de tomates et, éventuellement, l'ail et le piment. Parsemez du persil, puis arrosez avec la moitié de l'huile, saupoudrez du paprika et salez. Recouvrez avec les tranches de tomate et arrosez avec le reste d'huile.

Enfournez à découvert pour 10 min. Baissez la température du four à 180 °C (th. 6) et poursuivez la cuisson 1 h 30 environ, jusqu'à ce que les légumes soient fondants. Servez chaud ou froid, dans le plat de cuisson.

moussaka (GRÈCE)

Voici une version très savoureuse, relevée de paprika et adoucie de cannelle, de ce célèbre plat apprécié dans tous les Balkans.

POUR 6 PERSONNES

2 aubergines tranchées dans la longueur
Sel
3 à 5 cuil. à soupe d'huile d'olive
500 g de courgettes coupées en tranches de 1 cm d'épaisseur environ
4 oignons finement émincés
750 g de pommes de terre coupées en tranches fines
200 g de tomates épépinées et mixées en purée
1 kg d'épaule d'agneau dégraissée grossièrement hachée
2 cuil. à café de paprika
2 bouquets de persil plat finement ciselés
1 cuil. à café de poivre mignonnette
2 cuil. à café de cannelle en poudre
3 petits œufs légèrement battus

Mettez les tranches d'aubergine dans une passoire. Saupoudrez-les de 3 cuil. à café de sel. Laissez-les dégorger 1 h, puis épongez-les soigneusement dans du papier absorbant.

Préchauffez le four à 190 °C (th. 6/7).

Dans une poêle antiadhésive, chauffez 2 cuil. à soupe d'huile sur feu moyen à vif. Faites-y dorer les tranches d'aubergine 1 à 2 min de chaque côté. Déposez-les à l'écumoire sur une assiette. Chauffez 1 cuil. à soupe d'huile dans la poêle. Faites-y sauter successivement les courgettes, les oignons et les pommes de terre, en ajoutant chaque fois un peu d'huile, jusqu'à ce que ces légumes soient légèrement colorés. Réservez-les au fur et à mesure sur des assiettes séparées.

Dans la poêle, faites réduire la purée de tomate jusqu'à ce qu'elle prenne une couleur rouge foncé. Ajoutez la viande, du sel et le paprika. Remuez 5 min. Ajoutez le persil, les oignons, le poivre et la cannelle. Mélangez bien.

Dans un grand plat à gratin antiadhésif, déposez le tiers des pommes de terre en une couche, puis, en fines couches successives, la viande en sauce, les courgettes, les aubergines et un autre tiers des pommes de terre, jusqu'à épuisement des ingrédients. Salez légèrement chaque couche. Terminez par le dernier tiers des pommes de terre.

Enfournez pour 30 min. Arrosez avec les œufs battus. Poursuivez la cuisson 15 min environ : la surface doit être bien dorée. Servez chaud, avec du yaourt nature.

jambalaya (ÉTATS-UNIS)

Cette recette est une spécialité de La Nouvelle-Orléans, capitale de la Louisiane, fondée par les Français au début du XVIIIᵉ siècle (avant de passer aux États-Unis, en 1803, comme le reste de l'État). Elle tire tout simplement son nom du mot jambon, un de ses ingrédients !

POUR 4 PERSONNES

2 cuil. à soupe d'huile d'olive, de beurre ou de saindoux
2 oignons émincés
8 tranches de saucisse fumée
1 cuil. à soupe de farine
2 gousses d'ail écrasées
200 g de jambon fumé coupé en dés
2 tomates moyennes pelées, épépinées et émincées
200 g de riz long grain
275 ml de bouillon de volaille (ou d'eau)
1 piment vert épépiné

1 poivron vert épépiné et émincé
1 pincée de thym séché
½ cuil. à café de piment de Cayenne en poudre
Sel
400 g de crevettes (ou 8 écrevisses) cuites décortiquées
3 cuil. à soupe de persil ciselé

Dans une sauteuse à fond épais, chauffez la matière grasse choisie sur feu moyen. Faites-y revenir les oignons et la saucisse 5 min, en remuant. Saupoudrez de farine. Remuez 1 min. Incorporez l'ail, le jambon et les tomates. Baissez le feu. Couvrez hermétiquement en scellant le couvercle avec du papier d'aluminium. Laissez mijoter 30 min sur feu très doux.

Incorporez le riz, le bouillon (ou l'eau), le piment, le poivron, le thym, le cayenne et du sel. Portez à frémissements, couvrez hermétiquement et poursuivez la cuisson 20 min, sans découvrir.

Ajoutez les crevettes (ou les écrevisses) en les enfonçant dans la préparation. Poursuivez la cuisson 5 min environ, jusqu'à ce que le riz soit bien cuit. Parsemez du persil et servez, très chaud.

terrine de porc (FRANCE)

Le pâté de campagne en terrine est un des fleurons de
la gastronomie française. Il en existe de multiples versions,
plus goûteuses les unes que les autres. Ici, l'usage des épices
contribue à magnifier la saveur du porc.

POUR 6-8 PERSONNES

750 g d'échine de porc grossièrement hachée
250 g de lard de poitrine grossièrement haché
    + 250 g coupé en longues tranches fines
2 cuil. à café de quatre-épices à la française
    (voir page 134)
1 cuil. à café de thym séché
22 baies de genièvre
2 gousses d'ail écrasées
2 cuil. à café de sel
5 cuil. à soupe de vin blanc sec
3 cuil. à soupe de cognac (ou de calvados)
3 cuil. à soupe de xérès
40 g de beurre (ou de saindoux)
2 oignons finement émincés
1 œuf battu
15 g de farine
3 feuilles de laurier pour le décor

Dans un saladier, mélangez les viandes hachées avec le quatre-
épices, le thym, 10 baies de genièvre, l'ail, le sel et les alcools.
Couvrez de film étirable. Réservez pour 12 h au réfrigérateur.

Préchauffez le four à 220 °C (th. 7/8).

Dans une poêle, chauffez 25 g de beurre (ou de saindoux)
sur feu doux à moyen. Faites-y fondre les oignons 10 min environ,
en remuant. Dans un bol, fouettez l'œuf avec la farine. Incorporez
ce mélange à la viande, ainsi que les oignons.

Badigeonnez le fond et les parois d'une terrine de 1 litre de
contenance avec le reste de beurre (ou de saindoux). Chemisez-la
des tranches de lard, en les disposant dans la largeur et en les
laissant dépasser de chaque côté. Remplissez avec la préparation
de viande, lissez la surface, puis recouvrez des morceaux de lard
qui dépassent.

Tapissez un plat à four à bord haut de papier absorbant.
Déposez-y la terrine. Remplissez-le d'eau très chaude jusqu'à
mi-hauteur des parois. Enfournez le tout pour 1 h 30 à 2 h,
en couvrant la terrine de papier d'aluminium dès qu'elle commence
à brunir. Vérifiez la cuisson avec une lame de couteau : elle doit
ressortir sèche.

Sortez la terrine du bain-marie. Laissez-la tiédir, puis couvrez
l'aluminium de poids également répartis pour tasser le pâté.
Après refroidissement complet, ôtez les poids, puis réfrigérez
au moins 36 h.

Décorez du reste des baies de genièvre et des feuilles
de laurier avant de servir, avec du pain grillé, des cornichons
et des petits oignons au vinaigre.

lapin sauce moutarde (FRANCE)

Quand les Romains envahirent la Gaule, ils importèrent leurs
épices et aromates favoris, telle la moutarde, plante herbacée
dont les graines servent à préparer le condiment du même
nom. Si la moutarde française la plus connue est celle de
Dijon (forte à très forte), il existe de multiples variétés
régionales : moutarde à l'ancienne de Meaux ou de Saint-
Charroux (à graines apparentes, piquante et aromatique),
violette de Brive au moût de raisin (douce), moutarde d'Alsace
à base de graines blanches (assez douce)... La variété
dijonnaise relève à merveille la chair du lapin.

POUR 4 PERSONNES

Sel, poivre du moulin
2 beaux râbles de lapin
1 cuil. à soupe d'huile d'olive
25 g de beurre
5 échalotes émincées
200 ml de vin blanc sec
3 cuil. à soupe de moutarde de Dijon
6 cuil. à soupe de crème fraîche épaisse

Préchauffez le four à 200 °C (th. 6/7). Salez et poivrez les râbles.
Dans un plat à four allant sur le feu, chauffez l'huile et le beurre
sur feu moyen. Dorez-y les râbles de tous côtés, 3 min environ.
Enfournez pour 20 min.

Ôtez du four. Ajoutez les échalotes et le vin. Remettez au four
pour 10 min. Baissez la température à 150 °C (th. 5). Couvrez
le plat de papier d'aluminium et faites encore cuire 30 min, en
arrosant régulièrement les râbles avec le jus de cuisson.

Coupez les râbles en deux et disposez-les sur un plat de
service. Mettez le plat à four sur feu moyen. Ajoutez la moutarde
et la crème au jus de cuisson. Réchauffez en mélangeant, sans
atteindre l'ébullition. Rectifiez l'assaisonnement, versez sur le lapin
et servez, avec de la purée de pommes de terre.

paella valenciana (ESPAGNE)

Le safran est indispensable pour parfumer la paella et lui donner sa couleur caractéristique. Le riz cultivé dans les rizières qui jouxtent Valence, ville côtière de l'est de l'Espagne, fut à l'origine de cette recette ancestrale. Pour la réussir, il est important de choisir un grain d'excellente qualité, moyen (bomba), l'idéal étant la variété calasparra. Il existe de nombreuses versions de ce plat complet qui cuit traditionnellement dans une grande poêle épaisse et profonde à deux poignées, la paellera. La paella valenciana originelle ne contient pas de fruits de mer, mais des escargots. Cependant, rien ne vous empêche d'y ajouter des crevettes, des langoustines, des moules ou des calmars !

POUR 4 PERSONNES

500 g de cuisses de poulet de grain
500 g de cuisses de lapin
20 filaments (stigmates) de safran séchés
16 escargots au naturel en boîte
1,5 litre de bouillon de volaille léger (ou d'eau)
2 cuil. à soupe d'huile d'olive
Sel
100 g de haricots verts coupés en trois
1 cuil. à soupe de paprika
1 tomate moyenne hachée au couteau
100 g de haricots *tabella* (cocos blancs) et autant de *borlotti* (cocos roses) en boîte égouttés
400 g de riz moyen (bomba) pour paella

Désossez les cuisses de poulet et de lapin. Coupez-les en trois morceaux chacune.

Dans un bol, écrasez les filaments de safran avec le dos d'une cuillère en ajoutant progressivement un peu d'eau bouillante, jusqu'à coloration intense. Faites blanchir les escargots 2 min à l'eau bouillante. Égouttez-les. Portez le bouillon (ou l'eau) à ébullition.

Dans une *paellera* (ou une poêle à fond épais) de 40 cm de diamètre, faites chauffer l'huile sur feu moyen avec 1 pincée de sel. Dorez-y les morceaux de viande de tous côtés, 3 min environ. Ajoutez les haricots verts. Poursuivez la cuisson 5 min, en remuant. Parsemez du paprika, mélangez 30 s, puis ajoutez la tomate et mélangez de nouveau 30 s.

Ajoutez les haricots blancs et roses, le bouillon (ou l'eau) bouillant(e), les escargots, le safran et 1 cuil. à café de sel. Couvrez de papier d'aluminium, baissez le feu et laissez mijoter 20 min.

Ajoutez de l'eau bouillante pour revenir au niveau initial. Augmentez le feu et incorporez le riz. Laissez cuire 5 min sur feu vif. Baissez le feu et poursuivez la cuisson sur feu moyen, sans remuer, 10 min environ : le liquide doit avoir bien réduit.

Ôtez du feu, couvrez d'un linge humide et laissez reposer pendant 5 à 10 min, le temps que le riz termine de cuire en absorbant tout le liquide. La consistance de la paella doit rester moelleuse, mais, si le riz a un peu attaché, ne vous inquiétez pas : c'est la meilleure part !

steaks au poivre (FRANCE)

Très populaire sur les tables françaises depuis le début du xxe siècle, le steak au poivre est particulièrement savoureux, la force et le croquant du poivre rehaussant la saveur et la tendreté de la viande.

POUR 4 PERSONNES

4 cuil. à soupe de poivre noir grossièrement concassé
4 steaks de rumsteck
75 g de beurre
50 ml d'huile de tournesol
Sel
50 ml de cognac
100 ml de bouillon de bœuf
100 ml de crème fraîche épaisse

Répartissez le poivre dans une assiette. Passez-y chaque steak une face après l'autre, en appuyant pour qu'il adhère bien à la viande.

Dans une poêle, faites chauffer le beurre et l'huile sur feu vif. Dorez-y les steaks 2 à 3 min de chaque côté, selon le degré de cuisson désiré. Salez-les en fin de cuisson. Déposez-les sur le plat de service chaud et couvrez-les de papier d'aluminium.

Videz l'excès de graisse contenu dans la poêle et faites-y chauffer le cognac. Ôtez du feu, flambez, puis remettez sur feu moyen et déglacez avec le bouillon en grattant le fond à la spatule. Laissez réduire 5 min. Incorporez la crème et réchauffez en remuant, sans atteindre l'ébullition.

Nappez les steaks de cette sauce et servez aussitôt, avec des pommes de terre sautées.

choucroute au jambonneau
(ALLEMAGNE)

La choucroute *(Sauerkraut)* n'est autre que du chou blanc émincé, salé et fermenté, puis mijoté dans du vin blanc et des épices. Digeste et peu calorique, elle est généralement accompagnée d'un assortiment de viandes de porc et de charcuteries, ainsi que de pommes de terre. Elle est aussi excellente avec de la volaille (pintade, faisan…) ou du poisson (haddock, saumon, lotte…).

POUR 4 PERSONNES

4 jambonneaux demi-sel de 500 g chacun
1 oignon coupé en deux + 2 oignons émincés
1 feuille de laurier
5 graines de coriandre
5 grains de poivre noir grossièrement concassés
1 kg de choucroute
Sel
50 g de saindoux
5 baies de genièvre
300 ml de vin blanc sec
1 pomme de terre finement râpée
2 cuil. à café de sucre en poudre (facultatif)

Faites tremper les jambonneaux 12 h dans de l'eau froide, puis égouttez-les. Chauffez une poêle antiadhésive à sec, sur feu vif. Lorsqu'elle est bien chaude, faites-y brunir l'oignon coupé en deux sur le côté plat : cela va donner de la couleur au bouillon.

Mettez les jambonneaux dans un faitout et couvrez-les d'eau froide. Ajoutez l'oignon bruni, le laurier, la coriandre et le poivre. Portez à frémissements. Couvrez. Laissez frémir 1 h 30 sur feu moyen à doux. Réservez au chaud dans le bouillon (vous porterez à ébullition 5 min avant de servir, pour bien réchauffer la viande).

Lavez la choucroute à l'eau froide. Essorez-la en la pressant bien, démêlez-la et mettez-la dans une cocotte avec 500 ml du bouillon de cuisson des jambonneaux. Salez modérément. Portez à frémissements.

Dans une poêle, faites chauffer le saindoux sur feu moyen. Mettez-y les oignons émincés à blondir en remuant, puis incorporez-les à la choucroute. Ajoutez le genièvre et le vin. Mélangez. Couvrez. Laissez mijoter 1 h, en soulevant de temps en temps à la fourchette.

Incorporez la pomme de terre. Faites cuire encore 10 à 30 min, selon que vous aimez la choucroute un peu croquante ou bien cuite. Ajoutez éventuellement le sucre pour équilibrer les saveurs. Posez les jambonneaux égouttés sur la choucroute. Servez aussitôt, avec des pommes de terre vapeur.

travers de porc du Midwest
(ÉTATS-UNIS)

Les travers de porc sont très appréciés dans toute l'Amérique du Nord, accommodés de diverses façons : on les accompagne par exemple de choucroute au Canada et de pommes dans l'État de Pennsylvanie. Dans le Midwest (partie des États-Unis limitée par la frontière canadienne au nord, les Appalaches à l'est, la Louisiane au sud et les Rocheuses à l'ouest), ils sont cuisinés à l'aigre-doux, héritage des ouvriers chinois qui participèrent à la construction du chemin de fer.

POUR 4 PERSONNES

1 cuil. à soupe d'huile de tournesol (ou de saindoux)
1 oignon émincé
250 ml de ketchup
3 cuil. à soupe de sauce Worcestershire
2 cuil. à soupe de vinaigre de malt
2 cuil. à soupe de sucre en poudre
4 cuil. à soupe de jus de citron
2 cuil. à café de moutarde anglaise Colman's
1 cuil. à café de basilic séché
1 cuil. à café de piment en poudre
3 cuil. à soupe de persil ciselé
2 kg de travers de porc
Sel, poivre du moulin

Préchauffez le four à 230 °C (th. 7/8). Dans une casserole, chauffez l'huile (ou le saindoux) sur feu moyen. Faites-y revenir l'oignon 8 min, en remuant. Ajoutez le ketchup, la sauce Worcestershire, le vinaigre, le sucre, le jus de citron, la moutarde, 125 ml d'eau, le basilic, le piment et le persil. Mélangez bien. Portez à frémissements. Baissez le feu. Couvrez et laissez mijoter cette sauce 30 min sur feu doux.

Pendant ce temps, épongez les travers de porc avec du papier absorbant. Salez-les et poivrez-les. Disposez-les sur une grille placée au-dessus de la lèchefrite. Enfournez pour 30 min.

Ôtez du four. Baissez sa température à 150 °C (th. 5).

Videz la graisse contenue dans la lèchefrite, puis transférez-y les travers. Nappez-les de sauce. Enfournez-les de nouveau pour 1 h 30, en les arrosant régulièrement de sauce. Servez brûlant.

tourte aux pommes (ÉTATS-UNIS)

La tourte aux pommes *(apple pie)* fut probablement introduite sur le territoire des futurs États-Unis par les « Pères pèlerins » protestants qui y émigrèrent, débarquant du *Mayflower* en novembre 1620. Cet anniversaire, célébré chaque quatrième jeudi de novembre lors du Thanksgiving Day, est l'occasion privilégiée de déguster ce dessert fameux, parfumé de cannelle (Boston fut longtemps un des plus grands importateurs d'épices au monde). On utilise traditionnellement de la pâte brisée, mais vous pouvez la remplacer par de la pâte feuilletée.

POUR 4 PERSONNES

20 g de beurre mou pour la tourtière + 15 g de beurre
    en parcelles
2 pâtes brisées prêtes à cuire
1 kg de pommes
Le zeste râpé et le jus de 1 petit citron non traité
100 à 120 g de sucre en poudre (selon l'acidité des pommes)
    + 2 cuil. à café pour saupoudrer la pâte
1 cuil. à soupe de cannelle en poudre
½ cuil. à café de mélange d'épices à l'anglaise (ou 1 noix
    muscade râpée mélangée à 2 clous de girofle moulus)
1 blanc d'œuf légèrement battu

Beurrez une tourtière de 22 à 23 cm de diamètre. Garnissez-la avec une des deux pâtes en laissant le bord dépasser de 1 cm. Piquez le fond à la fourchette. Réservez au réfrigérateur le temps de poursuivre la recette.

Préchauffez le four à 200 °C (th. 6/7). Pelez et épépinez les pommes, coupez-les en fins quartiers. Dans une jatte, mélangez-les avec le zeste et le jus de citron, le sucre, la cannelle et les épices. Répartissez cette préparation sur le fond de pâte, puis parsemez-la du beurre en parcelles.

Humidifiez le bord de la pâte au pinceau, puis couvrez avec la seconde pâte recoupée à la bonne dimension. Pincez les bords entre vos doigts humides pour bien sceller la tourte. Rayez ce couvercle de pâte à la fourchette pour créer un dessin décoratif, puis entaillez-le régulièrement de quelques fentes pour permettre à la vapeur de s'échapper lors de la cuisson (vous pouvez découper les chutes de pâte en forme de feuille, cœur ou autre motif et les disposer joliment sur la tourte, en veillant à les humidifier).

Badigeonnez la surface au pinceau avec le blanc d'œuf, puis saupoudrez avec le sucre. Enfournez pour 40 min. Servez tiède ou tout juste refroidi.

petits pains sucrés au safran (SUÈDE)

Si le safran est d'emblée associé aux cuisines méditerranéenne et moyen-orientale, il est également utilisé en Europe du Nord, des Cornouailles anglaises à la Suède, notamment pour parfumer le pain et la pâtisserie. Ces petits pains sont préparés par les Suédois pour la Sainte-Lucie, fête de la Lumière célébrée le 13 décembre, et pour Noël.

POUR 30 PETITS PAINS

30 filaments (stigmates) de safran séchés (environ)
225 g de sucre en poudre
250 ml de lait + 2 cuil. à soupe pour dorer
200 g de beurre mou + 25 g pour la plaque
1 œuf entier battu + 1 jaune pour dorer
750 g de farine tamisée + 1 cuil. à soupe
    pour saupoudrer la pâte
14 g de levure du boulanger lyophilisée en poudre
½ cuil. à café de sel
50 g d'amandes effilées
100 g de raisins secs
100 g de zestes d'agrumes confits émincés

Dans une poêle antiadhésive, faites légèrement brunir le safran à sec, sur feu doux, en remuant. Réduisez-le en poudre dans un mortier avec 1 cuil. à café du sucre.

Faites tiédir le lait, puis mélangez-le avec le beurre et l'œuf battu.

Dans un saladier, mélangez la farine avec la levure, le sel et 1 cuil. à café du sucre. Incorporez-y peu à peu la préparation précédente en remuant avec une cuillère en bois, jusqu'à obtention d'une pâte lisse. Roulez-la en boule. Saupoudrez-la de farine. Couvrez d'un linge et laissez lever 2 h dans un endroit chaud, à l'abri des courants d'air.

Enfoncez le poing dans la pâte pour en chasser l'air, pétrissez-la rapidement, puis incorporez-y le reste du sucre, les amandes, les raisins secs et les zestes, en pétrissant toujours.

Détaillez la pâte en 30 pâtons et façonnez-les en forme de S. Déposez-les sur une plaque à pâtisserie beurrée, en les séparant bien les uns des autres. Couvrez d'un linge et laissez de nouveau lever. Préchauffez le four à 200 °C (th. 6/7).

Dans un bol, mélangez le jaune d'œuf avec 2 cuil. à soupe de lait. Badigeonnez les petits pains au pinceau avec ce mélange, puis enfournez-les pour 6 à 10 min. Laissez-les refroidir sur une grille avant de les déguster.

Christmas pudding
(GRANDE-BRETAGNE)

Au XVIe siècle, cette recette de Noël avait la consistance d'une bouillie et comprenait de la viande, des herbes et des prunes. Au fil du temps, la viande fut remplacée par de la graisse de rognon de bœuf, les prunes par des pruneaux et des raisins secs, et on ajouta des cerises, des zestes d'agrumes confits et des épices : ainsi naquit le *Christmas pudding* tel que les Britanniques le confectionnent aujourd'hui. Il se conserve très longtemps, jusqu'à un an au réfrigérateur.

POUR 3 PUDDINGS

250 g de farine à gâteaux (avec poudre levante incorporée)
250 g de graisse de rognon de bœuf très finement émincée
250 g de chapelure fraîche
250 g de zestes d'agrumes confits
Le zeste râpé de 1 citron non traité
125 g de cerises confites rincées, épongées et émincées
250 g de raisins secs de Corinthe
250 g de raisins secs de Smyrne
50 g d'amandes effilées
500 g de cassonade
3 cuil. à café de mélange d'épices à l'anglaise (voir page 135)
4 pincées de sel
6 œufs battus
300 ml de bière brune forte (type Guinness) ou de bière anglaise blonde légère (au choix)
4 cuil. à soupe de cognac ou de whisky
60 g de beurre mou pour les moules

En matière de piquant, le citron fait aussi bien qu'une épice pour dynamiser une recette.

Dans un saladier, mélangez la farine avec la graisse, la chapelure, les zestes confits et le zeste râpé, les cerises, les raisins, les amandes, la cassonade, les épices et le sel.

Dans une jatte, fouettez les œufs avec la bière, puis incorporez ce mélange et l'alcool choisi à la préparation précédente, en remuant vigoureusement : vous devez obtenir une pâte homogène.

Beurrez 3 moules à pudding (ou 3 terrines rondes) de 1 litre de contenance chacun(e), puis répartissez-y la pâte jusqu'à 5 cm du bord (elle va gonfler à la cuisson). Couvrez les moules de grands disques de papier sulfurisé, en les fixant au bord avec de la ficelle de cuisine.

Placez chaque moule dans une casserole plus large et plus haute, puis remplissez-les d'eau bouillante jusqu'à mi-hauteur du moule. Posez un couvercle hermétique sur chaque casserole. Laissez cuire 7 h sur feu moyen, en ajoutant un peu d'eau bouillante de temps en temps pour maintenir le niveau.

Enlevez les moules du bain-marie. Laissez refroidir. Remplacez les disques de papier sulfurisé par des neufs, en les ficelant toujours. Réservez au moins 6 semaines au réfrigérateur : les puddings n'en seront que meilleurs.

Avant de servir, réchauffez-les pendant 1 à 2 h au bain-marie afin de les déguster très chauds, éventuellement flambés au cognac, avec du *brandy butter* (beurre aromatisé au cognac).

riz au lait crémeux (GRÈCE)

Très onctueux, ce dessert délicat est parfumé de citron et de cannelle.

POUR 4 PERSONNES

150 g de riz rond
3 lanières de zeste de citron non traité
1 litre de lait
2 cuil. à café de farine de maïs
150 g de sucre en poudre
1 cuil. à café de cannelle en poudre

Dans une casserole à fond épais, mélangez le riz avec le zeste et le lait. Portez à frémissements sur feu doux à moyen. Laissez frémir 30 min.

Mélangez la farine et le sucre. Versez ce mélange dans la casserole. Mélangez bien. Poursuivez la cuisson 20 à 30 min sur feu doux : le riz doit être fondant, et la texture crémeuse.

Enlevez le zeste. Laissez refroidir. Saupoudrez de cannelle avant de servir, à température ambiante.

ginger beer (GRANDE-BRETAGNE)

Cette boisson désaltérante est très prisée des Anglo-Saxons pour sa saveur subtilement amère.

POUR 4,5 LITRES

5 cm de racine de gingembre râpée
325 g de sucre en poudre
25 g de crème de tartre (bitartrate de potassium)
Le zeste râpé et le jus de 1 citron
4,5 litres d'eau bouillante
25 g de levure à vin (en magasins spécialisés) ou
  de levure du boulanger lyophilisée en poudre

Dans un faitout, mélangez le gingembre, le sucre, la crème de tartre et le zeste de citron. Ajoutez le jus de citron et l'eau bouillante. Mélangez vigoureusement, puis laissez tiédir.

Dans un bol, délayez la levure dans un peu d'eau. Incorporez-la à la préparation précédente. Couvrez d'un linge et laissez fermenter 24 h au chaud.

Avec une écumoire, enlevez la mousse formée en surface de la préparation, puis filtrez-la. À l'aide d'un entonnoir, versez le liquide obtenu dans des bouteilles de bière stérilisées munies d'un bouchon hermétique à clapet métallique.

Réservez 2 jours au réfrigérateur avant de déguster, en surveillant de temps en temps les bouteilles : si la fermentation est trop rapide, débouchez-les et rebouchez-les.

chutney de pommes, dattes et noix (GRANDE-BRETAGNE)

Ce chutney agréablement piquant accompagne à merveille les viandes et le fromage.

POUR 6-8 BOCAUX DE 500 ML

500 g d'oignons émincés
1 kg de pommes pelées, épépinées et coupées en dés
750 g de dattes dénoyautées et émincées
75 g de noix finement concassées
1 cuil. à café de sel
1 cuil. à café de gingembre en poudre
1 cuil. à café de piment de Cayenne en poudre
600 ml de vinaigre de malt
250 g de cassonade

Mettez les oignons dans une grande casserole avec 100 ml d'eau. Portez à frémissements sur feu moyen. Laissez frémir 5 min. Ajoutez les pommes. Mélangez, baissez le feu et laissez mijoter 20 min sur feu doux, en remuant : les fruits doivent être très tendres.

Ajoutez les dattes, les noix, le sel, le gingembre, le cayenne et la moitié du vinaigre. Portez à ébullition sur feu moyen. Laissez réduire 20 min, en remuant souvent.

Ajoutez le reste de vinaigre et la cassonade. Mélangez jusqu'à dissolution complète de cette dernière, puis laissez réduire en remuant sans cesse pour que le chutney n'attache pas : vous devez obtenir une consistance épaisse.

Transvasez le chutney dans des bocaux stérilisés et fermez-les hermétiquement. Réservez à l'abri de la lumière et de la chaleur. Plus vous attendrez pour consommer ce condiment, plus il sera goûteux. Il peut se conserver jusqu'à 1 an.

mélange d'épices cajun
(ÉTATS-UNIS)

La cuisine des populations francophones de Louisiane recourt
à de nombreux mélanges d'épices et d'herbes aromatiques.
Ils sont généralement à base de piment, de poivre, de thym,
de sauge, d'origan et de *gumbo filé* (feuilles de sassafras séchées
et réduites en poudre, longtemps restées l'apanage des Indiens),
parfois de poudres d'ail et d'oignon. Les Cajuns en frottent
viandes, volailles et poissons plusieurs heures avant de procéder
à leur cuisson, pour mieux les aromatiser.

POUR 1 FLACON DE 100 ML

½ cuil. à soupe de piment en poudre
1 cuil. à soupe de poivre (noir ou blanc) du moulin
1 cuil. à soupe de graines de cumin grillées puis moulues
1 cuil. à soupe de thym séché émietté
1 cuil. à soupe d'origan séché émietté
½ cuil. à soupe de sauge séchée
½ cuil. à soupe de moutarde en poudre
½ cuil. à soupe de *gumbo filé* (facultatif)

Mélangez tous les ingrédients, puis réservez-les dans un flacon
stérilisé hermétiquement fermé. Ce mélange se conserve plusieurs
mois à l'abri de la lumière et de la chaleur.

quatre-épices à la française
(FRANCE)

En cuisine, les Français ont longtemps préféré les herbes
aromatiques séchées aux épices. Ce mélange est une
exception : on l'emploie pour parfumer la charcuterie (rillettes
et saucissons), ainsi que les terrines et pâtés. Dans cette recette
de base, le gingembre est souvent remplacé par de la cannelle.

POUR 1 FLACON DE 200 ML

125 g de poivre blanc du moulin
25 g de noix muscade râpée
25 g de gingembre en poudre
15 g de clous de girofle en poudre

Mélangez tous les ingrédients, puis réservez-les dans un flacon
stérilisé hermétiquement fermé. Utilisez sous 1 mois car, moulues,
les épices perdent de leurs flaveurs.

mincemeat (GRANDE-BRETAGNE)

Outre-Manche, cette garniture épicée est traditionnellement
utilisée pour les tartes, tartelettes et tourtes *(mince pies)* de
Noël. Elle est encore meilleure après au moins deux semaines
de maturation.

POUR 3 BOCAUX DE 500 ML

4 citrons non traités
375 g de pommes braeburn pelées, épépinées
    et coupées en fins quartiers
250 g de raisins secs de Málaga épépinés
250 g de raisins secs de Smyrne
250 g de raisins secs de Corinthe
250 g de zestes d'agrumes confits émincés
250 g de cassonade
1 pincée de sel
250 g de graisse de rognon de bœuf hachée
2 cuil. à café de mélange d'épices à l'anglaise (voir page 135)
    ou 1 cuil. à café de poivre de la Jamaïque en poudre
½ noix muscade râpée
½ cuil. à café de macis en poudre
½ cuil. à café de gingembre en poudre
100 ml de whisky, de cognac ou de rhum

Râpez les zestes des citrons. Réservez-les. Supprimez la peau
blanche qui recouvre les citrons en les pelant à vif, puis émincez-
les. Dans une casserole, faites-les cuire 10 min avec les pommes

Déclinant les couleu
du plus bel arc-en-cie
les épices s'offren
aux chaland
sur le march
d'Aix-en-Provence
en France

sur feu doux. Laissez refroidir, puis incorporez tous les raisins secs ainsi que les zestes (râpés et confits). Hachez finement le tout.

Transférez dans une jatte, puis ajoutez la cassonade, le sel, la graisse, le mélange d'épices (ou le poivre de la Jamaïque), la noix muscade, le macis, le gingembre et l'alcool choisi. Répartissez la préparation dans des bocaux stérilisés. Fermez hermétiquement. Réservez au frais, de 2 semaines à plusieurs mois, avant d'utiliser.

piccalilli (GRANDE-BRETAGNE)

Les Britanniques pratiquent la culture de la moutarde depuis des siècles, ses graines permettant de préparer nombre de condiments, comme le *piccalilli* : idéal pour conserver les légumes, il accompagne délicieusement les viandes froides et le fromage.

POUR 6 BOCAUX DE 700 ML

2,5 kg de légumes frais mélangés à parts égales (bouquets de chou-fleur, tomates vertes, concombres ou cornichons, courgettes, haricots verts, oignons, carottes, poivrons rouges et verts…), coupés en tout petits dés
425 g de gros sel
1 litre de vinaigre de vin blanc (ou de vinaigre de malt)
15 g de curcuma en poudre
25 g de poivre de la Jamaïque en poudre
25 g de moutarde en poudre
25 g de gingembre en poudre
175 g de sucre cristallisé
2 cuil. à soupe de Maïzena (fécule de maïs)

Répartissez les dés de légumes mélangés sur un grand plat creux. Couvrez-les du sel. Déposez un autre plat dessus, directement au contact du sel. Laissez dégorger 24 h.

Égouttez les légumes. Rincez-les avec soin, puis épongez-les dans un linge, en renouvelant ce dernier jusqu'à ce qu'il soit sec.

Réservez 25 ml du vinaigre et versez le reste dans une casserole. Ajoutez le curcuma, le poivre de la Jamaïque, la moutarde, le gingembre et le sucre. Mélangez sur feu doux jusqu'à dissolution du sucre. Ajoutez les légumes. Laissez-les cuire 10 min environ : ils doivent être cuits à cœur, mais sans se défaire.

Délayez la Maïzena dans le vinaigre réservé. Versez le tout dans la casserole. Portez à frémissements en remuant. Laissez frémir 3 min. Répartissez dans des bocaux stérilisés. Fermez hermétiquement. Attendez 6 semaines avant de déguster.

mélange d'épices à l'anglaise
(GRANDE-BRETAGNE)

Extrêmement aromatique, ce mélange est utilisé par les Britanniques depuis les Tudors, soit le XVe siècle. Il parfume les puddings aux fruits, le *mincemeat*, la garniture des *mince pies*, ainsi que les vins chauds et grogs. On le trouve prêt à l'emploi mais, en le confectionnant vous-même, vous pourrez équilibrer les saveurs à votre goût : ainsi, ajoutez 1 cuil. à café de gingembre si vous le souhaitez piquant, de cannelle si vous le désirez plus doux, ou de coriandre pour en citronner la flaveur.

POUR 1 FLACON DE 100 ML

1 cuil. à soupe de poivre de la Jamaïque en poudre
1 cuil. à café de noix muscade râpée
12 clous de girofle moulus
1 cuil. à café de macis en poudre
1 cuil. à café de gingembre, cannelle ou coriandre en poudre

Mélangez tous les ingrédients, puis réservez-les dans un flacon stérilisé hermétiquement fermé.

vinaigre pour pickles
(GRANDE-BRETAGNE)

Petits oignons ou jeunes légumes frais se conservent plusieurs mois quand ils sont plongés dans ce vinaigre judicieusement aromatisé d'épices apéritives. Outre ces pickles, on peut y conserver des fruits d'été, cerises ou prunes par exemple.

POUR 1 BOUTEILLE DE 1 LITRE

5 g de clous de girofle
5 g de morceaux de macis
5 g de baies de poivre de la Jamaïque
5 g de bâton de cannelle
Quelques grains de poivre noir
3 cm de racine de gingembre râpée
1 litre environ de vinaigre de malt (pour des légumes)
ou de vinaigre de cidre (pour des fruits)

Mettez les épices dans une bouteille stérilisée, puis remplissez-la du vinaigre. Bouchez hermétiquement. Laissez macérer 8 semaines, en remuant de temps en temps. Filtrez avant utilisation.

Si les épices exotiques n'ont jamais été le fort de la cuisine des antipodes, une évolution sensible se dessine depuis vingt ans, qui fait qu'Australiens et Néo-Zélandais comptent parmi les plus novateurs en matière d'épices et d'aromates.

La cuisine moderne des grandes îles du Pacifique doit beaucoup aux gastronomies thaïlandaise, malaise, indonésienne, chinoise et japonaise. Elle revendique également son héritage méditerranéen, relevant d'épices asiatiques certaines spécialités d'Europe du Sud – un style que l'on a subtilement qualifié de « méditerrasien ».

Les nouveaux cuisiniers d'Australie remettent aussi au goût du jour une tradition aborigène locale plurimillénaire. Ils ont redécouvert les baies du bush, les racines, les écorces, les graines et les feuilles utilisées par les peuplades indigènes pour relever une alimentation à base d'oiseaux et autres petits animaux.

C'est à Vic Cherikoff, directeur d'une société spécialisée dans les épices rares à Sydney, que l'on doit ce retour aux sources. Parmi les dizaines d'herbes, graines et épices qu'il a identifiées, la plus prisée est la graine d'acacia mûrier, l'une des rares graines comestibles de la nombreuse famille des acacias. Grillée et moulue, elle développe une saveur mi-noisetée, mi-chocolatée idéale pour parfumer des desserts comme la crème brûlée ou la crème glacée – aussitôt essayée, elle fut adoptée par les cordons-bleus australiens.

Cherikoff a retrouvé les feuilles de différentes espèces d'eucalyptus (il en existe plus de mille variétés) et de myrte ; certaines sentent le thym, le basilic ou la cannelle, tandis que d'autres se distinguent par leur parfum citronné. Lyophilisées, elles apportent aux plats une touche à la fois fraîche et piquante.

Il fallait un milieu très réceptif pour s'ouvrir à ces nouvelles saveurs. Or, voici une trentaine d'années, Australiens et Néo-Zélandais ne manifestaient encore aucune aspiration culinaire. Les grandes spécialités australiennes demeuraient la tourte et la bière, la boisson nationale. En Nouvelle-Zélande également, la bière coulait à flots. Or force est d'admettre que cette boisson n'évoque pas vraiment le raffinement gastronomique (sauf en Belgique, peut-être, où les délicieuses bières brassées dans les monastères rivalisent pour certaines avec les grands vins).

Puis, au cours des années 1970, les us alimentaires ont commencé à changer, à mesure que se développait la viticulture. Perpétuant une tradition qui remonte aux années 1880, époque où les premiers colons acclimatèrent des cépages européens dans la vallée de la Barossa, les viticulteurs australiens produisent aujourd'hui des vins frais et fruités, riches et denses. Plébiscités par les gourmets du monde entier, ils ont converti leurs compatriotes à la culture gastronomique qui accompagne tout bon cru. En quelques années, les Australiens ont pris l'habitude d'apporter du vin – au lieu du traditionnel pack de bières – lorsqu'ils sont invités.

Bœuf, agneau et fruits de mer

En Nouvelle-Zélande aussi, le développement de la viticulture a favorisé l'émergence d'un art culinaire original. Les Néo-Zélandais se sont aperçus que le sol et le climat de leurs îles se prêtaient parfaitement à la culture de cépages comme le sauvignon, qui donne d'excellents blancs. Les vins néo-zélandais se sont bâti une solide réputation internationale, même s'ils ne représentent encore qu'un très faible pourcentage de la production mondiale.

Pendant deux siècles, l'Australasie (ensemble formé par l'Australie et la Nouvelle-Zélande) a vécu sur les acquis culinaires hérités des premiers colons. En effet, pourquoi se lancer dans une cuisine compliquée lorsqu'on dispose à volonté des meilleures viandes de bœuf et d'agneau, sans parler des produits laitiers, des poissons et fruits de mer, des fruits et légumes ? À quoi bon s'échiner aux fourneaux en pleine chaleur estivale quand quelques crevettes ou brochettes grillées suffisent à se régaler ?

Les Australiens furent les premiers à se libérer du carcan européen. Dans les années 1970, les immigrants venus d'Océanie pour devenir commis dans la restauration offrirent à leur pays d'adoption l'art culinaire de leurs contrées d'origine. Parallèlement, les nouveaux aventuriers, les « routards », se mirent à écumer les marchés de Thaïlande et d'autres pays d'Asie du Sud-Est. Sensibles à l'exotisme culinaire qui émergeait chez eux, ils favorisèrent aussitôt sa diffusion.

Dans les contrées pauvres d'Asie, un dosage subtil d'épices permet de relever la fadeur du riz ou des nouilles. Mais, dans un

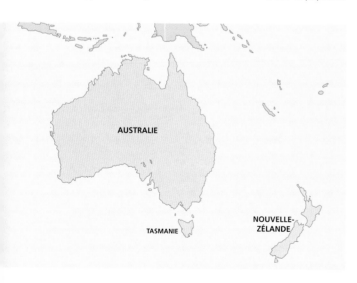

AUSTRALIE

TASMANIE

NOUVELLE-ZÉLANDE

es olives
eprésentent un
mportant secteur
activité en
ouvelle-Zélande.

pays richement doté par la nature comme l'Australie, les saveurs exotiques, alliées aux délicieux produits locaux, acquièrent une autre dimension. Grâce aux virtuoses des épices, les énormes crabes des palétuviers, les cigales raquettes et les écrevisses se sont parés d'un vernis nouvelle cuisine.

En Nouvelle-Zélande, la culture culinaire était réduite à sa plus simple expression, plus encore qu'en Australie. C'est alors que Corban's, l'un des plus grands producteurs de vin du pays, mobilisa tout le secteur de la restauration pour stimuler ses ventes, à la fois sur le marché néo-zélandais et outre-mer. La société lança un concours qui défiait les cuisiniers de créer des menus mettant ses vins en valeur. Du jour au lendemain, les restaurants se livrèrent une concurrence acharnée, encouragés par la clientèle…

La presse spécialisée, qui s'est fait l'écho de la manifestation, se félicite de l'évolution fulgurante de la cuisine néo-zélandaise, qu'elle explique par une soif de nouveauté et d'exotisme. À l'époque du concours, l'apparition de l'avocat sur le marché local était toute récente – aujourd'hui, le pays est l'un des plus grands producteurs d'huile d'avocat. Beaucoup d'étudiants, également, rêvent de faire un stage dans les établissements sélectionnés par le guide *Michelin*, quitte à travailler gratuitement et à dormir à la belle étoile…

La haute cuisine d'Australasie
En réalisant la fusion audacieuse des gastronomies anglo-saxonne, asiatique et méditerranéenne, tant sur le plan des techniques culinaires que sur celui de l'usage des épices, les cuisiniers des antipodes se sont forgé un renom international.

Ils n'aiment pourtant guère le terme de fusion et préfèrent parler d'inventivité, d'imagination – parfois à l'excès. Que dire de ce mélange pour le moins hasardeux de spécialités française, italienne et espagnole proposé en Nouvelle-Zélande : une assiette de poulet à la moutarde garni d'aubergines grillées et relevées de rouille ? Transgressant toutes les règles, le même menu propose une crème glacée à la tequila parfumée à la cannelle et au chocolat !

Mais les mélanges et les mariages peuvent aussi donner d'étonnants résultats, surtout entre les mains d'un maître comme

Peter Gordon. Après avoir fait ses premières armes à Sydney et à Wellington, ce Néo-Zélandais s'est installé à Londres, où il a acquis une renommée internationale. Depuis lors, il a encore franchi un cap en intégrant des produits espagnols à la nouvelle vague culinaire des antipodes.

Peter Gordon a été couvé par une grand-mère qui lui a inculqué l'amour des produits locaux, comme le *kumera* (une patate douce à la chair rouge-orange) ou le *kabocha* (une courge à la chair très dense). En observant les marchés thaïlandais, il a eu l'heureuse idée de rehausser leur consistance crémeuse avec de la citronnelle, des feuilles de combava, du basilic pourpre et du piment.

Greg Heffernan et Warwick Brown, pour leur part, ont préféré l'école des grands chefs français. Grâce à eux, la gastronomie néo-zélandaise a atteint un degré de raffinement sans précédent.

La révolution culinaire australienne bat son plein, menée par de grandes toques comme l'illustre David Thompson. Il a initié Sydney aux subtilités de la gastronomie thaïlandaise – on lui doit le meilleur ouvrage sur le sujet. Son restaurant londonien, le *Nahm*, s'est même vu décerner une étoile au *Michelin*. Quant à Tetsuya Wakuda, la star japonaise de la cuisine australienne, sa réputation mondiale n'est plus à faire.

Si la gastronomie évolue grâce à quelques grands noms et aux publications culinaires, elle s'adapte aussi aux produits nouveaux : fruits tropicaux d'Australie septentrionale, olives et huiles d'avocat de Nouvelle-Zélande, kiwi à pulpe jaune *(zespri)*.

Dans un pays où l'agneau, considéré comme la viande du pauvre, est indigne du menu d'un restaurant, il a fallu aux restaurateurs beaucoup d'ingéniosité pour transformer une viande jusqu'alors totalement dépréciée, le cerf (une véritable nuisance en Australasie), en un morceau de choix baptisé Cervena, puis pour créer de nouvelles recettes – plus appétissantes les unes que les autres – afin de l'accommoder.

Si bétail et gibier abondent dans ces contrées, poissons et fruits de mer ne manquent pas non plus. Aujourd'hui, toutefois, l'Australie et la Nouvelle-Zélande explorent de nouvelles richesses sous-marines. Les cuisiniers d'avant-garde s'intéressent ainsi à plusieurs espèces à la chair savoureuse inconnues dans d'autres régions du monde, tel l'hoplostète orange, découvert en eaux profondes en 1975. Ce poisson à la chair blanche, ferme et soyeuse est considéré comme le fin du fin.

À l'exception de quelques grands classiques, les recettes proposées dans les pages suivantes constituent un florilège de l'âge d'or de la cuisine d'Australasie. Elles reflètent l'influence de toute cette nouvelle génération de talentueux gastronomes et auteurs culinaires.

soupe marine aux wontons de homard (AUSTRALIE)

Voici une trentaine d'années, le plat national australien était une tourte à la viande et aux petits pois, et la cuisine tournait autour des ragoûts de pommes de terre hérités des premiers immigrants. Aujourd'hui, les restaurants les plus modernes du pays innovent en s'inspirant des cultures culinaires propres aux îles de la ceinture pacifique. La recette qui suit en est un parfait exemple.

POUR 4 PERSONNES

250 g de chair de homard (ou de crevettes) cuite et finement émincée
4 à 6 cébettes (oignons verts) finement émincées
2,5 cm de racine de gingembre râpée
16 à 20 carrés de pâte à wontons (rayon produits exotiques ou magasins asiatiques)

POUR LE BOUILLON DE POISSON

1 kg de têtes et d'arêtes de poisson blanc (turbot, sole ou congre, par exemple)
50 g de beurre
½ oignon émincé
1 blanc de poireau émincé
50 g de champignons émincés
400 ml de vin blanc sec
1 bouquet garni (quelques feuilles vertes de poireau, 1 brin de thym, 1 branche de persil, 1 feuille de laurier)
1 petit morceau de zeste d'orange séché
1 gousse de vanille fendue dans la longueur

POUR LA SOUPE

2 tomates émincées
1 carotte râpée
1 tige de céleri-branche finement émincée
1 blanc de poireau émincé
La tête et la carapace du homard (ou des crevettes) grossièrement mixées
5 ou 6 filaments (stigmates) de safran séchés

Préparez le bouillon de poisson. Couvrez les têtes et les arêtes de poisson d'eau froide à hauteur. Laissez-les tremper 3 h, puis égouttez-les et mixez-les grossièrement.

Dans un faitout, faites chauffer le beurre sur feu doux à moyen. Mettez-y à fondre l'oignon, le blanc de poireau et les champignons 10 min environ en remuant, sans les laisser colorer.

Ajoutez les têtes et les arêtes mixées, ainsi que le vin blanc. Laissez réduire aux deux tiers sur feu vif. Ajoutez 1,5 litre d'eau. Portez à ébullition en écumant régulièrement. Baissez le feu. Ajoutez le bouquet garni, le zeste d'orange et la gousse de vanille. Couvrez. Laissez frémir 20 min sur feu moyen, puis filtrez ce bouillon au travers d'une passoire très fine.

Préparez la soupe. Dans une grande casserole, mélangez tous ses ingrédients (sauf le safran) avec le bouillon de poisson. Portez à frémissements sur feu moyen. Laissez frémir 20 min à couvert. Filtrez. Remettez sur feu très doux.

Mettez le safran dans un bol. Ajoutez 2 cuil. à soupe d'eau bouillante. Écrasez bien avec le dos d'une cuillère. Laissez infuser 10 min, puis incorporez à la soupe.

Dans une jatte, mélangez la chair de homard (ou de crevettes) avec les cébettes et le gingembre. Déposez 1 cuil. à café de cette préparation sur chaque carré de pâte à wontons. Repliez en deux, puis scellez en pressant fortement entre vos doigts humides.

Faites pocher les wontons farcis 3 min dans la soupe juste frémissante. Répartissez dans 4 bols et servez, très chaud.

beurre au wasabi et aux oursins (AUSTRALIE)

Le Japonais Tetsuya Wakuda est considéré comme un des chefs cuisiniers les plus novateurs à travers le monde. Il exerce son art à Sydney, capitale de la Nouvelle-Galles du Sud, sur la côte pacifique de l'Australie. Les ingrédients qu'il utilise fédèrent les gastronomies orientale et occidentale. Son beurre aromatisé fait merveille, coupé en fines rondelles, sur du poisson, des blancs de volaille ou des côtes de veau grillés. C'est également la garniture privilégiée du *hijiki*, recette japonaise à base d'algues alimentaires mélangées à du concombre et du gingembre râpés.

POUR 4 PERSONNES

5 cuil. à café de wasabi (en poudre ou en pâte)
250 g de beurre mou en parcelles
50 g de corail d'oursins frais ou en boîte *(erizos de mar)*
2 cuil. à soupe de sauce soja claire
2 cuil. à café de jus de citron
1 pincée de piment en poudre
2 cuil. à soupe de cives (ciboules) finement ciselées
2 cuil. à soupe de feuilles d'estragon finement ciselées
1 pincée de feuilles de thym

Mélangez tous les ingrédients au robot ménager, à vitesse lente. Disposez la préparation sur du film alimentaire, puis formez un rouleau en serrant bien. Enlevez le film et enveloppez le rouleau dans du papier sulfurisé. Réservez au congélateur jusqu'à utilisation.

croquettes de patates douces
(NOUVELLE-ZÉLANDE)

Pour parfaire leur apprentissage, les chefs néo-zélandais partent très souvent faire des stages chez leurs confrères européens les plus renommés, français notamment.

Aujourd'hui, les jeunes cuisiniers visitent également les marchés du Sud-Est asiatique pour en rapporter les épices et aromates dont ils accommoderont les produits typiques de Nouvelle-Zélande, comme l'agneau, la venaison (chair comestible du gros gibier à poil : chevreuil, cerf, daim...), des légumes tels que le *kumera* (variété de patate douce rouge-orange) et le *kabocha* (sorte de courge à la chair très dense).

Un des plus fameux interprètes de cette partition culinaire se nomme Peter Gordon. Après s'être illustré à Sydney, en Australie, puis à Wellington, en Nouvelle-Zélande, il fait aujourd'hui valoir son talent à Londres. Cette recette est adaptée d'une de ses créations.

POUR 8 CROQUETTES

500 g de patates douces râpées
250 g de carottes râpées
1 oignon très finement émincé
1 œuf battu
1 cuil. à soupe de farine + 2 cuil. à soupe pour le plan de travail
1 cuil. à café de piment en poudre
2 cuil. à soupe de graines de coriandre grillées et moulues
1 cuil. à soupe de graines de cumin grillées et moulues
Sel, poivre du moulin
3 cuil. à soupe d'huile d'arachide (ou de tournesol)

Préchauffez le four à 180 °C (th. 6). Enveloppez les patates douces, les carottes et l'oignon dans un linge, puis serrez-le fortement aux deux extrémités pour évacuer un maximum de leur eau de végétation. Mélangez-les ensuite avec l'œuf, la farine, le piment, la coriandre, le cumin, du sel et du poivre.

Sur le plan de travail fariné, façonnez 8 boules avec la préparation précédente, puis aplatissez-les légèrement du plat de la main.

Dans une poêle antiadhésive, faites chauffer 2 cuil. à soupe d'huile sur feu moyen à vif. Dorez-y les croquettes 2 min de chaque côté.

Déposez-les côte à côte dans un plat à four huilé, puis enfournez-les pour 15 min environ : elles doivent être cuites à cœur.

spaghettinis au crabe, piment et citron vert (AUSTRALIE)

Cette recette originale allie les cultures culinaires d'Europe et d'Asie en mêlant les pâtes à une sauce au crabe très relevée.

POUR 2-3 PERSONNES

200 g de spaghettinis (spaghettis très fins), spaghettis ou autres pâtes très fines (tagliolinis, fedelinis, bucatinis...)
Gros sel
150 g de chair de crabe cuite
1 piment rouge frais très finement émincé
Le zeste râpé et le jus de 2 citrons verts
1 gousse d'ail finement émincée
6 cébettes (oignons verts) émincées dans la diagonale
4 branches de persil plat effeuillées et finement ciselées
2 cuil. à soupe d'huile d'olive
Sel fin, poivre du moulin

Faites cuire les pâtes à l'eau bouillante salée selon les indications portées sur l'emballage, en les gardant « al dente ».

Émiettez grossièrement la chair de crabe en éliminant les éventuels cartilages. Dans un saladier, mélangez-en les quatre cinquièmes avec tous les autres ingrédients.

Égouttez rapidement les pâtes. Ajoutez-les au contenu du saladier. Mélangez bien, rectifiez l'assaisonnement, puis surmontez du reste de crabe. Servez sans attendre.

soupe de carottes au safran
(AUSTRALIE)

Aussi séduisante qu'inattendue, cette soupe froide, inspirée des cuisines méditerranéenne et japonaise, est particulièrement savoureuse.

POUR 4 PERSONNES

500 g de carottes finement émincées
1 oignon finement émincé
1 blanc de poireau finement émincé
2 tiges de céleri-branche finement émincées
1,25 litre de bouillon de volaille
1 cuil. à soupe de sauce soja claire
30 filaments (stigmates) environ de safran séchés
150 ml de lait de soja
Sel, poivre du moulin
Quelques feuilles de persil, de coriandre ou de menthe
ciselées pour le décor

Chauffez une sauteuse antiadhésive à sec, sur feu doux à moyen. Faites-y suer les carottes, l'oignon, le blanc de poireau et le céleri en remuant jusqu'à ce qu'ils prennent couleur (veillez à ne pas les laisser noircir).

Ajoutez le bouillon et la sauce soja. Portez à frémissements, puis laissez frémir 15 min.

Dans un bol, mélangez le safran avec 1 petite louchée du bouillon, en l'écrasant avec le dos d'une cuillère. Laissez reposer quelques minutes, le temps que le safran développe couleur et arôme, puis incorporez-le au contenu de la sauteuse.

Mixez le tout en purée, en ajoutant éventuellement un peu d'eau : la soupe doit être très fluide. Laissez-la refroidir, puis incorporez le lait de soja et rectifiez l'assaisonnement.

Réservez au réfrigérateur jusqu'au moment de servir, décoré des herbes de votre choix.

compotée de chou rouge
(AUSTRALIE)

Les immigrants ont tout naturellement façonné la cuisine australienne, que ce soient les Chinois, venus travailler dans les mines d'or, ou les Européens, qui plantèrent les premières vignes. Parmi ces derniers, les Allemands, arrivés vers 1830, apportèrent avec eux une délicieuse épice d'Europe centrale : le carvi.

POUR 4 PERSONNES

1 chou rouge débarrassé de ses grosses côtes et émincé
2 cuil. à soupe d'huile d'olive
150 g de bacon fumé finement émincé
20 g de raisins secs
2 cuil. à soupe de cassonade
2 cuil. à café de graines de carvi
3 cuil. à soupe de vinaigre de vin blanc
200 ml de vin blanc sec
1 cuil. à soupe de Maïzena (fécule de maïs)
Sel, poivre du moulin

Préchauffez le four à 150 °C (th. 5). Faites blanchir le chou 4 min à l'eau bouillante. Égouttez-le et rincez-le à l'eau froide.

Dans une cocotte à fond épais allant au four, chauffez l'huile sur feu moyen. Faites-y revenir le bacon en remuant, sans le laisser brunir. Ajoutez le chou. Mélangez bien.

Ajoutez les raisins secs, la moitié de la cassonade, le carvi et le vinaigre. Remuez 2 min, puis couvrez et enfournez pour 1 h.

Incorporez le reste de cassonade et le vin. Enfournez de nouveau pour 30 min.

Délayez la Maïzena dans 1 cuil. à soupe d'eau froide, puis incorporez-la au contenu de la cocotte. Rectifiez l'assaisonnement en sel, poivrez. Vérifiez la cuisson : si le chou ne vous semble pas suffisamment fondant, prolongez-la de 30 min. Cette compotée est encore meilleure préparée la veille.

tartare de thon au chèvre
(AUSTRALIE)

Pour surprenante qu'elle soit, l'alliance du thon cru et du fromage de chèvre est une réussite ! Dans cette recette inspirée du *sashimi* japonais, le thon, qui doit être d'une grande fraîcheur, est finement haché : utilisez un couteau à lame large bien aiguisé.

POUR 4 PERSONNES EN AMUSE-BOUCHE

250 g de thon rouge coupé en tout petits dés
75 g de chèvre frais grossièrement émietté
2 filets d'anchois à l'huile égouttés et émincés
2,5 cm de racine de gingembre râpée
2 cuil. à café de sauce soja claire
1 cuil. à café de *mirin* (vin de riz japonais) ou de xérès doux
1 gousse d'ail très finement émincée
1 pointe de couteau de piment en poudre
1 pincée de sel, poivre du moulin
Quelques brins de ciboulette et feuilles de roquette
   (ou de cresson) pour le décor

Dans une jatte, mélangez tous les ingrédients. Couvrez de film alimentaire. Réservez le tartare au réfrigérateur jusqu'au moment de le servir, dans 4 coupelles, décoré de la ciboulette et de la roquette (ou du cresson).

venaison Cervena
(NOUVELLE-ZÉLANDE)

Depuis toujours, les Néo-Zélandais ont à leur disposition des viandes d'excellente qualité pour leur consommation quotidienne. Mais ce n'est qu'en 1990 que les restaurateurs commencèrent à les préparer de manière raffinée et inventive, lorsque Corban's, l'un des plus gros producteurs de vin du pays, organisa un concours destiné à récompenser les chefs qui trouveraient les meilleurs accords mets-vins.

Si l'agneau était déjà au menu, y introduire la venaison était audacieux : les cervidés sauvages (cerfs, chevreuils, daims), qui dénudaient le flanc des coteaux pour se nourrir et allaient jusqu'à dévaster les jardins privés, étaient alors considérés comme nuisibles. Les fermiers les plus entreprenants du nord de l'île relevèrent le défi en les domestiquant pour en faire l'élevage.

Afin de convaincre les restaurateurs néo-zélandais de cuisiner cette viande savoureuse et leurs clients de la déguster, les producteurs créèrent un label garantissant l'origine et la qualité de leur venaison. Ils lui donnèrent le nom de Cervena, combinant le terme latin *cervidea* (« cervidés ») à l'anglais *venison* (« venaison »).

filet de chevreuil au poivre

Pour conserver toute sa tendreté et délivrer le meilleur de son goût, la chair du chevreuil doit être rose à cœur après cuisson.

POUR 2 PERSONNES

1 cuil. à soupe de grains de poivre noir
400 g de filet de chevreuil (de préférence labellisé Cervena)
   découpé en deux morceaux cylindriques de 12 cm de long
   et 4 cm de diamètre environ
2 cuil. à soupe d'huile d'avocat (ou d'olive)
2 cuil. à soupe de bouillon de bœuf (ou de volaille)
1 cuil. à soupe de sauce soja
20 g de beurre
Sel

Mettez les grains de poivre dans un sac en plastique alimentaire. Concassez-les finement avec un maillet ou un rouleau à pâtisserie (vous pouvez utiliser du poivre mignonnette, déjà concassé, mais vous n'obtiendrez pas la même intensité de flaveur).

Roulez les morceaux de filet dans le poivre (réservez-en 3 pincées) en pressant bien pour le faire adhérer de tous côtés. Enveloppez-les de film alimentaire. Réservez-les jusqu'à 12 h au réfrigérateur.

Préchauffez le four à 200 °C (th. 6/7). Dans une poêle à fond épais allant au four (avec queue amovible), chauffez l'huile sur feu moyen à vif. Faites-y revenir les morceaux de filet 2 à 3 min de chaque côté, puis enfournez pour 8 min. Ôtez la poêle du four et couvrez-la hermétiquement. Laissez reposer la viande 15 min environ, puis coupez-la en tranches fines, déposez-la sur le plat de service chaud et couvrez-la de papier d'aluminium le temps de faire la sauce.

Dans la poêle de cuisson, faites chauffer le bouillon avec le poivre réservé et la sauce soja, sur feu moyen, en grattant bien le fond à la spatule pour dissoudre les sucs. Ajoutez le beurre en fouettant. Rectifiez l'assaisonnement en sel (la sauce soja est déjà salée). Nappez la viande de cette sauce et servez, avec du *kumera* (variété de patate douce rouge-orange) et du *kabocha* (sorte de courge à la chair très dense), ou avec des légumes verts.

marinades (AUSTRALASIE)

La nouvelle cuisine d'Australasie aime les marinades épicées, que ce soit pour la viande (poulet, canard, agneau...) ou pour le poisson (morue, saumon...). Les recettes aromatiques proposées ici reflètent les goûts éclectiques du chef Peter Gordon, pionnier en la matière, qui utilise souvent du paprika fumé espagnol pour sa saveur rappelant celle du... bacon. Elles permettent de faire mariner environ 1 kilo de chair.

marinade au paprika fumé et au romarin

2 cuil. à soupe de paprika fumé espagnol
1 cuil. à soupe d'aiguilles de romarin finement émincées
½ oignon finement émincé
150 ml d'huile d'olive
1 bonne pincée de sel, 2 ou 3 tours de moulin à poivre

Dans une jatte, mélangez tous les ingrédients. Mettez-y à mariner des morceaux de viande, de volaille ou de poisson pendant 12 h, à couvert, dans le réfrigérateur. Égouttez-les avant de les faire griller, rôtir ou frire.

marinade au yaourt

Cette recette est dérivée des marinades indiennes à base de yaourt. Pour en varier la saveur, vous pouvez y ajouter, par exemple, des graines de fenouil, de cumin ou de carvi, et augmenter la quantité d'herbes aromatiques utilisées (menthe, coriandre ou persil).

400 ml de yaourt brassé (environ)
Les graines de 6 gousses de cardamome grillées et moulues
1 cuil. à soupe de graines de coriandre grillées et moulues
5 cm de racine de gingembre râpée
1 bonne pincée de sel, 2 ou 3 tours de moulin à poivre
2 branches de coriandre, de menthe ou de persil effeuillées et grossièrement ciselées

Dans une jatte, mélangez tous les ingrédients. Ajoutez-y des cuisses de poulet, des cubes de porc ou des lamelles de poisson. Mélangez pour bien les enrober, puis laissez-les mariner 12 h, à couvert, dans le réfrigérateur. Égouttez-les bien avant de les faire griller, rôtir ou frire.

marinade au cumin, au thym et au sirop d'érable

Une audacieuse et merveilleuse alliance de goûts, qui unit les flaveurs de l'Inde à celles de la garrigue méditerranéenne et des profondes forêts canadiennes.

2 cuil. à café de graines de cumin grillées et moulues
2 cuil. à café de feuilles de thym frais ciselées (ou de thym séché émietté)
125 ml d'huile d'olive
2 cuil. à soupe de vinaigre balsamique (ou de vinaigre de cidre)
1 cuil. à soupe de sirop d'érable (ou de miel liquide)
1 bonne pincée de sel

Dans une jatte, mélangez tous les ingrédients en fouettant jusqu'à homogénéité. Badigeonnez-en généreusement des morceaux de canard ou de poulet, puis enveloppez-les de film alimentaire et réservez-les 12 h au réfrigérateur. Le sirop d'érable (ou le miel) contenu dans la marinade permet à la volaille de délicieusement caraméliser lors de la cuisson – au four, sur le gril ou au barbecue.

biscuits Lamington (AUSTRALIE)

Très appréciée par les Australiens, la vanille est aujourd'hui une des épices qu'ils utilisent le plus pour parfumer leurs desserts. Dont celui-ci, création australienne par excellence, célébrant le second baron Lamington, qui devint gouverneur de l'État du Queensland en 1896. Ces biscuits moelleux sont glacés de chocolat avant d'être roulés dans de la noix de coco.

POUR 12 BISCUITS

200 g de beurre mou
150 g de sucre en poudre
3 œufs
1 cuil. à café d'extrait de vanille liquide
75 g de farine tamisée
1 cuil. à café de levure chimique
125 ml de lait
150 g de farine à gâteaux (avec poudre levante incorporée)
100 g de noix de coco râpée (fraîche ou séchée)

POUR LE GLAÇAGE AU CHOCOLAT
200 g de sucre glace
5 cuil. à soupe de cacao en poudre non sucré
25 g de beurre mou
1 cuil. à café d'extrait de vanille liquide

Préchauffez le four à 150 °C (th. 5). Dans un saladier, fouettez le beurre et le sucre jusqu'à consistance crémeuse. Incorporez 2 œufs, un par un, en fouettant bien, puis la vanille, la farine tamisée et la levure. Ajoutez le lait, la farine à gâteaux, puis le dernier œuf, en mélangeant jusqu'à obtention d'une pâte lisse.

Versez la pâte dans un moule de 20 × 15 cm. Enfournez pour 30 min environ : une lame de couteau piquée au centre du gâteau doit ressortir sèche. Démoulez sur une grille et laissez refroidir.

Préparez le glaçage au chocolat. Dans une jatte placée sur un bain-marie frémissant, mélangez le sucre, le cacao, le beurre et la vanille avec quelques cuillerées à soupe d'eau bouillante, jusqu'à consistance lisse.

Découpez le gâteau en 12 biscuits. Nappez-les du glaçage de tous côtés, puis laissez-les refroidir sur une grille. Juste avant de servir, roulez-les dans la noix de coco râpée.

desserts à la graine d'acacia (AUSTRALIE)

Grillée et moulue, la graine d'acacia mûrier développe une saveur très riche, rappelant à la fois le chocolat et la noisette. Utilisée par les Aborigènes depuis six mille ans, elle n'est apparue que récemment sur les cartes des restaurants de l'île : les chefs rehaussent leurs desserts de sa flaveur exceptionnelle.

crème glacée à l'acacia

POUR 4 PERSONNES

500 ml de lait
175 g de sucre en poudre
4 jaunes d'œufs battus
1 cuil. à soupe de graines d'acacia mûrier grillées et moulues
   (le mélange est vendu sous le nom de *wattle seed*)
250 ml de crème double

Dans une casserole, faites chauffer le lait avec le sucre en poudre sur feu moyen, en remuant jusqu'à dissolution du sucre et en veillant à ne pas laisser bouillir. Versez le tout en filet sur les jaunes battus, en fouettant jusqu'à homogénéité.

Reversez dans la casserole, puis ajoutez l'acacia. Faites épaissir 5 à 10 min sur feu doux, sans cesser de remuer.

Ôtez du feu. Laissez reposer 15 min, puis incorporez la crème en fouettant. Versez la préparation dans une sorbetière, puis laissez prendre en glace selon les indications portées sur la notice de l'appareil.

À défaut de sorbetière, versez la préparation dans un grand moule, sur 2 à 3 cm d'épaisseur. Placez au congélateur pour au moins 6 h, en brisant les cristaux qui se forment à la fourchette toutes les 30 min, ou en mixant la glace toutes les heures : elle doit avoir une consistance parfaitement lisse.

crème brûlée à l'acacia

POUR 4 PERSONNES

425 ml de crème double
5 gouttes d'extrait de vanille liquide
6 jaunes d'œufs
1 cuil. à soupe de sucre en poudre
4 cuil. à soupe de graines d'acacia mûrier grillées et moulues
   (le mélange est vendu sous le nom de *wattle seed*)
65 g de cassonade

Dans une casserole, mélangez la crème et la vanille. Déposez dans un bain-marie juste frémissant. Laissez chauffer doucement.

Dans une jatte, fouettez les jaunes avec le sucre en poudre jusqu'à blanchiment. Incorporez délicatement le tout à la crème vanillée. Ajoutez l'acacia. Laissez épaissir 5 à 6 min, en remuant sans cesse et en veillant à ne pas laisser bouillir. Versez la préparation dans 4 ramequins. Laissez refroidir. Réservez 2 h environ au réfrigérateur.

Allumez le gril du four. Saupoudrez uniformément les crèmes de cassonade. Placez les ramequins dans la lèchefrite à moitié remplie d'eau glacée, puis faites caraméliser sous le gril en surveillant la coloration de la crème. Remettez au réfrigérateur jusqu'au moment de servir.

doigts sablés à l'acacia

POUR 4 PERSONNES

250 g de beurre mou
125 g de sucre en poudre
2 cuil. à soupe de graines d'acacia mûrier grillées et moulues
   (le mélange est vendu sous le nom de *wattle seed*)
350 g de farine tamisée
75 g de farine de riz

Préchauffez le four à 180 °C (th. 6). Dans une jatte, mélangez le beurre, le sucre et l'acacia, puis incorporez les deux farines.

Versez la pâte obtenue sur une plaque à pâtisserie couverte de papier sulfurisé. Couvrez-la de papier sulfurisé et pressez avec la paume de la main pour l'étaler sur 1 cm d'épaisseur. Enlevez le papier supérieur, puis quadrillez la surface au couteau. Enfournez pour 30 min.

Dès la sortie du four, coupez le sablé en baguettes de l'épaisseur d'un doigt. Laissez-les refroidir sur une grille. Conservez-les dans une boîte hermétiquement fermée.

pavlova (AUSTRALASIE)

Aussi appréciée en Australie qu'en Nouvelle-Zélande, cette meringue aérienne a été créée en l'honneur d'Anna Pavlova (1881-1931), célèbre danseuse russe adorée du public australien au début du xxe siècle. Vous pouvez remplacer les fraises par des kiwis, des fruits de la Passion ou des bananes.

POUR 4-6 PERSONNES

4 blancs d'œufs
1 pincée de sel
225 g de sucre en poudre
2 cuil. à café d'extrait de vanille liquide
1 cuil. à café de vinaigre de vin blanc (ou de jus de citron)
1 cuil. à café de Maïzena (fécule de maïs) tamisée
200 ml de crème fraîche épaisse très froide
500 g de fraises équeutées

Préchauffez le four à 140 °C (th. 4/5). Dans une jatte, fouettez les blancs en neige assez ferme avec le sel, puis incorporez peu à peu la moitié du sucre, en fouettant jusqu'à consistance très ferme. Incorporez la moitié de la vanille, le vinaigre (ou le jus de citron), la Maïzena, puis le reste de sucre, en soulevant la masse à la spatule.

Tapissez un moule à manqué à bord haut de papier sulfurisé. Versez-y la préparation précédente. Enfournez pour 1 h à 1 h 15, jusqu'à ce que la meringue prenne couleur. Laissez-la refroidir dans le four éteint, puis réservez-la 12 h au réfrigérateur.

Avant de servir, démoulez délicatement la meringue et coupez-la en deux dans l'épaisseur. Fouettez la crème avec le reste de vanille jusqu'à consistance légère et mousseuse. Répartissez-en les deux tiers sur la base de la meringue et couvrez de la moitié supérieure. Décorez avec le reste de crème dans lequel vous piquerez joliment les fraises.

cocktail de vodka à la mangue et au gingembre
(NOUVELLE-ZÉLANDE)

Les Néo-Zélandais raffolent de ce cocktail original, qui réunit trois continents : la saveur douce de la betterave d'Europe centrale y épouse celle, sucrée et finement acidulée, de la mangue tropicale, les deux vivement dynamisées par le piquant du gingembre asiatique.

POUR 4 PERSONNES

100 ml de vodka
Le jus de 1 grosse betterave crue
Le jus de 2 mangues bien mûres
Le jus de 5 cm de racine de gingembre
Le zeste râpé de ½ citron vert
Quelques cubes de glace

Mélangez la vodka et tous les jus dans un shaker, puis ajoutez le zeste et quelques cubes de glace. Secouez vigoureusement pour homogénéiser et refroidir le cocktail, puis répartissez-le dans 4 verres en le filtrant. Ajoutez 1 ou 2 cubes de glace et servez.

biscuits Anzacs (AUSTRALASIE)

Un des épisodes les plus dramatiques de l'histoire australienne se situe lors de la Grande Guerre de 1914-1918, quand les soldats australiens partirent combattre à Gallipoli, dans les Dardanelles, en Turquie. Rejoints par les soldats néo-zélandais, ils furent appelés les Anzacs (abréviation de « Australian and New Zealand Army Corps »). Pour maintenir le moral des troupes, les familles leur faisaient parvenir ces biscuits.

POUR 20 BISCUITS ENVIRON

150 g de farine tamisée
225 g de flocons d'avoine
2 cuil. à café de gingembre en poudre
1 pincée de sel
225 g de noix de côco râpée séchée
200 g de cassonade
125 g de beurre + 30 g pour les plaques
1 cuil. à café de mélasse raffinée
1 cuil. à café de bicarbonate de soude délayé
      dans 1 cuil. à soupe d'eau bouillante

Préchauffez le four à 180 °C (th. 6). Dans une jatte, mélangez la farine, les flocons d'avoine, le gingembre, le sel, la noix de coco et la cassonade.

Dans une petite casserole, faites fondre le beurre sur feu doux. Hors du feu, incorporez-y la mélasse, puis le bicarbonate délayé. Incorporez ce mélange à la préparation précédente.

Beurrez deux plaques à pâtisserie puis, avec une petite cuillère, déposez-y des petits tas de pâte en les espaçant bien. Enfournez pour 12 min environ. Procédez en deux fournées.

pickles d'aubergines épicées
(AUSTRALIE)

La « reine des épices » de Sydney est sans conteste
Christine Manfield, une des restauratrices les plus innovantes
d'Australie. Également auteur à succès, elle s'est notamment
distinguée avec *Spice Paramount Cooking*, du nom de son
enseigne, le *Paramount*. Cette recette est inspirée d'une
de celles que propose le livre.

POUR 2 BOCAUX DE 500 ML ENVIRON

2 piments oiseaux séchés
½ oignon finement émincé
2 gousses d'ail émincées
2,5 cm de racine de gingembre râpée
2 cuil. à café de curcuma en poudre
5 cuil. à soupe d'huile d'arachide (ou de tournesol)
500 g de petites aubergines coupées en tranches
    de 1 cm d'épaisseur
150 ml de vinaigre de vin (ou de vinaigre de cidre)
100 g de sucre de palme (*jaggery*) ou de cassonade
1 cuil. à soupe de graines de moutarde brunes grillées
Le jus de 1 citron vert
1 cuil. à soupe de *garam masala* (voir page 31)
Huile d'olive pour couvrir

Mettez les piments dans un bol et couvrez-les d'eau bouillante
à hauteur. Laissez-les tremper 30 min. Égouttez-les, puis émincez-
les. Mettez-les dans un mixeur avec l'oignon, l'ail, le gingembre,
le curcuma et l'huile d'arachide (ou de tournesol). Mixez jusqu'à
consistance pâteuse.

Faites revenir la pâte obtenue dans un wok, 1 à 2 min sur feu
moyen, en remuant. Ajoutez les tranches d'aubergine. Laissez cuire
5 min, en remuant de temps en temps (procédez à côté d'une
fenêtre ouverte : le dégagement de vapeur est important).

Incorporez le vinaigre et le sucre. Poursuivez la cuisson en
remuant jusqu'à épaississement.

Hors du feu, incorporez les graines de moutarde, le jus de
citron et le *garam masala*.

Répartissez la préparation obtenue dans des bocaux stérilisés.
Couvrez avec un filet d'huile d'olive, puis fermez hermétiquement.
Réservez au moins 2 mois au réfrigérateur avant de déguster, avec
des recettes indiennes ou asiatiques.

sauce pimentée sucrée-salée
(AUSTRALIE)

Les Australiens ont adopté ce condiment très fort
pour agrémenter la plupart des recettes relevant
de leur nouvelle cuisine.

POUR 2 FLACONS DE 250 ML ENVIRON

100 g de piments oiseaux séchés
100 g de pulpe de tamarin séchée
2 ou 3 piments rouges frais finement émincés
2 oignons finement émincés
2 gousses d'ail émincées
4 cuil. à soupe d'huile d'olive + un peu pour couvrir
100 g de sucre de palme (*jaggery*) ou de cassonade

Mettez les piments dans un bol et couvrez-les d'eau bouillante à
hauteur. Laissez-les tremper 30 min. Égouttez-les, puis émincez-les.

Mettez la pulpe de tamarin dans un bol et couvrez-la de
100 ml d'eau bouillante. Laissez-la tremper 30 min. Égouttez-la
au travers d'une passoire fine, au-dessus d'une jatte, en pressant
bien avec le dos d'une cuillère pour exprimer un maximum de jus.

Mixez tous les piments, les oignons et l'ail avec l'huile jusqu'à
consistance pâteuse.

Dans une poêle, faites épaissir la préparation précédente
30 min environ sur feu très doux, en remuant de temps en
temps et en veillant à ne pas laisser brunir. Ajoutez le jus de
tamarin et le sucre (ou la cassonade). Couvrez. Poursuivez la
cuisson 30 min environ sur feu très doux, toujours en remuant
souvent et sans laisser colorer.

Répartissez dans des flacons stérilisés. Couvrez avec 1 filet
d'huile, puis fermez hermétiquement. Réservez au moins 2 mois
au réfrigérateur avant utilisation.

les aromates essentiels /

Les deux aromates essentiels en cuisine, le sucre et le sel, sont ici considérés comme des épices.

Le sucre

Extrait de la betterave ou de la canne à sucre, le sucre est généralement vendu sous forme raffinée, soit en cristaux (sucre cristallisé), soit en grains (sucre semoule), soit en poudre très fine (sucre glace). Si le sucre raffiné demeure le principal édulcorant de la gastronomie occidentale, sa saveur ne peut rivaliser avec celle du sirop de palme,

du sirop d'érable ou des délicats miels distillés aux quatre coins du monde. Plusieurs produits peuvent remplacer le sucre en cuisine.

La mélasse de la Barbade Cette substance brune non raffinée, à la saveur intense et affirmée, nous vient de l'île de la Barbade, aux Antilles. Dans les plats d'Asie du Sud-Est, elle se substitue avantageusement au sirop de palme (voir ci-dessous).

Le sucre Demerara Cette spécialité guyanaise allie cassonade (sucre brun brut) et gros cristaux de sucre raffiné.

Le sirop d'érable Ce sirop épais de couleur sombre, au goût de noisette, est un concentré de sève d'érable canadien obtenu par ébullition. Il est le seul édulcorant à être fabriqué au cœur de l'hiver enneigé ! Il peut aussi remplacer le sirop de palme (voir ci-dessous).

Le sirop de palme Cette substance de consistance dense et poisseuse, riche en flaveur, est obtenue par ébullition à partir de la sève du palmier. Son usage est répandu en Inde et en Asie du Sud-Est, où le sirop de palme est également connu sous le nom de *gur* ou *jaggery*.

La mélasse Ce sous-produit du raffinage du sucre se distingue par sa teinte foncée et son goût de brûlé. Aux États-Unis, la mélasse agrémente certains ragoûts de porc et de haricots.

La mélasse noire Ce sirop de canne plusieurs fois raffiné, à la saveur très sucrée, présente la même consistance que le miel. La mélasse noire est surtout employée en Grande-Bretagne et dans le sud des États-Unis, où elle est indispensable à la confection de certaines pâtisseries (la tarte à la mélasse ou aux noix de pécan).

Les miels Les meilleurs miels ont le parfum des fleurs butinées par les abeilles qui les distillent : celui du thym qui pousse sur les versants du mont Hymette, en Grèce ; celui des fleurs d'oranger du Mexique ; celui, un peu âcre, des fleurs de manuka et de bois de santal des terres d'Australie et de Nouvelle-Zélande ; ou encore celui, légèrement épicé, des landes d'Écosse.

Les sirops de sucre En Inde et au Moyen-Orient, le sirop de sucre est utilisé pour imbiber les gâteaux – *baklava* et autres douceurs au riz ou aux lentilles. Il est obtenu en faisant fondre du sucre dans de l'eau aromatisée – eau de rose ou de fleur d'oranger au Moyen-Orient, eau de vétiver *(kewra)* en Inde. Les Grecs, les Libanais et les Turcs préparent des sirops très denses pour y conserver toutes sortes de produits, du zeste de citron à l'écorce de melon en passant par l'aubergine et la pistache.

Le sel

Plus que tout autre aromate, le sel rehausse le goût des produits les plus fades. Il sert aussi de conservateur car, en absorbant une partie de l'eau contenue dans le jambon ou le poisson, il empêche le développement des bactéries.

Le sel est un constituant essentiel de notre organisme, qui ne peut s'en passer pour survivre – le corps humain se compose à 0,9 pour cent de sodium. En Occident, toutefois, l'industrie alimentaire fait de cet aromate, comme du sucre, un usage excessif, si bien que nombre d'individus souffrent d'un excédent de sel, parfois responsable d'hypertension.

Les habitants du Bassin méditerranéen apprécient les aliments salés : morue salée (*bacalao* en Espagne et *bacalhau* au Portugal), jambons séchés et salés (parme en Italie, *serrano* et *iberico* en Espagne), mais aussi olives, câpres et anchois (Espagne, France et Italie), tomates séchées au soleil et salées (Grèce et Italie) ou encore crudités plongées dans un mélange d'huile chaude, d'ail et d'anchois salés (*bagna caode*, Piémont).

En Orient, la base des condiments salés reste les graines de soja (parfois additionnées de blé), que l'on fait fermenter pendant neuf mois à un an : il en résulte la sauce soja. Dans le commerce, on trouve parfois des graines de soja fermentées sous forme lyophilisée (souvent mélangées à du piment et du gingembre), ainsi que des pâtes de soja fermenté et salé (en pots ou en sachets).

La sauce de poisson est également obtenue par fermentation. Dans des tonneaux placés en plein soleil, les petits poissons donnent un liquide très salé appelé *nam pla* en Thaïlande, nuoc-mâm au Viêt Nam et au Laos, et *ngapi* en Birmanie. Dans l'Antiquité, la sauce de poisson (appelée *garum*) était un condiment très apprécié chez les Romains.

La pâte de crevettes caractérise la cuisine d'Asie du Sud-Est et ses currys piquants. Les crevettes, roses ou grises, sont séchées au soleil puis broyées de façon à obtenir une pâte ferme dite *balachan* ou *blachan* en Malaisie, *terasi* ou *trasi* en Indonésie. On ne la consomme jamais crue, mais grillée ou frite, puis mélangée à d'autres épices. Elle dégage une odeur forte et tenace, il est donc préférable de l'envelopper dans du papier d'aluminium avant de la faire cuire.

Le sel gemme est un sel de roche obtenu en inondant les dépôts souterrains, puis en faisant réduire l'eau salée jusqu'à ce que les cristaux se forment. On l'additionne souvent de magnésium pour lui permettre de rester fluide et de ne pas absorber l'humidité.

En cuisine, le produit le plus prisé demeure le sel marin, que l'on recueille soit dans les marais salants par évaporation naturelle (vent et soleil), soit dans les salines par chauffage artificiel de l'eau. Les cristaux de sel ainsi récoltés, une fois moulus, donnent du sel fin. En France, le sel provient aussi bien des rivages méridionaux que des côtes de l'Atlantique. Très rare, la fleur de sel récoltée à la main à Guérande ne se forme, dit-on, que par vent d'est. Le sel de Bretagne, gris et non raffiné, se distingue par son goût délicat. Quant au sel de Maldon, récolté en Angleterre (Essex), il se caractérise par sa saveur soutenue et sa présentation en paillettes.

La saveur puissante et âpre du galanga fait penser à une armoire à pharmacie remplie de baumes et de sirops contre la toux. Le fait est que cet aromate dégage une impression quasi thérapeutique, comme s'il avait le pouvoir de soigner les rhumes et d'éliminer les toxines.

Aspect

La galanga est le rhizome d'une plante de la famille *Alpinia* (à laquelle appartient aussi le gingembre). Le grand galanga développe de grosses racines noueuses de couleur blanc crème, qui ressemblent à celles du gingembre. Quant au petit galanga, il se distingue par sa couleur rougeâtre ; s'il est plus petit, son goût, en revanche, est plus fort. Le galanga moulu ressemble à du gingembre moulu, tandis que sa saveur évoque celle d'un mélange de poivre et de gingembre.

Emploi

Le galanga intervient surtout dans la cuisine thaïlandaise, malaise et indonésienne. Il ajoute une touche mystérieuse aux soupes aigres-douces de Thaïlande, véritables festivals de saveurs alliant la puissance du gingembre, le piquant de la citronnelle, l'amertume des feuilles de combava, l'acidité du jus de citron vert et le goût brûlant des piments rouges et verts. En Indonésie, le galanga agrémente le *nasi goreng* (riz frit à la viande et aux légumes) et le *rendang* (voir page 63), une pâte d'épices destinée à relever les viandes. Pelé et râpé, le petit galanga entre dans la composition de certains ragoûts, au même titre que d'autres légumes. Le galanga *Kaempferia*, lui, aromatise liqueurs et apéritifs.

Origines

Issu de Chine, le galanga se répandit dans le monde arabe dès le IXe siècle, avant de gagner ses lettres de noblesse en Europe au Moyen Âge.

Propriétés médicinales et autres usages

En Chine, le galanga est avant tout prisé pour ses vertus thérapeutiques. Il engendre une sensation de chaleur qui le destine tout naturellement au traitement des rhumatismes et des infections bronchiques, notamment en Inde.

armoracia rusticana (raifort)

Rares sont ceux qui supportent le goût très fort de cette racine. Le raifort est l'équivalent nordique du piment. Mélangé à de la moutarde, c'est une véritable bombe pour les papilles !

Aspect

Le raifort ressemble à une carotte d'environ 45 centimètres de longueur, mais de couleur crème, avec une pulpe blanche. Il appartient à la famille des crucifères, comme le navet, le chou et la moutarde.

Emploi

Lavez et pelez la racine, râpez la pulpe et jetez le trognon. Le raifort ne déploie son piquant et son arôme qu'une fois râpé, lorsque les cellules de la racine dégagent une essence volatile appelée isothiocyanate. Arrosez de vinaigre pour stopper la réaction et stabiliser la saveur de la pulpe.

Le raifort s'achète généralement râpé, en conserve. Il ouvre l'appétit et se marie parfaitement avec le bœuf, dont il neutralise les graisses. Râpé, puis mélangé à de la crème pour tempérer sa force, il rehausse aussi bien un pot-au-feu qu'un rosbif froid. Il s'harmonise également avec la saveur riche de l'anguille fumée. Le raifort est très apprécié en Russie et en Europe de l'Est, où il est appelé *khrine*. Souvent allié à la betterave, il accompagne le poisson et les viandes froides.

Origines

Le raifort est une plante vivace robuste, que l'on trouve à l'état sauvage en Europe de l'Est et en Asie occidentale. Aujourd'hui, toutefois, il s'épanouit dans de nombreuses autres régions du monde, à condition de bénéficier d'un sol fertile et bien drainé. Ses feuilles à l'aspect rêche poussent en touffes qui, parfois, s'ornent de fleurs blanches ; ses racines vigoureuses s'enfoncent profondément dans le sol. Le raifort devient vite envahissant, ce qui le rend difficile à contrôler. La plante se développe l'été, jusqu'au début de l'automne, et la racine se récolte après les premières gelées, lorsque les feuilles meurent.

Propriétés médicinales et autres usages

Le raifort aiderait l'organisme à éliminer les sécrétions excessives des muqueuses. Ainsi contribuerait-il à soigner le rhume et la grippe, les affections respiratoires et la sinusite, ainsi que le rhume des foins. Diurétique, il soulage les problèmes de vessie et les tensions prémenstruelles.

La casse se distingue par un aspect et un goût plus grossiers que ceux de la cannelle. Elle vient de l'écorce brute d'un cannelier plus âgé que les jeunes pousses dont on extrait la cannelle, au parfum plus doux (voir page ci-contre). Sa saveur intense convient aux plats salés, tandis que celle de la cannelle se marie mieux avec les desserts.

Aspect

La casse, également appelée cannelle de Chine ou cannelier-casse, se présente sous forme de bâtonnets d'écorce brute enroulés sur eux-mêmes, que l'on distingue aisément de la cannelle à l'aspect délicatement hâlé, considérée comme « supérieure ». Évitez d'acheter la casse sous forme moulue, car elle perd rapidement son arôme. Les « boutons » de casse ne sont autres que des fruits qui sont séchés avant de parvenir à maturité.

Emploi

Idéale pour agrémenter les plats chinois braisés, l'écorce robuste de la casse supporte les longues cuissons. Avec l'anis étoilé et le gingembre moulu, elle entre souvent dans la composition du cinq-épices, le condiment roi de la cuisine chinoise. Elle relève également les ragoûts du Maghreb et les currys indiens, ainsi que les *paan* – un mélange de graines et d'épices enveloppé dans des feuilles de bétel, que les Indiens mastiquent à la fin des repas pour se rafraîchir l'haleine.

En Allemagne, la casse est employée pour parfumer le chocolat. Son goût affirmé en fait le faire-valoir idéal de la rhubarbe. Les boutons de casse s'utilisent comme les clous de girofle, rehaussant de leur arôme puissant les ragoûts de viande et les légumes en saumure ou au vinaigre. Quant aux feuilles séchées, elles trouvent des emplois culinaires identiques à ceux des feuilles de laurier ; au Népal, elles aromatisent le thé au lait sucré.

Origines

Issue de Birmanie, la casse est aujourd'hui cultivée en Chine, en Indonésie et en Inde. Comme la cannelle, elle provient de l'écorce d'un arbre à feuilles persistantes, coriaces et brillantes, qui rappellent les feuilles de laurier. La casse se récolte pendant la mousson, lorsque l'humidité permet de prélever l'écorce en grattant les troncs. En séchant, les bandes d'écorce s'enroulent sur elles-mêmes ; elles sont vendues telles quelles, sous forme de bâtonnets bruts.

Propriétés médicinales et autres usages

On disait autrefois que la casse, tout comme la cannelle, donnait la vie éternelle. On la portait sur soi dans une sorte de diffuseur à parfum pour éloigner la maladie – tous les empereurs romains en possédaient parmi leurs trésors. Pour les taoïstes, la casse était la nourriture des dieux.

Saupoudrée en fin de cuisson sur un gâteau ou une tarte aux pommes, ou mélangée à du cacao en poudre pour aromatiser la mousse d'un cappuccino crémeux, la cannelle répand dans les cuisines un doux parfum, capiteux et exotique.

Aspect

Le cannelier est un arbre au port droit qui développe de nombreuses pousses, récoltées lorsqu'elles atteignent environ 2 mètres. Débarrassée de son enveloppe externe, l'écorce est prélevée en fines bandes qui s'enroulent sur elles-mêmes. Une fois nettoyées, elles sont façonnées en cylindres, taillées, puis séchées. Elles sont ensuite débitées en bâtonnets et triées selon leur qualité. La meilleure cannelle, la plus pâle, vient des jeunes pousses et se distingue par sa texture délicate. La cannelle se vend aussi en poudre.

Emploi

Au Moyen-Orient, la cannelle agrémente les ragoûts aigres-doux et rehausse aussi le tagine marocain (voir page 88). En Europe, on l'utilise essentiellement dans les pâtisseries et les compotes. Elle ajoute une note de douceur aux mélanges d'épices comme le *garam masala* indien (voir page 31) ou le cinq-épices chinois (voir page 44). La cannelle est également employée pour aromatiser les vins.

Origines

Originaire du Sri Lanka, la cannelle est connue depuis la plus haute Antiquité. Au XVIe siècle, cette épice était devenue si précieuse que les souverains envoyaient des explorateurs à sa recherche et n'hésitaient pas à se battre pour elle. Dans un premier temps, le Sri Lanka fut occupé par les Portugais, qui défendaient âprement leur mainmise sur la route commerciale contournant l'Afrique. Puis les Hollandais s'emparèrent de l'île, avant de la céder aux Britanniques. C'est ainsi que la cannelle fut ensuite implantée en Inde, en Malaisie, à Java, aux Seychelles, à Madagascar, à l'île Maurice et en Égypte.

Propriétés médicinales et autres usages

Par sa richesse en phénols, l'essence de cannelle stimulerait la circulation, la digestion et la respiration. Considérée comme un puissant bactéricide, elle est aussi utilisée en cosmétique. Elle aurait également un effet sur la longévité…

curcuma longa (curcuma)

Malgré sa saveur musquée et amère, le curcuma, très coloré, reste un substitut économique du safran. Un curry qui se respecte ne saurait se passer de curcuma, même si son ajout tient plus de l'habitude que d'un véritable apport gustatif.

Aspect
Le curcuma est une herbacée à feuillage persistant, aux fleurs jaunes et aux grandes feuilles rappelant celles du lis. Extrait des racines et non des stigmates, le curcuma moulu n'a du safran que la couleur (même si on l'appelle aussi safran des Indes). En forme de doigt, les rhizomes au cœur bulbeux contiennent un pigment, la curcumine, qui donne cette pulpe jaune.

Emploi
Le curcuma est omniprésent dans la cuisine d'Asie du Sud-Est. Il rehausse le riz, les plats de poisson ou de fruits de mer.

C'est un ingrédient essentiel des poudres de curry, qui lui doivent leur couleur jaune. Dans les pays anglo-saxons, il relève certains plats, ainsi que les légumes au vinaigre. Il est le plus souvent vendu en poudre, parfois en racines.

Origines
Le curcuma est originaire d'Inde et du Sud-Est asiatique. Aujourd'hui, il est également cultivé sous les tropiques.

Propriétés médicinales et autres usages
Le curcuma faciliterait la digestion et soignerait les troubles hépatiques. Dans certaines régions d'Asie, sa vive couleur lui vaut une dimension magique : un pied de curcuma planté au milieu d'une rizière porte chance, dit-on. En Inde et en Chine, il sert à teindre les textiles. Dans la Perse antique, il était associé au culte du Soleil. Aujourd'hui encore, les femmes tamoules l'utilisent pour se teindre les mains et les pieds à l'occasion des mariages.

Sur un marché,
au Sri Lanka, un
marchand pèse des
racines de zédoaire.

163

Plus piquante encore que le galanga, la zédoaire possède elle aussi un goût pharmaceutique. Coupée en fines lamelles, elle ajoute aux soupes une saveur et une odeur de camphre tenace, à la fois quasi médicale et très appétissante.

Aspect

Cette herbacée persistante, également appelée curcuma blanc, appartient à la même famille que le gingembre et le curcuma. Elle atteint environ 1,50 m de hauteur et développe des feuilles d'un vert sombre, ainsi qu'un rhizome à la pulpe de couleur blanche à jaune pâle.

Emploi

Le rhizome de la zédoaire est riche en fécule, extraite sous forme de *shoti*. Vendue en poudre, celle-ci sert à lier soupes et sauces, au même titre que l'arrow-root. Les feuilles, dont le goût rappelle celui de la citronnelle, aromatisent agréablement les plats de poisson. Quant aux cœurs des jeunes plants, ils sont cuisinés comme des légumes. La poudre de rhizome séché, à l'amertume prononcée, s'utilise rarement seule ; en Indonésie et en Malaisie, elle entre dans la composition de mélanges d'épices.

Origines

La zédoaire pousse à l'état sauvage en Asie du Sud-Est et dans le nord-est de l'Inde, où elle est aussi cultivée. En Europe, son arôme piquant et musqué était très apprécié au Moyen Âge.

Propriétés médicinales et autres usages

La zédoaire soulagerait, dit-on, les maux d'estomac et les flatulences. L'huile essentielle qu'elle renferme est employée en parfumerie et en distillerie.

eutrema wasabi (wasabi)

Le wasabi est une racine verte qui s'épanouit dans l'eau. Intense et raffiné, il est omniprésent sur les tables japonaises, où il relève la fadeur du riz blanc quotidien.

Aspect

Le wasabi est une plante aquatique dont le nom japonais signifie « rose trémière des montagnes ». Au Japon, les racines se vendent en pot dans de l'eau, prêtes à être pelées, coupées et râpées en une fine pâte verte. Ailleurs, il se présente dans le commerce sous forme de poudre ou de pâte en tube.

Emploi

La pâte de wasabi est indispensable pour relever les sushis, soit posée sur chaque bouchée, soit étalée à l'intérieur des feuilles de *nori* (voir page 41). Elle accompagne aussi les sashimis, avec la sauce au soja et les lamelles de gingembre au vinaigre, et donne de la vigueur aux soupes. Le wasabi en saumure allie feuilles, fleurs, tiges et rhizomes hachés.

Origines

Le wasabi est une herbacée persistante de la famille des crucifères, à laquelle appartiennent également les choux. Au Japon et en Sibérie orientale, il pousse à l'état sauvage sur les rives des ruisseaux de montagne. Il est aussi cultivé sur les versants montagneux, en terrasses inondées par les ruisseaux d'eau fraîche. Sa tige épaisse, qui rappelle celle du chou de Bruxelles, atteint environ la hauteur du genou.

Propriétés médicinales et autres usages

Les Japonais utilisent le wasabi contre les intoxications alimentaires. Antimicrobien, il peut aussi prévenir les caries.

glycyrrhiza glabra (réglisse)

La réglisse reste la plus dense et la plus sucrée de toutes les épices anisées. Elle est extraite des racines d'une plante de la famille des papilionacées, à la croissance très vigoureuse. Les confiseurs l'ont adoptée pour la décliner, additionnée de sucre, sur tous les modes.

Aspect

La réglisse est extraite d'une petite plante buissonnante, aux fleurs bleuâtres. Elle développe d'épaisses racines pouvant atteindre 1 mètre de longueur, ainsi que des stolons souterrains contenant un composant sucré, la glycyrrhizine, dont le nom vient du grec et signifie « racine douce ». Sous sa forme la plus pure, la glycyrrhizine est cinquante fois plus sucrée que le sucre lui-même, mais les composants amers de la plante ont tendance à en masquer le goût.

Emploi

En Europe, l'extrait de racine de réglisse sert à parfumer les aliments sucrés. En France, la réglisse est une spécialité d'Uzès, dans le Gard. Mélangée à de l'eau, du sucre, de la gélatine et de la farine, elle donne une pâte noire et tendre avec laquelle on confectionne toutes sortes de confiseries. La réglisse sert également à aromatiser la Sambuca (une liqueur), certaines boissons non alcoolisées et bières brunes ou blondes.

Origines

La réglisse, qui pousse à l'état sauvage en Asie et en Europe méridionale, est cultivée en Europe occidentale depuis le XVIe siècle. Une fois prélevés, racines et stolons sont coupés en morceaux, puis séchés. Sous cette forme, la réglisse devient déjà agréable à mâcher. Napoléon s'y essaya et s'en tira avec les dents noircies. En Angleterre, la réglisse fut cultivée du XVIIe siècle jusque dans les années 1970.

Propriétés médicinales et autres usages

La réglisse reste très prisée par les herboristes depuis la plus haute Antiquité. Elle était alors utilisée pour soigner l'asthme, la toux sèche, les troubles respiratoires et gastriques ; on disait aussi qu'elle faisait vivre plus longtemps… Elle entre dans la composition des rouges à lèvres, des cirages et des mousses d'extincteurs. Aujourd'hui, toutefois, 90 pour cent de la production de réglisse est destinée à l'industrie du tabac, car elle favorise une meilleure combustion des cigarettes.

La saveur chaude et puissante du gingembre en fait l'une des épices les plus séduisantes. Séché, il agrémente les plats et entre dans la composition de la plupart des mélanges d'épices. Frais, râpé ou émincé, il ouvre l'appétit et dilate les papilles gustatives.

Aspect

Le gingembre est une plante tropicale qui atteint environ 1 mètre de hauteur. Il développe de grandes feuilles effilées, dotées de piquants et de fleurs charnues jaunes, bordées de rouge. L'épice est extraite de la racine noueuse, qui doit son piquant à un composant non volatil, le gingerol. Son arôme et sa saveur dépendent du sol et des conditions de la récolte.

Emploi

Le gingembre est utilisé frais, séché, râpé, cristallisé ou conservé dans du vinaigre ou du sirop. Le gingembre frais se prête aux mets aussi bien salés que sucrés. En Chine et dans d'autres régions d'Asie, on l'allie au poisson frais (il masque l'arrière-goût de vase des poissons d'eau douce). Au Japon, le *gari*, un gingembre rosé conservé dans du vinaigre, accompagne les plateaux de sushis. Séché et réduit en poudre, le gingembre relève pâtisseries, pains et biscuits. Il entre aussi dans la préparation de certains chutneys (voir page 30). Les Anglo-Saxons apprécient le *ginger ale*, une boisson gazeuse au gingembre, et la *ginger beer* (« bière de gingembre »), fermentée et peu alcoolisée. Au Cachemire, on déguste volontiers du thé au gingembre.

Origines

Le gingembre n'a jamais été identifié à l'état sauvage ailleurs qu'en Asie du Sud-Est. Cultivé depuis des milliers d'années, il était très apprécié dans la Rome antique. Utilisée dans les îles Britanniques dès le premier millénaire de notre ère, cette épice s'échangeait à prix d'or dans l'Europe médiévale, où elle était consommée en confiserie et souvent associée à la cannelle, notamment en France. Aujourd'hui, l'Inde assure la moitié de la production mondiale ; la Chine, la Thaïlande, Taïwan, l'Afrique, les Amériques et l'Australie sont autant d'autres grands fournisseurs. Le gingembre s'épanouit au voisinage de son cousin, le curcuma.

Propriétés médicinales et autres usages

Le gingembre facilite la digestion, possède des vertus carminatives (expulsion des gaz intestinaux) et stimule l'appétit. C'est aussi un fortifiant et, dit-on, un aphrodisiaque. Il aide à soulager maux de tête, nausées, coliques et diarrhées.

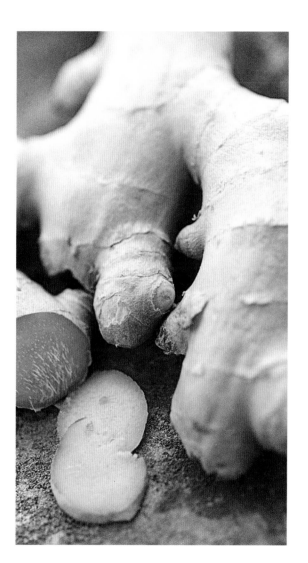

Surnommée graine de paradis, cette petite graine de couleur brune se distingue par son goût poivré – on l'appelle d'ailleurs aussi poivre de Guinée. Proche cousine de la cardamome, elle a presque le même arôme, affirmé et brûlant.

Aspect

Les graines proviennent d'une grande herbacée à l'allure de roseau, dont les fruits rouges ou orange, de 5 à 10 centimètres de long, renferment chacun soixante à cent petites graines.

Emploi

Dans les pays tropicaux d'Afrique de l'Ouest, d'où elle vient, la maniguette est utilisée comme substitut du poivre. Au Maroc, elle entre parfois dans la composition du ras-el-hanout. Dans la plupart des cas, elle peut être remplacée par un mélange de poivre blanc et de gingembre moulu, qui produit le même arôme. Les Romains parfumaient le vin avec de la maniguette, du gingembre et de la cannelle, une recette adoptée en Europe au Moyen Âge sous le nom d'hypocras. Ce vin chaud doit son nom à l'étoffe qui servait à le filtrer et qui, dit-on, rappelait la manche de la robe d'Hippocrate. Les vins utilisés avaient un arôme riche et douceâtre, comme ceux de Crète, de Chypre et du nord de l'Espagne, puis ceux de Madère, lorsque les Portugais commencèrent à cultiver la malvoisie et à distiller le malmsey.

Origines

La maniguette est originaire d'Afrique de l'Ouest. Au Moyen Âge, elle était très prisée par les Européens, qui baptisèrent l'Afrique occidentale côte des Graines.

Propriétés médicinales et autres usages

En Afrique de l'Ouest, on mastique la pulpe qui entoure les graines pour ses vertus stimulantes. En Scandinavie, les graines de maniguette aromatisent l'aquavit.

Les frondes vertes et aériennes de l'aneth sont essentielles à la cuisine d'Europe du Nord. Leur goût frais et anisé contraste agréablement avec la chair grasse du saumon cru. C'est l'aneth qui, allié au sel et au sucre, donne sa saveur au *gravad lax* (qui signifie « saumon enseveli »), après plusieurs jours de marinade sous des poids.

Aspect

Plus aromatique que son cousin le fenouil, l'aneth appartient à la famille du persil.

Emploi

La Scandinavie, l'Europe orientale, la Pologne et la Russie font de l'aneth un usage comparable à celui du persil en Europe occidentale. Haché, il agrémente pommes de terre et salades ; il parfume le yaourt, la crème aigre ou le poisson poché. Piquantes, les graines d'aneth relèvent les légumes au vinaigre ou en saumure, accompagnées des tiges vertes hachées.

Origines

Issu d'Asie occidentale, l'aneth pousse à l'état sauvage dans le Bassin méditerranéen et dans le sud de la Russie. Aujourd'hui, il est également cultivé dans de nombreuses régions du monde.

Propriétés médicinales et autres usages

L'aneth rafraîchit l'haleine, facilite la digestion et stimule l'appétit. Son huile essentielle tue les bactéries et soulage les flatulences. L'aneth est également utilisé contre la fièvre, les ulcères, les problèmes rénaux et oculaires. Les Romains, qui lui prêtaient des vertus fortifiantes, en saupoudraient les rations des gladiateurs ; selon les Grecs, il soignait le hoquet.

Les graines de cette herbe odorante à la saveur rafraîchissante, en vogue depuis le Moyen Âge, sont un coup de fouet pour les papilles. Prisées en Inde, elles sont appréciées en Europe, mélangées à du sel (sel de céleri).

Aspect

On distingue trois espèces différentes : le céleri sauvage est une petite plante qui pousse en bordure des haies ; le céleri en branches, une espèce cultivée, possède d'épaisses tiges blanches ou vertes ; le céleri-rave développe une tige courte et renflée. Les minuscules graines du céleri sont de couleur brune et creusées de sillons plus clairs.

Emploi

Légèrement amères, les graines dégagent une forte odeur de céleri. Entières, elles parfument salades et légumes cuits. Elles relèvent aussi ragoûts et soupes, sauces et poissons. Dans les grands hôtels, les œufs de caille et de mouette sont servis avec du sel de céleri. Dans un Bloody Mary, la fraîcheur salée de celui-ci contraste agréablement avec le côté douceâtre du jus de tomate, tout en apaisant le feu du Tabasco.

Origines

Le céleri sauvage est connu en Europe et dans les régions tempérées d'Asie depuis la nuit des temps. C'est au XVIIᵉ siècle que les espèces cultivées virent le jour en Europe. Peu après, le céleri, sauvage et cultivé, fut introduit aux Amériques.

Propriétés médicinales et autres usages

On dit que le céleri contribue à lutter contre l'aménorrhée (absence de règles), l'angine, l'arthrite et la goutte. Diurétique, il aiderait également à soigner le rhume et la grippe. En infusion, il détend et facilite le sommeil. Dans l'Antiquité, Grecs et Égyptiens confectionnaient des guirlandes de céleri à l'occasion des funérailles.

Les graines rouges du rocou, épice d'Amérique du Sud, sont utilisées comme colorant alimentaire. Leur saveur peu raffinée, légèrement iodée, est contrebalancée par leur riche couleur.

Aspect

Le rocouyer, arbuste buissonnant aux feuilles veinées de rouge, développe des fleurs roses et des fruits en forme de cœur, renfermant une cinquantaine de graines d'un rouge brillant, entourées de pulpe dont on tire un pigment.

Emploi

Au XVIIIe siècle, en Angleterre, le pigment du rocou (annatto) servait à colorer le beurre et certains fromages naturellement blancs (leicester ou chester). En Amérique latine, où cette épice porte le nom d'achiote, on l'utilise pour la marinade destinée aux grillades de poisson, auxquelles elle ajoute une touche de couleur et d'acidité (voir Vivaneaux grillés épicés, page 104). En Jamaïque, le rocou agrémente la sauce épicée qui accompagne l'ackee, le plat national, ainsi que la morue salée. Son usage est également répandu aux Philippines, où il sert à concocter l'adobo, une sauce de couleur rouge brique qui rehausse viandes et poissons.

Origines

Le rocouyer est originaire d'Amérique centrale, d'Amérique du Sud et des Antilles. Au XVIIe siècle, les Européens l'importèrent pour la fabrication de chocolats. Les Espagnols l'introduisirent aux Philippines, où il fit aussitôt recette. Aujourd'hui, on le cultive aussi en Asie et en Afrique.

Propriétés médicinales et autres usages

Le rocou est utilisé pour soigner la fièvre, la dysenterie et les infections rénales, et éloigne les insectes. Aux Antilles, il servait jadis de teinture pour le corps – c'est ainsi que les Amérindiens du Nord furent baptisés Peaux-Rouges.

La moutarde demeure l'un des principaux condiments européens et aussi l'un des plus anciens. Grands amateurs de viande, Français, Anglais et Allemands en font une consommation importante. La moutarde se marie à merveille avec le bœuf, en tranches froides comme en rôti fumant. Mastiquée, elle neutralise les graisses en formant une émulsion qui les rend plus digestes.

Aspect

La moutarde provient des graines de trois plantes de la même famille que le chou. La moutarde blanche ou jaune *(Sinapis alba)* est une petite plante aux fleurs jaunes qui développe de grandes gousses jaune pâle. La moutarde noire, *Brassica nigra*, atteint 3,50 m de haut et donne des petites graines d'un brun noirâtre. Quant à la moutarde brune, ou chinoise, elle est issue des petites graines d'un brun rougeâtre de *Brassica juncea*.

Emploi

Le condiment est fabriqué à partir des graines broyées de la plante. La moutarde crue en poudre déploie sa chaleur au bout de cinq à dix minutes lorsqu'elle est mélangée à de l'eau froide. Si l'eau froide active une enzyme qui fait monter les larmes aux yeux, l'eau chaude, en revanche, l'atténue – c'est ainsi que le lapin à la moutarde (voir page 127) a une saveur étonnamment douce.

Si la moutarde anglaise et celle de Dijon restent les plus fortes, la moutarde allemande se distingue par sa couleur foncée et sa saveur douce et vinaigrée. Quant à la moutarde américaine, qui assaisonne les hot dogs, elle n'est quasiment pas piquante. Conçue pour le marché sud-américain, la Savora se caractérise également par une saveur très douce. Les moutardes françaises, pour leur part, sont souvent aromatisées, aux herbes par exemple, comme l'estragon ; depuis peu, on trouve aussi des moutardes au roquefort, au chablis et même à la liqueur de cassis.

La petite graine de moutarde cultivée en Inde est utilisée différemment : on fait revenir les graines jusqu'à ce qu'elles éclatent, puis on en parsème les *dahl*, pour y ajouter une note brûlante au goût de noisette, ou les *naan*, les galettes indiennes traditionnelles, pour en rehausser la saveur.

Origines

Les moutardes blanche et noire n'étaient, à l'origine, que des mauvaises herbes qui poussaient parmi les cultures en Europe méridionale. Quant à la moutarde brune, ou chinoise, qui nous vient d'Asie, elle est aujourd'hui répandue dans le monde entier. En Europe, la culture de la moutarde remonte à l'Antiquité. Relativement économique, elle a toujours été à l'honneur. Les Romains, qui l'appréciaient beaucoup, l'introduisirent en France, où ils développèrent, à Bordeaux, des recettes originales alliant la graine entière à du jus de raisin non fermenté. À Dijon, ils fabriquaient une sorte de coulis de moutarde au verjus (jus de raisin vert), que l'on tamisa par la suite pour obtenir un produit plus onctueux.

À Tewkesbury, la moutarde anglaise était fabriquée selon les mêmes processus, souvent alliée à du raifort pour en intensifier le goût. Puis, au XVIIIe siècle, une certaine madame Clements mit au point une technique pour moudre les graines de façon à obtenir de la poudre de moutarde – opération jusqu'alors considérée comme complexe, car les graines, gorgées d'huile, s'agglutinaient sur les rouleaux.

Quatre-vingt-dix ans plus tard, l'Anglais Jeremiah Colman décida d'exploiter cette nouvelle technologie et de mobiliser les agriculteurs des régions marécageuses qui s'étendent entre Norwich et Wisbech. Depuis, son nom rime avec moutarde. En ajoutant du curcuma pour colorer son produit (le jaune « moutarde » n'est pas la couleur naturelle de la graine) et de la farine de maïs pour le stabiliser, il créa un condiment unique au monde. Un peu de publicité dans la presse et une campagne d'affichage bien sentie – un art encore balbutiant à la fin du XIXe siècle –, et la famille Colman faisait de la moutarde le produit le plus connu d'Angleterre !

Propriétés médicinales et autres usages

On prête à la moutarde des vertus stimulantes, expectorantes et diurétiques. En Inde, la pharmacopée traditionnelle préconise la moutarde pour soulager arthrite, lumbago et pieds douloureux. En Corée, les graines servent à soigner les abcès, les troubles gastriques et le rhume.

Jadis, les herboristes recommandaient la moutarde contre l'épilepsie et les maux de dents, ainsi que les morsures de serpent.

La petite graine du carvi concentre des arômes chauds et puissants, qui ne sont pas sans rappeler ceux de l'anis et du fenouil.

Aspect

Cultivé pour ses graines, le carvi atteint environ 60 centimètres de haut. Il développe des feuilles duveteuses et des fleurs blanc crème. Les graines sont méricarpes, c'est-à-dire qu'elles se séparent en deux à maturité.

Emploi

Le carvi est très présent dans la cuisine allemande, où il neutralise l'acidité du pain de seigle, atténue l'âpreté de la choucroute et tempère le goût fort de fromages comme

le munster, le tilsit ou encore le liptoi, un fromage frais à tartiner hongrois. En poudre, mélangé à du sucre, le carvi est délicieux sur une tartine beurrée, accompagné d'un gorgonzola bien fait. En Autriche et en Hongrie, ainsi qu'en Allemagne, il relève les saucisses, le rôti de porc, le goulache et de nombreux légumes en saumure ou au vinaigre. Il se marie à merveille avec le chou et les pommes de terre au beurre.

Dans le monde arabe, le carvi ajoute une note mystérieuse aux mélanges d'épices, comme le *tabil*. En Afrique du Nord, il donne un piquant subtil à la pâte de harissa (voir page 98).

Origines

Issu d'Asie occidentale et du Bassin méditerranéen, le carvi est probablement la plus vieille épice cultivée d'Europe. À l'heure actuelle, il est surtout cultivé en Europe, en Afrique du Nord et aux États-Unis.

Propriétés médicinales et autres usages

Le carvi ouvre l'appétit, favorise la digestion, soigne les coliques et les nausées. On lui prête également des vertus stimulantes et expectorantes. Les graines se mastiquent en fin de repas ou se consomment en tisane.

Au Moyen Âge, le carvi entrait dans la composition des philtres d'amour car il préservait, pensait-on, de l'infidélité ! Curieusement, il aromatise aussi le *Kummel*, une liqueur allemande.

La feuille de coriandre compte parmi les herbes les plus appréciées au monde, notamment en Orient et en Amérique latine, où elle est connue sous le nom de *cilantro*. Les feuilles ont une saveur fraîche et appétissante, tandis que les graines possèdent un délicat parfum d'agrumes.

Aspect

La coriandre ressemble au persil, son cousin, mais son goût est tout à fait différent : on l'appelle d'ailleurs aussi persil chinois ou arabe. La plante, qui atteint 60 à 90 centimètres de haut, développe une tige très ramifiée, des feuilles décoratives et des fleurs roses ou blanches. Rondes (variété marocaine) ou ovales (variété indienne), les graines sont de couleur brun crème.

Emploi

Les graines de coriandre, très aromatiques, doivent être conservées entières avant utilisation. Faites-les griller brièvement dans une petite poêle à frire avant de les piler ou de les moudre. La cuisine indienne ne se conçoit pas sans graines de coriandre – fraîchement moulues, comme il se doit pour déployer tout leur arôme, et presque toujours associées au cumin. Au Moyen-Orient, le *taklia*, un mélange d'épices contenant des graines de coriandre pilées, agrémente épinards, pois chiches et boulettes de viande. Quant aux cuisiniers thaïlandais, ils préfèrent la racine qui, bien que petite, développe de puissants arômes quand elle est râpée ou hachée : une merveille dans les soupes.

Origines

Native d'Europe méridionale, du Bassin méditerranéen et du Moyen-Orient, la coriandre est l'une des épices les plus anciennes – on en retrouve la trace jusque dans la Bible, dans le livre de l'Exode. Elle figure aussi dans les recettes des Grecs anciens et, aujourd'hui encore, intervient dans toutes les préparations dites à la grecque (comme dans la salade de champignons, assaisonnés à l'huile d'olive, au vinaigre et aux épices). Son nom vient du grec *koris*, qui signifie « punaise de lit » ; avant de parvenir à maturité, feuilles et graines dégagent une odeur forte que certains trouvent désagréable, mais qui disparaît dès qu'elles mûrissent.

Propriétés médicinales et autres usages

Depuis l'Antiquité romaine, les graines de coriandre sont utilisées pour stimuler l'appétit. On leur prête aussi des vertus digestives, carminatives et bactéricides. En Chine, elles étaient synonymes de longévité. Au Moyen Âge, les graines de coriandre étaient à l'honneur dans les philtres d'amour. Les graines mûres ajoutent aussi une note de fraîcheur aux pots-pourris qui parfument l'atmosphère.

En Inde, où il est appelé *jeera*, le cumin est l'une des principales épices. Moulues, les graines confèrent aux aliments un goût légèrement amer et anisé alors que, frites, elles acquièrent une délicate saveur de noisette.

Aspect

Le cumin est une petite plante vivace de la famille du persil. Il atteint une trentaine de centimètres de haut et donne des fleurs mauve pâle, roses ou blanches.

Emploi

Si les délicates essences aromatiques du cumin se volatilisent à la cuisson, elles s'imposent lorsque l'épice est vivement grillée, comme dans le *garam masala* indien (voir page 31), un mélange chaud comprenant de la cannelle. Le cumin est également un ingrédient indispensable de la version salée de l'*advieh*, un mélange d'épices iranien (voir page 79). Les cuisiniers d'Afrique du Nord, quant à eux, l'emploient dans la pâte de harissa (voir page 98), par exemple, ou pour relever la saveur du couscous. En Suisse et aux Pays-Bas, il se marie à certains fromages, comme le munster.

Origines

Le cumin serait originaire de Méditerranée orientale. Aujourd'hui, il est aussi cultivé dans plusieurs régions d'Asie. Utilisé depuis la nuit des temps, il figure déjà dans l'ouvrage d'Apicius, le plus connu des livres de cuisine romaine, allié à d'autres épices dans les marinades de viande et de poisson.

Propriétés médicinales et autres usages

Les graines de cumin stimuleraient l'appétit et soulageraient les indigestions, les troubles digestifs ainsi que la fièvre. L'huile essentielle de cumin est utilisée en parfumerie.

Avec ses capsules finement ciselées et ses graines noires comme du caviar, la cardamome est considérée comme la reine des épices. Apparentée au gingembre, elle demeure l'une des épices les plus chères, après le safran et la vanille.

Aspect

La cardamome ressemble à un bambou buissonnant à larges feuilles. Ses courts rameaux développent des fleurs au ras du sol, telle une orchidée. Les capsules (ou fruits) de la vraie cardamome sont vertes, voire blanches si elles sont décolorées. Les grandes capsules brunes ou noires, issues de la « fausse cardamome », proviennent d'autres variétés.

Emploi

Les graines peuvent s'utiliser moulues, saupoudrées sur les aliments. Ajoutées entières à un plat, elles doivent être retirées avant de servir. En Inde, la cardamome pilée entre dans la composition du *garam masala* (voir page 31) et vient aussi parfumer les spécialités à base de riz, comme le *biriani*. Dans les pays arabes, elle ajoute une note piquante aux thés et aux cafés. En Europe, surtout en Allemagne et en Scandinavie, la cardamome agrémente les plats au four et les légumes en saumure ou au vinaigre. La Suède importe un quart de la production indienne, qu'elle utilise en grande partie pour aromatiser certains alcools forts.

Origines

Voici plus d'un millénaire que la cardamome est cultivée en Inde et au Sri Lanka. Aujourd'hui, elle est aussi récoltée au Guatemala, en Tanzanie, en Papouasie-Nouvelle-Guinée, en Thaïlande et au Cambodge (on y trouve une chaîne des Cardamomes). Elle s'épanouit en altitude, aux endroits aérés et en sol sec, mais ne supporte pas le voisinage des mauvaises herbes. Vulnérable aux maladies, la cardamome exige beaucoup de soins. Si elle coûte si cher, c'est que les plants de bonne qualité sont rares. Les principales plantations s'étendent dans les vallons fertiles du Kerala, dans le sud-ouest de l'Inde, parmi les théiers et les hévéas.

Culture

Les fruits de la plante sont récoltés encore verts, pour éviter qu'ils ne se fendillent et perdent leur arôme puissant en parvenant à maturité. Les capsules sont alors rassemblées et acheminées dans de vastes hangars au toit de palmes, où elles sont triées par des Indiennes en saris multicolores. D'un œil expert, elles repèrent les différents calibres et classent les fruits en sept catégories. Puis ils sèchent au soleil jusqu'à ce qu'ils durcissent et verdissent. Certaines capsules sont même décolorées pour les besoins du marché. Une capsule contient trois cellules remplies de graines qui virent du blanc au noir en mûrissant. Les plus grosses capsules sont réservées aux clients les plus exigeants du marché indien. Le reste est écoulé auprès des détaillants et des marchés plus modestes.

Propriétés médicinales et autres usages

La cardamome est utilisée depuis l'Antiquité pour rafraîchir l'haleine, soigner les maux de gorge et la toux, ainsi que pour soulager les troubles digestifs. Son essence aromatique, qui possède une note d'eucalyptus, est concentrée dans l'huile de cardamome, efficace contre les flatulences, les nausées et la diarrhée. Les Grecs mélangent la cardamome à de la cire pour confectionner un parfum sous forme solide, qu'ils placent dans des coquillages épinglés dans leur chevelure ou sur leurs vêtements.

Le fenouil appartient à la famille des plantes anisées. En Italie, le fenouil doux a donné le fenouil de Florence, consommé en salade, cru et croquant, ou encore braisé ou bouilli, chaud ou froid, assaisonné d'un filet d'huile d'olive.

Aspect

Le fenouil sauvage est une solide plante vivace. Cette gracieuse herbacée, aux tiges robustes d'un vert éclatant, peut atteindre 2 mètres de haut. Elle porte des feuilles plumeuses et des fleurs jaune d'or. Les graines du fenouil sauvage sont légèrement amères. Quant au fenouil doux, il a la même saveur que les graines d'anis, mais moins sucrée et plus affirmée. Le troisième type de fenouil est le fenouil de Florence, ou *finocchio*, développé en Italie au XVIIᵉ siècle.

Emploi

Les graines de fenouil, très odorantes, se distinguent par leur saveur sucrée, chaude et aromatique, qui se marie à merveille avec le poisson. Elles agrémentent aussi toutes sortes de pains. À Florence, on fabrique un salami parfumé au fenouil, baptisé *finocchiona*.

Origines

Aromate hérité des Romains, le fenouil figurait déjà dans les mélanges d'épices répertoriés par Apicius. Il pousse à l'état sauvage dans les régions tempérées d'Europe. On le voit souvent, monté en graines, envahir les berges des rivières et les terrains vagues. À partir des rivages méditerranéens, le fenouil se serait diffusé au Moyen-Orient, en Inde et en Chine par l'intermédiaire des marchands arabes. Il est aujourd'hui cultivé sous les climats tempérés des quatre coins du monde.

Propriétés médicinales et autres usages

On dit que le fenouil procure force, courage et longévité. Il favorise la digestion, soulage les maux de tête, neutralise les flatulences et les coliques. Il est souvent utilisé pour ajouter une note aromatique aux sirops contre la toux. Il soulage les tensions oculaires et soigne les morsures de serpent. Les Indiens mastiquent du fenouil pour se rafraîchir l'haleine et les Espagnols pour pallier les problèmes gastriques. Le fenouil doux entre dans la composition des médicaments destinés à combattre les coliques chez les bébés. Les graines de fenouil aromatisent aussi divers alcools, dont la célèbre liqueur espagnole, l'*hierbas*.

Concombres, légumes
en branches, radis
forts, citrons verts et
piments – les marchés
de rue vietnamiens
offrent tout un
univers exotique.

illicium verum (anis étoilé, badiane)

Sa forme en étoile à huit branches fait de l'anis étoilé l'une des épices les plus esthétiques. Les grandes gousses d'un brun rougeâtre renferment de grosses graines ovales et brillantes. Pilé, l'anis étoilé entre dans la composition de la poudre de cinq-épices, l'un des principaux aromates chinois.

Aspect

L'anis étoilé pousse sur un arbuste à feuilles persistantes, la badiane, qui ressemble au magnolia et développe des fleurs rouge vif en forme de soucoupe. L'arbre, qui peut atteindre 8 mètres de haut, ne commence à porter des fruits qu'à l'âge de six ans, mais en produit ensuite pendant un siècle. L'anis étoilé contient de l'anéthol, l'huile essentielle qui donne son goût puissant à l'anis (même si l'anis et l'anis étoilé n'appartiennent pas à la même famille).

Emploi

La saveur de l'anis étoilé est plus intense, plus franche que celle de toute autre épice anisée. Au sein du cinq-épices, elle fait merveille avec la sauce soja dans les plats chinois et malais à base de porc, de canard et de bœuf (voir page 44).

Origines

La badiane serait originaire de Chine. Sa culture, complexe, reste cantonnée à la Chine et à certaines régions d'Asie.

Propriétés médicinales et autres usages

Stimulant et diurétique, l'anis étoilé apaise aussi les maux de gorge. En Orient, il soigne les coliques et les rhumatismes, et parfume les sirops contre la toux. Il aromatise également les liqueurs comme l'anisette. En Grèce, il donne sa saveur à l'ouzo de l'île de Lesbos, unique en son genre – associé à un anis local, il produit un concentré aromatique qui, mélangé à des céréales, adoucit la saveur brute de l'alcool.

juniperus communis (genièvre)

Très apprécié en Europe septentrionale, l'arôme de pinède des baies de genièvre évoque toute une forêt nordique. Il est souvent mis à l'honneur pour agrémenter les gibiers.

Aspect

Il faut deux ans aux baies de genièvre pour mûrir sur pied ! Chaque pied porte des baies à différents stades de maturité. D'un diamètre de 0,5 à 1 centimètre, elles se distinguent par leur couleur pourpre.

Emploi

Les baies de genièvre demeurent un aromate essentiel dans les marinades de gibier à poil, comme le sanglier, le rêne et autres venaisons, qu'il convient de faire longuement mijoter pour les attendrir. Elles agrémentent également le gibier à plume, sans oublier, bien sûr, les grives et les merles.

Origines

Le genévrier croît dans toutes les régions d'Europe et d'Amérique, ainsi que dans l'Himalaya.

Propriétés médicinales et autres usages

On prête au genévrier des vertus diurétiques, carminatives et stimulantes. Il apaise les coliques et contribue à soigner les problèmes de vessie. S'il figure en bonne place au panthéon des épices, c'est avant tout pour sa contribution au parfum du gin. À défaut de baies de genièvre, un doigt de gin dans une préparation culinaire donne le change.

La nigelle est indissociable de la cuisine indienne. Saupoudrée sur un *naan*, elle lui ajoute du croustillant, une touche esthétique et un délicat arôme poivré. Son nom vient du latin *nigellus*, qui signifie « noirâtre ».

Aspect

La nigelle est une robuste plante vivace, atteignant 60 centimètres de haut. Les gousses sont récoltées avant d'éclater et de libérer les petites graines noires qu'elles renferment, qui ressemblent à celles de l'oignon.

Emploi

En Turquie et dans tout le Moyen-Orient, on parsème le pain de ses graines. En Europe, la nigelle se substitue parfois au poivre pour relever chou, chou-fleur ou carottes au beurre.

Origines

Issue d'Asie occidentale, la nigelle est aujourd'hui cultivée en Inde et au Moyen-Orient.

Propriétés médicinales et autres usages

En Inde, la nigelle est utilisée comme stimulant et remède carminatif, ainsi que pour soigner les indigestions et les problèmes intestinaux. Elle sert également à éloigner certains insectes, notamment les mites.

En Europe de l'Est, les graines de pavot ajoutent du goût et du croquant à divers pains. Elles proviennent du pavot somnifère, mais ne contiennent aucune substance opiacée (l'opium est extrait des capsules avant qu'elles n'arrivent à maturité).

Aspect

La graine de pavot a la taille d'une tête d'épingle. Sa couleur varie du blanc au bleu-gris. La plante, qui atteint 1,20 m de haut, donne des fleurs roses, rouges ou violettes.

Emploi

D'après les archéologues, les Égyptiens utilisaient déjà les graines de pavot il y a mille cinq cents ans. En Pologne, en Hongrie et en Autriche, elles agrémentent pâtisseries et viennoiseries, comme le roulé au pavot (voir page 122) – on les fait d'abord gonfler dans l'eau afin d'obtenir une pâte dense. Les cuisiniers indiens parfument *naan* et pommes de terre de graines de pavot d'une autre variété, de couleur jaune.

Origines

Issu du sud-est de l'Europe et d'Asie occidentale, le pavot est cultivé en Iran, Turquie, Hollande, Roumanie, dans certaines régions d'Asie, ainsi qu'en Amérique centrale et en Amérique du Sud.

Propriétés médicinales et autres usages

Le pavot est prisé par les herboristes pour ses qualités astringentes, aphrodisiaques, expectorantes, hypnotiques et sédatives. Il soigne la toux, les rages de dent, l'asthme, les maux de tête et les furoncles.

Le poivre de la Jamaïque provient de graines originaires des Antilles, qui allient les saveurs puissantes de la noix muscade, de la cannelle et du clou de girofle. Il contient de l'eugénol, l'huile essentielle qui donne au clou de girofle ce parfum intense.

Aspect

Les baies du poivre de la Jamaïque ressemblent à de gros grains de poivre ronds d'environ 7 millimètres de diamètre. Les Espagnols, qui le découvrirent aux Amériques, le baptisèrent *pimiento de Jamaica*. Séchées avant maturité, les baies poussent sur un arbre à feuilles persistantes, le myrte-piment, qui atteint 7 à 13 mètres de haut. Il développe de larges feuilles coriaces et donne de petites fleurs blanches ; celles-ci font place à des baies vertes, qui virent au violet en mûrissant. Le fruit entier est séché, puis moulu.

Emploi

Aux Antilles, d'où il est originaire, ce poivre est un ingrédient essentiel de la pâte pour *jerk* (voir page 115), que l'on utilise pour faire mariner le porc et le cabri avant cuisson. Il est très apprécié dans l'hémisphère Nord, où il réchauffe certaines spécialités du Canada et des États-Unis, d'Allemagne et de Russie, de Suède et de Finlande. En Allemagne, il donne du corps aux ragoûts de bœuf. Il est également très apprécié en Turquie. En Grande-Bretagne, il apporte du piquant aux légumes en saumure ou au vinaigre, mais fait aussi partie des mélanges d'épices indispensables à la confection des cakes et du *Christmas pudding* (voir pages 132 et 135).

Origines

Originaire des forêts tropicales humides d'Amérique centrale et d'Amérique du Sud, le myrte-piment est cultivé au Mexique, en Amérique centrale et, bien sûr, à la Jamaïque.

Propriétés médicinales et autres usages

Comme le clou de girofle, le poivre de la Jamaïque a des propriétés carminatives, digestives et légèrement anesthésiantes. Il sert également à soigner l'arthrite et les raideurs musculaires.

L'anis est l'un des aromates les plus appréciés au monde. Doux au palais, il procure une agréable sensation d'apaisement. Son huile essentielle, sous forme concentrée (essence), a un parfum aussi vif et affirmé que celui de la menthe.

Aspect

L'anis est une plante vivace au port dressé, qui atteint 60 centimètres de haut et donne de petites fleurs blanches. Les minuscules graines, de 2 à 4 millimètres de diamètre, se distinguent par leur couleur brune ou gris verdâtre.

Emploi

L'anis est l'un des principaux aromates de la cuisine chinoise, où il accompagne le porc et le canard. En Occident, son usage remonte à l'Antiquité égyptienne. On l'utilisait alors pour parfumer les gâteaux, une habitude reprise par les Romains et, plus récemment, par les Américains.

Ses affinités avec le sucre séduisent les Anglo-Saxons, qui raffolent des confiseries à base de graines d'anis. En France, on rencontre plutôt l'anis sous forme de bonbons et de gommes destinées à rafraîchir l'haleine. Il ajoute également une note savoureuse aux ragoûts de poisson méditerranéens comme la bouillabaisse.

Origines

Originaire du Bassin méditerranéen et d'Égypte, l'anis est cultivé en Europe, en Asie, en Inde, au Mexique, en Afrique du Nord et en Russie.

Propriétés médicinales et autres usages

Outre ses vertus diurétiques, l'anis neutralise les flatulences, soulage les indigestions et les maux d'estomac. Il est également utilisé contre la bronchite, la toux, les poux. Il aromatise de nombreux alcools bruts, comme le pastis, l'ouzo grec, le raki turc et l'anisette danoise. Tous ces breuvages présentent un curieux point commun : transparents à l'état pur, ils se troublent et deviennent laiteux dès qu'ils sont mélangés à de l'eau.

187

Apparenté au poivre, le cubèbe se distingue par son goût affirmé, légèrement camphré, et son arôme de bois sec. On l'appelle également poivre à queue car les baies dont il est issu portent un pédoncule.

Aspect

Le cubèbe croît sur une plante grimpante qui ressemble au poivrier, mais dont les baies sont un peu plus grosses et nervurées ; généralement creuses, elles doivent être pilées ou moulues avant utilisation.

Emploi

Le cubèbe entre dans la composition des mélanges d'épices arabes. Dans l'Antiquité romaine, il parfumait déjà un apéritif appelé hypocras. En Europe, sa saveur brûlante et amère remplaçait jadis celle du poivre. Dans l'Angleterre du XVIe siècle, il servait à la fois de condiment et d'aromate. Puis le poivre devint plus abordable et le cubèbe, plus âpre, perdit beaucoup de son attrait. Toutefois, on l'utilise encore parfois comme conservateur dans les légumes en saumure ou au vinaigre.

Origines

Le cubèbe vient de Java, mais il pousse aussi en Afrique, aux Antilles et au Sri Lanka.

Propriétés médicinales et autres usages

Le cubèbe fournit du camphre destiné à l'industrie pharmaceutique. En Chine et en Asie du Sud-Est, les baies sont utilisées pour faciliter la digestion et apaiser les coups de soleil. Dans d'autres régions du monde, elles sont appréciées pour leurs vertus diurétiques et servent également à soigner les problèmes pulmonaires.

Les baies du sumac possèdent une saveur aigre et acidulée : pilées et parsemées sur des salades ou des brochettes, elles se substituent aisément au jus de citron.

Aspect

L'arbuste, qui appartient à la famille des térébinthacées, peut atteindre 3 mètres de haut. Il donne des feuilles et des rameaux pileux, ainsi que des fleurs blanches, qui se transforment en grappes de baies rouges.

Emploi

Les Romains utilisaient le sumac pour ajouter une touche acidulée à leurs recettes, à une époque où la culture du citron n'était pas encore répandue. Il est toujours à l'honneur dans le nord de l'Inde, en Turquie et en Irak, où le citronnier s'épanouit difficilement. Les cuisiniers libanais l'emploient également quand ils veulent donner un peu d'acidité à leurs plats sans avoir recours au jus de citron. Le sumac entre aussi dans la composition du *za'atar* (voir page 78), un mélange d'épices jordanien qui comprend également du thym, des graines de sésame et du sel ; il relève les préparations à base d'œufs ou du pain trempé dans de l'huile.

Origines

Le sumac s'épanouit à l'état sauvage dans le Bassin méditerranéen, notamment en Sicile et dans le sud de l'Italie, en Turquie, au Liban, en Iran et au Proche-Orient. On le trouve aussi en Afrique du Nord et en Inde.

Propriétés médicinales et autres usages

Le sumac rafraîchit et facilite la digestion. On dit qu'il fait baisser la fièvre et apaise les maux d'estomac.

Les petites graines de sésame contiennent 50 pour cent d'huile. Crues, elles n'ont quasiment aucun goût. Il faut les faire griller pour révéler leur délicieux arôme aigre-doux.

Aspect

Les petites graines, de forme ovale, sont en général blanches, mais leur couleur peut varier. La plante, qui atteint 1 à 2 mètres de haut, donne des clochettes rose pâle, violettes ou blanches, ainsi que des capsules en guise de fruits. Une fois mûres, les capsules éclatent avec un petit bruit, libérant les graines – d'où l'expression « Sésame, ouvre-toi ! »

Emploi

Le sésame agrémente baguettes et petits pains, galettes et *naan*, ainsi que les toasts frits aux crevettes dont les Chinois raffolent. Les cuisiniers orientaux utilisent l'huile de sésame comme aromate – quelques gouttes en fin de cuisson ajoutent un goût de caramel et de noisette aux plats sautés chinois. Délicieux : les pommes caramélisées enrobées de graines de sésame !

Au Moyen-Orient, la pâte de *tahini*, qui vient enrichir les *mezze* turcs et libanais, est confectionnée à partir de graines entières pilées, ce qui donne cette texture huileuse et ce goût amer ; elle entre en général dans la composition de l'hoummos. Le halva, confiserie croustillante, se prépare avec une pâte de sésame dont l'huile a été extraite, additionnée de sucre et de blanc d'œuf.

Origines

Originaire des régions tropicales, le sésame reste l'une des plantes cultivées les plus anciennes au monde. Très prisé à Babylone et en Assyrie voici quatre mille ans, il est aujourd'hui cultivé dans de nombreux pays, dont la Chine, l'Inde, l'Éthiopie, l'Amérique centrale et les États-Unis.

Propriétés médicinales et autres usages

Le sésame est traditionnellement utilisé comme tonifiant et laxatif. Autrefois, il symbolisait la chance et l'immortalité. Riche en protéines, l'huile de sésame sert à fabriquer de la margarine et des huiles de friture. Elle entre aussi dans la composition de certains savons et produits cosmétiques.

L'ajowan donne de petites graines à la saveur légèrement poivrée, avec une pointe d'origan et d'anis. Pilées, elles développent un parfum aromatique rappelant celui du thym. Si l'ajowan et le thym ne présentent aucune parenté, ils contiennent le même composant chimique, le thymol, qui leur confère à tous deux un arôme caractéristique.

Aspect

L'ajowan est une plante annuelle atteignant 30 à 70 centimètres de haut. Ses petites graines brunes et dures ressemblent à celles du carvi ou du cumin. L'ajowan fait partie de la même famille que le carvi ou la livèche.

Emploi

Les Indiens parsèment les *naan* et les pâtisseries de graines d'ajowan afin de leur donner un peu de piquant. Elles rehaussent également les plats de lentilles et autres légumes secs, ainsi que les pommes de terre, carottes et autres tubercules. Les bouchées frites à base de farine de lentilles, dont les Indiens sont si friands, sont elles aussi parsemées de ces petites graines aromatiques.

Origines

Originaire d'Inde, l'ajowan est également cultivé au Moyen-Orient.

Propriétés médicinales et autres usages

L'ajowan est doté de précieuses propriétés médicinales. Antiseptique et antioxydant, il contribue à éliminer les radicaux libres qui favorisent l'apparition du cancer. Il est utilisé contre les indigestions et l'asthme, ainsi que pour traiter les diarrhées et les flatulences. On dit qu'il possède des vertus aphrodisiaques et qu'il aide à contrôler le besoin d'alcool.

trigonella foenum-graecum (fenugrec)

Comme l'indique son nom savant, fenugrec signifie « foin grec » en latin, la plante servant jadis de fourrage pour le bétail – un usage qui perdure en Inde. Les cuisiniers indiens utilisent beaucoup cette épice, notamment dans les poudres de curry.

Aspect

Le fenugrec est une herbacée annuelle atteignant de 30 à 80 centimètres de haut. Elle dégage une forte odeur épicée. Ses fleurs, d'un blanc jaunâtre, se transforment en fines gousses pointues, renfermant de petites graines jaune-brun.

Emploi

L'amertume du fenugrec s'atténue dans les mélanges de curry lorsque, grillé à sec, il côtoie les graines de cumin et de coriandre. Ne faites pas brûler le fenugrec : il devient vite désagréablement amer.

Ses feuilles charnues (le fenugrec appartient à la famille du giroflier), appelées *methi* en Inde, sont employées soit fraîches, soit séchées. Elles apportent aux légumes une touche de fraîcheur, à l'instar du céleri. Les graines germent facilement, tout comme celles de la moutarde et du cresson. En salade, elles sont aussi délicieuses que nourrissantes.

Origines

Originaire d'Europe méridionale, d'Inde et du Maroc, le fenugrec demeure l'une des plantes médicinales les plus anciennes. Aujourd'hui, il est cultivé dans le Bassin méditerranéen, en Inde, en Afrique du Nord, en France, aux États-Unis et en Argentine.

Propriétés médicinales et autres usages

Le fenugrec soulage aussi bien les flatulences et la diarrhée que la toux et le rhume. Il contribue aussi à soigner les bronchites, les maux de gorge, les ganglions, le diabète et les ulcères. Il facilite la digestion et, dit-on, la lactation. La plante possède également des vertus anti-inflammatoires et aphrodisiaques.

Croquez un grain de poivre du Sichuan pendant deux secondes et recrachez-le. Vous sentirez sur la langue un picotement et un engourdissement. Cette épice des plus étranges est très appréciée en Chine, notamment dans le Sichuan, où elle est utilisée depuis des siècles.

Aspect
La graine est le fruit d'un buisson épineux de la famille des rutacées, apparenté au citronnier et au frêne d'Amérique du Nord. De couleur rouille, elle présente une ouverture de 5 millimètres environ à une extrémité et une petite queue à l'autre.

Emploi
Le poivre du Sichuan est un ingrédient essentiel de la cuisine chinoise, puisqu'il entre dans la composition du cinq-épices en poudre (voir page 44). Au Sichuan, le poivre du même nom s'associe au piment pour procurer au palais des sensations encore plus brûlantes. Grillé et pilé avec du sel, il est servi comme condiment pour accompagner les plats grillés ou frits. Le poivre du Sichuan doit s'acheter frais (ce qui est possible par correspondance) : éventé, il perd la force de son arôme.

Origines
Le poivre du Sichuan est originaire de la province du Sichuan, en Chine, et des zones tempérées d'Asie, dont l'Himalaya, mais il s'épanouit sous n'importe quel climat tempéré.

Propriétés médicinales et autres usages
Traditionnellement employé contre les douleurs d'estomac, les vomissements et la diarrhée, le poivre du Sichuan sert également, en usage externe, à traiter l'eczéma.

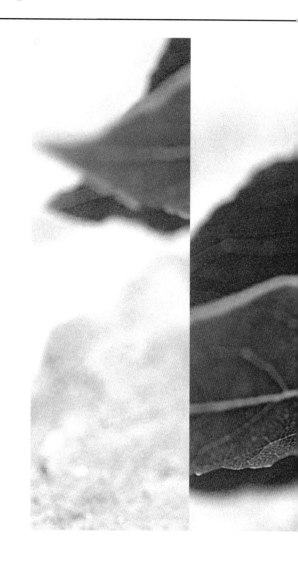

chenopodium ambrosioides (épazote) / fleurs et feuille

Également appelée thé du Mexique, l'épazote s'inscrit dans la trinité des saveurs d'Amérique centrale et des Antilles, aux côtés du cumin *(comino)* et de la feuille de coriandre *(cilantro)*. Son parfum singulier, qui rappelle celui de la créosote utilisée pour conserver le bois, peut rebuter au premier abord. Il se dissipe toutefois à la cuisson, ne laissant qu'une agréable amertume qui s'accorde à merveille avec le goût et la texture épaisse des haricots.

Aspect

L'épazote se distingue par une croissance abondante. Une fois installée, elle a tôt fait de tapisser une vaste surface de ses jeunes feuilles compactes et charnues, à la flaveur douce. Lorsque la plante atteint 60 centimètres à 1 mètre de haut – elle ressemble alors à un épinard hirsute monté en graine –, les feuilles ont déjà un parfum très prononcé. L'épazote est aussi surnommée herbe aux cochons – l'un de ses noms les moins flatteurs –, car ces animaux en sont friands.

Emploi

L'épazote est un aromate essentiel pour préparer les farces à base de viande qui garnissent les tortillas, mais aussi la plupart des ragoûts de haricots. Il semblerait, en effet, qu'elle agisse contre les flatulences – l'un de ses nombreux noms espagnols se traduit d'ailleurs par « herbe aux haricots ».

Origines

Le terme épazote est dérivé du nahuatl, langue indigène du Mexique : *epatl* et *tzotle* signifient « odeur de sconse » – encore un qualificatif peu flatteur, même s'il est légèrement exagéré. En réalité, c'est un aromate très apprécié puisque toute la plante, des feuilles aux graines en passant par la tige et les fleurs, est récoltée et séchée en vue de servir toute l'année. L'épazote peut aussi être cultivée en plein air sous les climats tempérés.

Propriétés médicinales et autres usages

L'épazote aide, dit-on, à éliminer les parasites du système digestif – elle est encore connue comme « herbe aux vers » –, neutralise les flatulences et soulage les coliques. La plante est aussi utilisée pour panser les blessures et fait un cataplasme efficace contre le venin des serpents.

citrus hystrix (combava)

Appelé *makrut lime* en Thaïlande, le combava ne donne presque pas de jus, mais il est apprécié pour ses feuilles et son écorce très parfumées.

Aspect

Attachées deux par deux sur la tige, les feuilles ovales du combava forment un huit. Le fruit lui-même est piriforme et noueux.

Emploi

Les feuilles de combava sont un ingrédient incontournable dans les soupes aigres-douces de Thaïlande (voir recette page 52). Lorsqu'ils sont alliés à l'arôme pharmaceutique du galanga, au gingembre et à la coriandre, au piment frais et au jus de citron vert, le parfum citronné et l'amertume des feuilles de combava créent un festival de saveurs. Fraîches, elles se conservent au réfrigérateur ou au congélateur dans un sac en plastique hermétique. Séchées, elles doivent être réhydratées dans de l'eau chaude pendant dix minutes avant utilisation.

Origines

Le combava pousse en Asie du Sud-Est, où on le cultive plus pour ses feuilles que pour ses fruits.

Propriétés médicinales et autres usages

La couche externe de l'écorce épaisse du fruit donne une huile de base utilisée en parfumerie.

Marché flottant en Thaïlande : on y trouve aussi bien des fruits et des légumes que des herbes et des épices.

197

Plus cher que l'or, le safran reste l'épice la plus prisée au monde. Il emprunte son nom à l'arabe *za'faran*, qui signifie « jaune », tant il est vrai qu'il rehausse le moindre mets d'une chaude teinte dorée. Aux quatre coins du globe, le précieux aromate donne au riz un caractère unique, de la paella valenciana aux *polow* iraniens, en passant par le risotto de Milan et le biriani du nord de l'Inde.

Aspect

Le safran vient du pistil rouge orangé de la fleur de crocus. Son prix élevé est uniquement dû à la main-d'œuvre nécessaire pour récolter les stigmates. Pendant la cueillette, on voit les pétales s'amonceler en monticules d'un mauve translucide en marge des champs. Une fleur ne donnant que trois pistils, il faut pas moins d'un million de pistils pour obtenir 1 kilo de safran.

Emploi

À forte dose, le safran a un goût pharmaceutique marqué, alors qu'à petite dose, il déploie un arôme qui fusionne littéralement avec celui des autres ingrédients : il transforme ainsi un austère ragoût de pêcheurs en un mets de renom mondial, la bouillabaisse.

Il sublime les saveurs les plus rudimentaires. Il se marie à merveille avec le poisson, même si les Indiens l'emploient aussi pour relever certains plats à base d'agneau. Les Espagnols, pour leur part, font un usage très libre du safran, agrémentant notamment d'une généreuse pincée le riz destiné à la paella (voir page 128). Dans la plupart des pays, toutefois, cette épice n'est utilisée qu'avec modération et en infusion (voir page 74). Il en faut très peu pour donner de la couleur à un plat, qu'il s'agisse de riz, de poisson ou de pommes de terre, voire au pain (voir recette suédoise page 130).

Origines

Le crocus dont on extrait le safran vient probablement de Chine. Il fut découvert par Alexandre le Grand au Cachemire, comme en témoigne son récit d'une récolte au clair de lune, dans une lumière bleutée proprement surnaturelle.

Étant donné la valeur du safran, la culture du crocus s'est vite répandue aux quatre coins du monde. La petite plante à bulbe s'épanouit dans les régions aux étés chauds et aux hivers froids, en Espagne par exemple, ce qui élimine les nuisibles susceptibles de convoiter les bulbes.

Le Cachemire est resté un important producteur de crocus, tout comme l'Iran, dont le safran se distingue par sa couleur acajou foncé et sa saveur intense et fumée.

Comment est-il produit ?

Dans la région de la Manche (principal producteur de safran de qualité), en Espagne, la culture du crocus reste artisanale. Dans les villages, toute la famille met la main à la pâte pour trier les fleurs. Les jeunes filles aux doigts agiles déposent les pistils dans une assiette placée au centre de la table. Puis la grand-mère les fait sécher – au cours de l'opération, ils perdront un tiers de leur poids. Pour ce faire, elle les maintient, dans une passoire, au-dessus du feu d'un poêle à bois, ce qui leur donne parfois un petit goût fumé. Les stigmates mal séchés ne se conservent pas.

À gauche : dans la Manche, en Espagne, les pistils orange vif sont prélevés sur les fleurs violettes du crocus à safran.

Le safran en Angleterre et en France

Trois siècles durant, la culture du crocus prospéra dans l'Essex et la région de Cambridge. Pour la remercier de sa productivité, le roi Henri VIII accorda à la petite ville de Walden le préfixe de « Saffron » (qui désigne safran en anglais). Au XVIIIe siècle, les Anglais renoncèrent à cultiver le crocus, tandis que les herboristes commençaient à étudier les vertus thérapeutiques du safran. En cuisine, il fut peu à peu détrôné par d'autres arômes, dont celui de la vanille. Son emploi persista toutefois en Cornouailles où, aujourd'hui encore, les pâtissiers proposent cakes et petits pains au safran.

Du XVIe au XIXe siècle, la ville française de Boynes, dans le Gâtinais, fut considérée comme la capitale mondiale du safran. Allemands et Hollandais, par exemple, venaient s'y approvisionner. Le déclin du safran en France s'amorça à la suite des deux hivers rigoureux de 1880 et 1881, une grande quantité de bulbes n'ayant pas résisté aux basses températures. L'exode rural, le coût de la production et l'essor des colorants de synthèse achèveront de faire péricliter cette culture : le dernier champ disparut en 1930.

Sous quelle forme est-il vendu ?

En Espagne, le safran est commercialisé sous forme de poudre ; dans les préparations pour paella, on le trouve parfois mélangé à un colorant. Dans d'autres pays, il est souvent vendu altéré, mélangé à d'autres colorants, voire remplacé par des fleurs de carthame (« safran bâtard ») ou des pétales d'œillet d'Inde, qui offrent une légère couleur jaune, mais aucun arôme. Un indice : le prix. Dans certaines régions du monde, le curcuma est vendu sous le nom de safran, souvent plus par ignorance que par duperie, le mot safran étant lié à la couleur jaune (le curcuma est aussi appelé safran des Indes). Au XVe siècle, en Allemagne, les marchands qui coupaient le safran moulu avec du curcuma étaient envoyés au bûcher ou enterrés vivants !

Propriétés médicinales et autres usages

Le safran a longtemps été considéré comme une sorte de panacée, capable de soigner aussi bien les maux de tête que la goutte ou la rougeole. À une époque, peut-être jouait-il même le rôle du cannabis aujourd'hui : en effet, une faible quantité provoquait, disait-on, une douce sensation de plaisir, pouvant aller jusqu'à l'hilarité, pour dégénérer en convulsion s'il était consommé en quantité excessive (selon Nicolas Culpeper, un herboriste du XVIIe siècle). Le safran sert aussi de teinture.

cymbopogon citratus (citronnelle)

La citronnelle se distingue par une saveur fraîche et tonique, qui rappelle celle du zeste de citron. Ingrédient incontournable des soupes aigres-douces de Thaïlande, cette herbe aromatique marque toute la cuisine d'Asie du Sud-Est.

Aspect

La citronnelle est une robuste plante vivace, au port hérissé. Croissant en touffes, elle s'épanouit comme une mauvaise herbe dans presque tous les jardins. Elle atteint environ 60 centimètres de haut et développe des feuilles ligneuses et fibreuses qui, une fois retirées, révèlent un cœur tendre, bulbeux et allongé. Avec sa couleur vert pâle et sa consistance ferme, la citronnelle ressemble à un oignon de printemps ou à un petit poireau. Elle est parfois appelée lemon-grass ou herbe à citron.

Emploi

Coupé à 5 centimètres du pied, le cœur agrémente les soupes tel quel ou bien ciselé, pour mieux libérer tout son arôme. Broyé, il s'allie au piment, à l'échalote et autres aromates dans une pâte qui relève les en-cas dont les Malais sont friands – les feuilles de banane farcies au porc et aux crevettes, par exemple, qui sont vendues au bord des routes ou sur les marchés. En Occident, la citronnelle se trouve dans les épiceries asiatiques, soit fraîche, en bouquet, soit séchée ou encore en poudre. Conservez-la dans un sac en plastique hermétique, au réfrigérateur ou au congélateur.

Origines

La citronnelle pousse à l'état sauvage dans les régions tropicales d'Asie du Sud-Est et d'Amérique latine.

Propriétés médicinales et autres usages

Dans l'est de l'Inde et au Sri Lanka, la citronnelle, dite herbe à fièvre, est combinée à d'autres herbes pour traiter la fièvre, les troubles de la menstruation et les douleurs d'estomac. En Amérique latine et aux Antilles, elle est utilisée pour faciliter la digestion et pour calmer les nerfs. Quant aux Chinois, ils s'en servent pour soigner les maux de tête et d'estomac, ainsi que le rhume et les rhumatismes.

Le parfum puissant et vivifiant du laurier s'inscrit au répertoire de tout cuisinier digne de ce nom. Il couvre les arômes moins flatteurs et neutralise notamment les odeurs de poisson. Aussi agrémente-t-il souvent les bouillons et soupes de poissons, tout comme le court-bouillon destiné à leur cuisson.

Aspect

Le laurier est un arbre persistant aux feuilles vert foncé et brillantes. Dans la nature, sa croissance généreuse peut le faire atteindre plus de 20 mètres de haut ; dans un jardin, grâce à des tailles régulières, il se développe sous forme de buisson.

Emploi

En France où, depuis des siècles, les herbes l'emportent sur les épices, la saveur essentiellement épicée du laurier rehausse le bouquet garni, indispensable aux ragoûts, soupes et bouillons. Un bouquet garni se compose en général de brins de thym et de feuilles de laurier et de céleri-branche enroulés dans une feuille de poireau et noués à l'aide d'une ficelle de cuisine, de façon à pouvoir l'ôter en fin de cuisson.

L'emploi du laurier est généralement cantonné aux plats salés. Il apporte ainsi un parfum unique aux brochettes de viande, que les feuilles soient intercalées entre les morceaux ou parsemées dessus, sous forme hachée. En Scandinavie, il est utilisé pour adoucir l'odeur forte du hareng mariné – hareng cuisiné dans du cidre, du vinaigre ou du vin dilué, aromatisé avec du laurier, des grains de poivre et, éventuellement, des baies de genièvre ; le poisson refroidit ensuite dans son liquide de cuisson. En marinade, le laurier s'associe à un vin rouge grossier, des baies de genièvre et de l'oignon haché pour donner au porc un goût faisandé qui rappelle celui du sanglier. Les Anglais font exception : avec une feuille de laurier, ils donnent du piquant à certains laitages comme le riz au lait.

Origines

Le laurier s'épanouit dans tous les pays d'Europe et du Bassin méditerranéen, ainsi que sous la plupart des climats tempérés.

Propriétés médicinales et autres usages

On prête au laurier des vertus à la fois médicinales et magiques. Les Romains l'utilisaient pour soigner les troubles hépatiques. À Rome, le *victor ludorum* (vainqueur parmi les vainqueurs) recevait une couronne de lauriers, symbole de gloire et de récompense. Le nom latin de cet aromate est dérivé d'un mot qui signifie « renommé » *(nobilis)*. Le laurier protégeait également, croyait-on, du tonnerre et de la foudre. On dit aussi qu'il favorise la digestion, calme les nausées, stimule la mémoire, soulage les maux de tête et calme l'hystérie. En pommade, il apaise les rhumatismes, les bleus et les érythèmes.

La menthe est un ingrédient essentiel au Moyen-Orient, d'où elle est originaire. Mais son goût affirmé et rafraîchissant a séduit le monde entier. Son huile essentielle, le menthol, est utilisée dans les chewing-gums et dentifrices, les confiseries et boissons, ainsi que les cigarettes. La menthe séchée parfume thés et tisanes.

Aspect

La menthe est une plante vivace pouvant atteindre 60 centimètres de haut. Il en existe à peu près six cents variétés, dont les plus connues sont les menthes verte et poivrée, principales sources de menthol dans l'industrie. Les autres variétés offrent un choix immense, de la menthe citronnée à la menthe au léger parfum de chocolat, de gingembre, d'ananas, de bergamote ou de pomme.

Emploi

Au Moyen-Orient, la menthe verte (*Menthus viridis*) agrémente le traditionnel thé à la menthe, très sucré. Elle aromatise également le thé glacé, auquel elle ajoute une note rafraîchissante. Certaines salades orientales, comme le taboulé (voir page 68), ne sauraient se passer d'une bonne dose de menthe ciselée.

En Asie du Sud-Est, c'est une espèce très piquante et aux feuilles duveteuses qui parfume soupes et salades.

En Grèce, la menthe donne une saveur inimitable aux feuilles de vigne farcies (*dolmades*). Elle donne également l'indispensable petit coup de fouet au *tzatziki* à base de yaourt et de concombre. Les Indiens font de même, avec la *raita* accompagnant les currys épicés. En France, la menthe se présente sous forme de pastilles et de liqueurs. Les Américains l'ont adoptée pour parfumer les chewing-gums et le *minth julep*, une boisson alcoolisée très appréciée dans le sud du pays. Outre-Atlantique, le cocktail Pimm's est toujours servi avec un brin de menthe. Cette herbe aromatique se marie à merveille avec les salades de fruits.

Origines

Les origines de la menthe nous ramènent à la mythologie grecque. Pour avoir courtisé Hadès (Pluton), la nymphe Minthê fut transformée en plante par Perséphone (Proserpine), la dulcinée du dieu des Enfers. En Grèce, puis à Rome, on confectionnait des couronnes de menthe pour en coiffer les vainqueurs.

Originaire du Moyen-Orient, la menthe est aujourd'hui répandue dans presque toutes les régions du globe. Les Romains l'introduisirent en France, où sa culture se généralisa dans les jardins d'herbes aromatiques des monastères. Il fallut toutefois attendre les croisades pour que les chevaliers de retour d'Orient initient les cuisiniers aux nombreuses possibilités offertes par la menthe.

Propriétés médicinales et autres usages

Les vertus de la menthe, qui rafraîchit l'haleine et facilite la digestion, sont reconnues depuis toujours. Elle était aussi utilisée pour lutter contre les calculs biliaires, les colites et le rhume. Outre son utilisation dans les dentifrices et les chewing-gums, son huile essentielle parfume les pastilles contre la toux. Elle entre également dans la composition de parfums, de crèmes de beauté et de rouges à lèvres.

Méconnu en dehors de l'Inde, d'où il est originaire, le caloupilé, ou *kari patta*, possède une caractéristique étonnante : il dégage presque la même odeur que la poudre de curry. Pourtant, on ne le compte pas parmi la trentaine d'épices entrant dans la composition d'un curry !

Aspect

Le caloupilé est un arbuste à petites feuilles brillantes.

Emploi

On le trouve à l'honneur dans la cuisine végétarienne d'Inde méridionale. Ajouté en fin de cuisson, il agrémente les *dhal* (ragoûts de lentilles) et les currys de légumes, souvent associé à l'asa-fœtida, qui donne aux plats végétariens un petit goût de viande. Le cuisinier les fait revenir dans du beurre clarifié *(ghee)* avec des graines de moutarde. Lorsque ces dernières éclatent, c'est que le mélange est prêt.

Origines

Le caloupilé pousse en abondance dans toute l'Inde et au Sri Lanka, notamment dans les contreforts himalayens. Généralement vendues fraîches dans les magasins spécialisés, les feuilles se conservent dans un récipient en plastique au réfrigérateur ou au congélateur. Séchées, elles doivent être conservées dans un pot hermétiquement fermé, pour préserver leur arôme.

Propriétés médicinales et autres usages

Outre ses vertus toniques, le caloupilé serait efficace contre la dysenterie et la diarrhée. En cataplasme, il accélère la cicatrisation des brûlures et des blessures. Consommé en grande quantité, il empêcherait les cheveux de grisonner.

La macis possède un parfum attachant de noisette, qui rappelle celui de la noix muscade, mais en plus doux et plus sucré.

Aspect

Sous sa coque, très proche de celle d'une noix, la noix muscade est enveloppée d'un entrelacs de fibres rougeâtres appelé arille, qui donne le macis. Prélevé lorsqu'il est encore tendre, il est séché au soleil, où il acquiert une teinte orangée. À la Grenade, on conserve le macis à l'ombre quelques mois de plus pour assombrir sa couleur. Une fois durci, le macis est vendu entier (fleurs de macis) ou moulu.

Emploi

Le macis s'utilise comme la noix muscade. Il est beaucoup employé en charcuterie (jambons, saucisses) mais fait également merveille avec le poisson et les fruits de mer (sauces). Très huileux, le macis entier est difficile à piler ; pour faciliter l'opération, mélangez-le à un peu de farine.

Origines

Originaire des Moluques, en Indonésie, le macis vient aussi de Singapour, du Brésil, de Colombie, d'Amérique centrale, de Madagascar et des Antilles. Aujourd'hui, la Grenade représente environ 40 pour cent de la production mondiale de macis.

Propriétés médicinales et autres usages

Le macis neutralise les flatulences, facilite la digestion et la circulation sanguine. En Asie, on l'utilise pour soulager les nausées. C'est aussi un tonifiant et un stimulant. En grog, il permettrait de lutter contre l'insomnie.

Le basilic, herbe très aromatique, est cultivé en pot dans les régions méditerranéennes. Le parfum du basilic doux que l'on trouve en Europe, de la même famille que la menthe, rappelle celui du clou de girofle. Quant au basilic pourpre, au goût de réglisse, il est utilisé dans le Sud-Est asiatique. Il existe plusieurs autres variétés, à l'arôme de cannelle ou citronné.

Aspect

Le basilic est une plante buissonnante dont certaines espèces peuvent atteindre 1 mètre de haut. Les feuilles se distinguent par leur forme ovale et pointue. Les fleurs, dont la couleur va du blanc au rose ou violet, se développent en épis.

Emploi

En Thaïlande, au Viêt Nam et au Cambodge, le basilic parfume des soupes épicées (associé au gingembre, à la citronnelle et aux feuilles de combava). Il vient aussi, en fin de cuisson, relever les légumes sautés. Certains cuisiniers font revenir les feuilles dans de l'huile et les servent en garniture.

En Europe, les Italiens monopolisent plus ou moins l'usage du basilic. Son arôme poivré donne du corps à une simple salade de tomates et de mozzarella.

Comment préparer le pesto ?

Séché, le basilic s'évente rapidement. Depuis l'Antiquité romaine, toutefois, les Italiens ont appris à préserver les feuilles de façon à pouvoir les consommer toute l'année. Ils les conservent en pot, dans de l'huile, sous plusieurs couches de sel. Ainsi naquit le célèbre *pesto alla genovese* qui, mélangé à des pignons et du pecorino râpé, se marie à merveille avec les pâtes.

Pesto est un mot latin qui signifie « pilé ». Le pesto génois maison se compose de feuilles de basilic pilées, d'huile d'olive et de pignons de Ligurie, ainsi que de pecorino, un fromage sec et salé. Mais, afin de réduire les coûts, certains fabricants de pesto utilisent la plante entière au lieu de sélectionner les feuilles, privilégient les huiles d'olive de moindre qualité, remplacent les pignons par des cacahouètes et recourent à des ersatz de parmesan et autres substituts en guise de fromage. En vertu des règlements sanitaires, ils sont aussi tenus de pasteuriser les pots. Or au cours de ce processus d'échauffement, même s'il est de courte durée, l'arôme et la fraîcheur du basilic s'altèrent. Ainsi, le meilleur pesto est celui fait maison, au mortier, avec des ingrédients de qualité.

Le nord de l'Italie et le sud-est de la France ont vu naître le pistou. Parfumée au basilic, cette soupe rustique se compose de légumes (pommes de terre, haricots verts, tomates, oignons ou poireaux) mijotés dans un bouillon avec des pâtes (vermicelles ou spaghettis). C'est en fin de cuisson que le cuisinier ajoute un concentré de saveurs (basilic frais, ail pilé, huile d'olive et sel), qui donne au pistou un parfum appétissant et une touche piquante.

Les minuscules graines du basilic sont très appréciées en Asie. Trempées dix minutes dans l'eau, elles deviennent gélatineuses et viennent agrémenter certains plats salés comme les nouilles, chaudes ou froides, ou desserts, à la fois pour décorer et pour parfumer. On les incorpore aussi à des boissons à base de lait de coco, de noix de coco râpée et de sirop de palme.

Origines

Le basilic serait originaire d'Inde. Il s'enorgueillit d'un passé prestigieux, puisqu'il était jadis l'herbe des rois et devait être coupé avec une serpe d'or. Il est cultivé dans le monde entier.

Propriétés médicinales et autres usages

Dans certaines régions d'Inde, le basilic est considéré comme une plante sacrée, qui éloigne les esprits malins. Elle est aussi associée aux funérailles : les corps sont lavés avec une infusion de basilic, puis une feuille est placée sur la poitrine du défunt. Les Chinois l'utilisent pour soigner les problèmes gastriques, rénaux et circulatoires. En Europe, on lui prêtait des vertus thérapeutiques contre le rhume, les verrues et les parasites intestinaux. Les lotions à base de basilic servent également à soigner la toux, les affections cutanées et les problèmes d'oreilles. En Italie, le basilic reste le symbole de l'amour.

L'origan est l'une des herbes les plus appréciées par les cuisiniers méditerranéens pour son arôme affirmé qui flatte le palais. Il entre dans la composition de nombreuses spécialités grecques, espagnoles et, surtout, italiennes.

Aspect

L'origan est une plante vivace aux fleurs violettes, pouvant atteindre 75 centimètres de haut. Avec sa cousine, la marjolaine *(Origanum majorana)*, il demeure l'une des labiées les plus utilisées en cuisine. Cette famille botanique compte pas moins de trois mille deux cents espèces, dont le basilic, le romarin, la sauge, la menthe et le thym. Dans beaucoup de pays, les noms attribués aux différentes plantes de cette grande famille prêtent souvent à confusion. Reste que toutes contiennent du thymol et du carvacrol.

Emploi

L'origan se marie à merveille avec les grillades de poisson, ainsi qu'avec les farces et la chair à saucisse. Allié à la tomate, il forme le couple parfait ! L'acidité du fruit neutralise le léger goût alcalin de l'herbe qui, à son tour, adoucit l'âpreté de la tomate. L'origan rehausse également la fadeur de la mozzarella, ce qui en fait l'ingrédient indispensable de la pizza Margherita.

Pour déployer tout son arôme, l'origan doit être ajouté en fin de préparation, car sa délicate amertume, un rien poivrée, disparaît à la cuisson. En revanche, il supporte très bien la déshydratation : pour relever une sauce tomate, ajoutez 1 pincée d'origan séché.

Origines

Origan signifie « joie des montagnes » en grec. Cette plante sauvage est en effet originaire de Grèce et s'épanouit en altitude, dans les régions méditerranéennes. Aujourd'hui, le principal exportateur est la Turquie. Il existe de nombreuses variétés d'origan, aux feuilles tantôt dorées ou blanches, tantôt sombres ou panachées. Son arôme est d'autant plus intense que le climat est ensoleillé et que ses huiles essentielles sont concentrées. Les espèces de Crète *(rhigani)* et du Mexique (origan sauvage) sont ainsi les plus parfumées. Ce sont les soldats américains qui, à la fin de la Seconde Guerre mondiale, introduisirent l'origan aux États-Unis. En Amérique latine, toutefois, voici bien longtemps

qu'il s'associe au piment en poudre pour relever les aliments d'une touche à la fois brûlante et savoureuse.

Propriétés médicinales et autres usages

L'origan est traditionnellement employé contre le rhume et les indigestions. On lui prête aussi des vertus antiseptiques.

Aromate essentiel en Asie du Sud-Est, notamment en Malaisie et en Indonésie, le pandanus exhale un délicat parfum de rose pour les uns, de foin fraîchement coupé pour les autres. Toujours est-il qu'il se reconnaît à son arôme fleuri, aussi prononcé que celui de la vanille.

Aspect

La plante développe des feuilles rigides, d'un vert lumineux, et peut atteindre 60 centimètres de haut. En Thaïlande, le pandanus porte le nom de *bay touhy* ou de *toey*, tandis que les Indiens l'appellent *kewra* ou *kevda*.

Emploi

Sous forme de pâte, le pandanus broyé ajoute vigueur, couleur et saveur à de nombreux plats sucrés. Les cuisiniers se contentent parfois de nouer une feuille qu'ils ajoutent entière à un plat mijoté. Le pandanus entre également dans la composition de pâtes d'épices, accompagné de citronnelle et de piment vert. Il agrémente aussi les mélanges de porc et de crevettes dont on farcit les feuilles de bananier. Les Malais font mijoter les feuilles de pandanus dans du sirop de sucre pour en extraire la couleur et la saveur. Une fois filtré, ce sirop aromatique vient parfumer les entremets au riz, au tapioca et à la semoule. Le pandanus est meilleur frais – on peut en trouver dans les épiceries asiatiques –, sinon il est vendu séché et en poudre, en sachets de 25 grammes.

Origines

Le pandanus pousse en Asie du Sud-Est et dans les îles du Pacifique.

Propriétés médicinales et autres usages

Cette plante est un bonne source de vitamines A et C.

Parce que son riche arôme exalte la saveur des aliments, cette herbe fait l'unanimité. Elle ajoute une touche grisante aux grillades provençales, italiennes et espagnoles. Placé sur un barbecue, le romarin dégage une odeur à la fois flatteuse et capiteuse – débarrassées de leurs aiguilles, les tiges ligneuses font ainsi d'excellentes brochettes !

Enfin, le romarin n'a pas son pareil en fumigation. Gardez quelques tiges séchées dans votre cuisine pour les brûler lorsque vous souhaitez vous débarrasser des mauvaises odeurs. Il suffit d'en allumer une extrémité, puis de l'agiter dans la pièce pour que la fumée odorante se répande, masquant les relents désagréables.

Aspect

Le romarin est une petite plante buissonnante, dont les feuilles ressemblent à des aiguilles fines et acérées. Au printemps, il se pare de jolies fleurs mauves.

Emploi

Le romarin se prête à tous les usages culinaires, ou presque : il entre dans la composition des bouquets garnis et des marinades, que ce soit de viande ou de poisson ; piqué avec de l'ail, il rehausse le goût de l'agneau rôti ; grillé sur un barbecue, il dégage un parfum pénétrant, fumé et doux-amer, qui met l'eau à la bouche. Le romarin aromatise aussi les condiments aigres-doux et piquants qui accompagnent les viandes rôties. Il donne même aux desserts une note épicée.

Ses fleurs délicates agrémentent d'une touche aussi délicieuse qu'esthétique les salades grecques à la tomate, à l'oignon et à la feta. Elles attirent aussi les abeilles… qui distillent un miel des plus parfumés – parmi les meilleurs.

Origines

Romarin signifie « rosée de mer » en latin : dans son milieu naturel, le Bassin méditerranéen, il s'épanouit en effet sur les versants des collines en bord de mer.

Propriétés médicinales et autres usages

Avant que les cuisiniers n'en découvrent les qualités gustatives, le romarin avait déjà un long passé d'herbe médicinale. Les Anciens le pensaient bénéfique pour le cerveau. Il permettait, disait-on, de se garder des cauchemars et des esprits malins. En infusion, le romarin séché était utilisé contre les maux de tête. « Le romarin est bon pour la mémoire », nous rappelle Shakespeare. Associé à la fois aux noces et aux funérailles, le romarin est souvent planté près des tombes. On l'emploie également pour traiter l'acné, l'asthme, les douleurs musculaires, la bronchite, le rhume, la grippe et le stress.

salvia officinalis (sauge) / fleurs et feuilles / fleurs

Très prisée dans l'Antiquité, la sauge était synonyme de sagesse. On lui prêtait aussi des vertus curatives et fortifiantes. Son parfum flatteur, piquant et tenace titille les sens et s'affirme sur le palais. La saveur de la sauge reste l'une des plus caractéristiques et des plus puissantes du répertoire des aromates.

Aspect

La sauge est un arbuste vivace atteignant environ 60 centimètres de haut, aux tiges ligneuses et aux feuilles gris-vert. Ses feuilles épaisses, tendres et duveteuses sont un régal pour les papilles. Il existe de nombreux cultivars aux feuilles panachées et aux nuances variées, dont certains ont un léger goût de lavande, d'ananas ou de cassis.

Emploi

La sauge faciliterait la digestion. Aussi vient-elle souvent rehausser la saveur des aliments gras, comme la chair à saucisse ou la farce aux marrons de la dinde de Noël. Les premiers colons l'introduisirent au Nouveau Monde où, aujourd'hui encore, elle parfume les plats du dîner de Thanksgiving, qui, le quatrième jeudi de novembre, commémore le début de la colonisation des Amériques.

Utilisée avec modération, la sauge se marie à merveille avec les aliments au goût affirmé. Son amertume dompte la saveur forte du foie, par exemple (un classique en Italie). En France, elle agrémente les saucisses de porc et ne saurait manquer dans le traditionnel bouquet garni qui parfume soupes, bouillons et ragoûts. Aux Pays-Bas, la sauge sert à concocter une sauce verte qui accompagne les anguilles et autres poissons. En Angleterre, le derby à la sauge est sur tous les plateaux de fromages au moment de Noël.

Origines

La sauge est originaire du Bassin méditerranéen, dont le climat chaud et ensoleillé lui donne tout son arôme. Les plus grands consommateurs de sauge sont la France et les États-Unis, même si cette herbe est à l'honneur dans les plats mexicains à base de haricots depuis le XVᵉ siècle, époque où les Espagnols se présentèrent à la cour de Moctezuma II, à Tenochtitlán. Comme l'épazote (voir page 196), la sauge donne aux haricots blancs une vigueur qui leur fait défaut. Dans un jardin, elle s'épanouit si bien que l'on regrette presque de n'avoir besoin que d'une ou deux feuilles de temps à autre !

Propriétés médicinales et autres usages

Depuis le Moyen Âge, la sauge séchée sert à concocter tisanes et boissons fortifiantes. Elle ferait également baisser la fièvre. La sauge était utilisée pour soulager les troubles hépatiques, les maux de gorge, les douleurs articulaires, la rougeole et les maux de tête d'origine nerveuse.

Cette épice est originaire du grand sud de l'Amérique du Nord. Adopté par les colons cajun, le sassafras est un ingrédient indispensable à la préparation des soupes de gombos de La Nouvelle-Orléans.

Aspect

Le sassafras est un arbuste à feuilles persistantes de la famille du laurier.

Emploi

Racines, écorce, feuilles et bourgeons – dans le sassafras, tout est bon. Les Indiens d'Amérique du Nord l'utilisent depuis la nuit des temps (mastiqué, infusé ou mélangé à du sirop d'érable en une boisson sucrée). La marmelade d'écorce de sassafras se distingue par une amertume agréable. Ce sont avant tout les feuilles, séchées puis broyées en poudre, qui intéressent le cuisinier. Ajouté en fin de cuisson, le sassafras sert d'agent liant, mais il peut aussi être employé sous forme de condiment. Les jeunes feuilles, encore tendres, se consomment volontiers en salade.

Origines

Le sassafras est une plante d'Amérique du Nord, originaire du Sud profond. Il fut adopté par les colons cajun, chassés du nord-ouest de la France pour avoir refusé de se soumettre au roi catholique. Ils émigrèrent au Canada, où ils se baptisèrent Acadiens, mot qui, avec l'accent canadien, donna « Cajuns ». Là, en butte à d'autres persécutions religieuses, ils refusèrent encore de renier leur foi et furent déportés vers les régions chaudes, marécageuses et insalubres de la Louisiane française.

Marginalisés lorsque Napoléon céda la Louisiane aux États-Unis, les Cajuns se mirent à exploiter les modestes produits des bayous. Grâce aux talents gastronomiques qu'ils avaient hérités de leur pays d'origine, ils créèrent une merveilleuse cuisine hybride à base de riz, d'écrevisses et de légumes tropicaux, tels les gombos. Ils apprirent à mettre en valeur les condiments et les ingrédients locaux – ainsi, le gombo à la texture gélatineuse remplaça le roux pour lier sauces et soupes. Puis ils découvrirent le sassafras, dont les vertus mucilagineuses donnent aux *gumbo* (mi-soupes mi-ragoûts) leur saveur et leur consistance caractéristiques.

Propriétés médicinales et autres usages

Le sassafras est un remède ancestral contre l'hypertension, les rhumatismes, l'arthrite, la goutte, les douleurs menstruelles, les affections cutanées, les ulcères et les problèmes rénaux. Il est également efficace contre les poux. L'écorce de la racine renferme une huile essentielle utilisée en parfumerie.

Sur un marché
péruvien, une
Indienne choisit
des épices.

Le clou de girofle est une des épices les plus puissantes et les plus aromatiques – il a aussi longtemps été la plus chère. Ce sont ses nombreux emplois culinaires et médicaux qui lui valent d'être si recherché depuis la nuit des temps.

Aspect

Les clous de girofle sont les boutons floraux de grands arbres à feuilles persistantes qui s'épanouissent sous les tropiques. Ils doivent leur nom à leur ressemblance avec un clou. Leur tête se compose d'un calice et de quatre sépales de couleur rose, qui virent au brun foncé en séchant au soleil.

Emploi

La saveur du clou de girofle est chaude et son odeur caractéristique. Il entre dans la composition du *garam masala* (voir page 31) et des poudres de curry.

Il apporte une touche chaleureuse au vin chaud et, outre-Manche, au Christmas pudding (voir page 132), tout en donnant à l'organisme un petit coup de fouet. À la fin du XVIe siècle, on utilisait des oranges piquées de clous de girofle pour neutraliser les mauvaises odeurs. Aujourd'hui encore, on aromatise certains ragoûts d'un oignon piqué de clous de girofle. Fichée dans le lard, cette épice enrichit la saveur du jambon cuit. Son arôme se marie parfaitement à celui de la pomme – un ou deux clous de girofle suffisent pour une tourte (voir page 130). La modération s'impose, car le parfum puissant du clou de girofle peut vite dominer les autres saveurs. Mais il n'a pas son pareil pour donner corps aux bouillons.

Ses qualités de conservation en font un élément important des condiments en saumure ou au vinaigre.

Au Brésil, le clou de girofle trouve un emploi inattendu dans l'un des nombreux entremets sucrés aux œufs et à la noix de coco : les yeux de belle-mère (voir page 112) sont un dessert réservé aux enfants, où deux clous de girofle figurent les yeux. Quant à la noix confite aromatisée au clou de girofle, c'est une spécialité turinoise.

Origines

Au XIIIe siècle, Marco Polo reconnut le giroflier en débarquant aux Moluques. Les Européens en profitèrent pour contourner les marchands arabes qui avaient la mainmise sur le commerce de cette épice précieuse. Les Portugais furent les premiers à occuper les îles aux girofliers, dont ils furent évincés par les Hollandais au XVIIe siècle. Ces derniers cantonnèrent la production de clous de girofle à une seule île, Amboine. Ils détruisirent toutes les autres cultures et exécutèrent quiconque menaçait leur monopole.

Les Français, qui, jusqu'alors, s'étaient tenus en marge du négoce des épices, leur firent bientôt concurrence. À Maurice et à la Réunion, le gouverneur Poivre tenta, avec succès, l'acclimatation de boutures. De là, le giroflier se diffusa à Madagascar, à Zanzibar (qui reste, aujourd'hui encore, un important producteur de clous de girofle) et aux Antilles, notamment à la Grenade.

Propriétés médicinales et autres usages

Le clou de girofle possède des vertus antiseptiques et analgésiques – son huile essentielle, l'eugénol, n'est-elle pas utilisée en médecine dentaire ? En Inde, on mastique le clou de girofle avec de la noix de bétel pour rafraîchir l'haleine.

Principaux consommateurs de clous de girofle, les Indonésiens s'en servent pour parfumer les Kretek, des cigarettes très fortes – les manufactures utilisent ainsi pas moins de 300 000 tonnes de clous de girofle par an.

Le thym reste un aromate essentiel en Europe, non seulement pour son parfum intense et flatteur, mais aussi pour ses vertus médicinales. Il tire son nom du verbe grec *thuein*, qui signifie « faire brûler en sacrifice » – voilà qui évoque immanquablement des images de brochettes et de barbecue, où les bouquets de thym crépitent doucement en dégageant une odeur âcre qui fait monter les larmes aux yeux... Le thym évoque aussi les versants brûlés de soleil des collines de Méditerranée, où ses effluves doux et entêtants embaument l'air.

Aspect

Le thym vient d'une petite plante buissonnante aux fleurs mauves et aux feuilles d'un vert moyen, qui peut atteindre une quarantaine de centimètres de haut.

Emploi

Tout le charme du thym réside dans son délicieux parfum. Utilisé comme aromate, il réchauffe les plats et engendre une sensation de bien-être. Il se marie parfaitement avec tous les aliments – viandes, poissons et légumes, surtout la tomate (une caractéristique qu'il partage avec l'origan).

Le thym séché reste excellent. En Jordanie et au Yémen, le thym en poudre entre dans la composition d'un mélange d'épices appelé *za'atar* (voir page 78), dont on assaisonne les galettes de pain à grignoter. Il s'agit là d'une espèce particulièrement piquante, le thym de Perse *(za'atar fars'i)*.

Origines

Il existe des centaines de cultivars du thym, dont le thym-citron est le plus apprécié. On trouve aussi des thyms à l'arôme d'orange, de pin, de carvi, voire de noix muscade.

Propriétés médicinales et autres usages

Les vertus thérapeutiques du thym sont connues depuis le XVIᵉ siècle. On l'utilise en bain de bouche, en gargarisme et pour soigner la toux. Il contient du thymol, une huile essentielle efficace contre les staphylocoques et les champignons (mycoses). Tout comme le jus de citron, le thym tue les salmonelles – un poulet farci de ces deux aromates sera non seulement savoureux, mais aussi parfaitement sain.

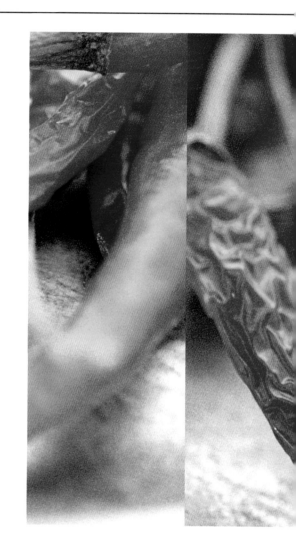

capsicum annuum (paprika)

Dans la famille des piments, le paprika est l'un des plus vendus au monde. L'industrie alimentaire en fait une grosse consommation, notamment.

Aspect

Le paprika vient des fruits d'un arbuste atteignant environ 1 mètre de haut. S'ils ressemblent à des poivrons rouges, leur chair épaisse est beaucoup plus dure.

Emploi

Espagnols et Hongrois rivalisent d'ingéniosité pour mettre cette épice en valeur. Les Hongrois en consomment 10 kilos par personne et par an. Il est vrai qu'il n'est guère de recette hongroise qui ne commence par « Faites frire deux cuillerées à soupe de paprika dans du saindoux… » Le paprika développe en effet tout son arôme sous l'effet de la chaleur, puis le cuisinier poursuit en ajoutant de la viande ou du poisson. Qui ne connaît pas le goulache (voir page 118), ce célèbre ragoût de bœuf au paprika ?

Origines

Même si la culture du paprika se pratique dans toute l'Europe, trois pays surtout alimentent un marché très demandeur : le paprika est recherché à la fois pour la couleur rouge qu'il confère aux plats et pour sa saveur subtile, douce-amère. Le paprika produit en Israël est destiné à l'exportation, tandis que l'Espagne cultive une variété spéciale, appelée *pimenton*. Mais le premier producteur reste la Hongrie.

Originaire du Nouveau Monde, le paprika fut introduit en Europe au XVIᵉ siècle – via la Turquie, d'où son ancien nom de poivre turc. Sous l'occupation ottomane, la culture du paprika en Hongrie fut plus ou moins interdite. Mais les Hongrois ne purent s'en passer, si bien qu'un marché noir se développa et que le paprika continua à croître en catimini.

Aujourd'hui, la culture et le séchage du paprika demeurent une activité artisanale, pratiquée dans les plaines méridionales de la région de Szeged. Une fois récoltés, à la fin de l'été, les fruits sont suspendus à un fil et placés en plein soleil. Lorsqu'on entend les pépins bouger à l'intérieur, c'est qu'ils sont prêts à être moulus. Pour cela, on utilise des meules, comme dans les moulins traditionnels.

Variétés

Il existe cinq sortes de paprika hongrois : *kulonleges* (délicat), *edesnemes* (délicat, noble et doux), *feledes* (mi-doux), *rozsa* (rose) et *eros* (fort).

Le paprika d'Espagne

La tradition du paprika est tout aussi ancienne en Espagne, où le *pimenton* est l'ingrédient de base des *embutidos*, terme générique désignant les saucisses sèches comme le chorizo et le *salchichon*, qui lui doivent leur couleur rouge profond et leur saveur à la fois douce et piquante.

Considéré comme une épice fine, le paprika espagnol fumé est cultivé artisanalement dans l'Estrémadure. Les fruits sèchent sur des claies en bois, au-dessus des braises obtenues avec le bois récolté dans les forêts de la région.

Propriétés médicinales et autres usages

Le paprika entrait jadis dans la composition de nombreuses potions médicales. En Espagne, mélangé à de l'alcool et à du jus de concombre, il était utilisé pour soigner les crampes d'estomac et les troubles digestifs. En Hongrie, on administrait un alcool de fruits additionné de paprika en cas de rhume ou de fièvre.

Jeune garçon turc proposant un choix d'épices haut en couleur au marché de Fethiye, sur la côte méditerranéenne.

On dit que le piment est l'épice la plus forte au monde. Économique, il donne vie, comme par magie, aux denrées les plus rudimentaires. Depuis son introduction en Europe en 1492, le piment a bouleversé les habitudes alimentaires aux quatre coins de la planète. Aujourd'hui, la cuisine indienne ne se conçoit plus sans lui, même si les habitants du sous-continent ont toujours eu l'amour des saveurs fortes.

Aspect

Du gros *poblano*, que l'on consomme farci, au minuscule pili-pili, encore plus petit que le piment-oiseau répandu en Asie du Sud-Est, le piment décline toutes les tailles et toutes les saveurs. Certains ont un goût sucré de raisin, comme le *pasilla*, tandis que d'autres possèdent un arôme sec et piquant, comme le *tabasco*.

Emploi

La plupart des livres de cuisine conseillent d'épépiner les piments afin d'en atténuer le feu. Or les pépins présentent la teneur en capsaïcine la plus basse du fruit. En revanche, la membrane blanche à laquelle ils sont rattachés en contient deux fois plus que la pulpe. Pour vraiment adoucir le piment, c'est donc la membrane qu'il convient d'ôter.

Le piment séché entre dans la composition de nombreuses pâtes et mélanges d'épices, dont la très célèbre harissa d'Afrique du Nord (voir page 98), le Tabasco américain et la sauce *berberi* éthiopienne (voir page 96). Le piment est également indispensable à la cuisine indienne et pakistanaise.

Origines

Au Mexique, pays du piment par excellence, il existe des centaines de cultivars de cette plante. Sur les marchés, on propose des dizaines de piments, fumés, frais ou séchés, petits ou grands. Un cuisinier mexicain digne de ce nom refuserait de se mettre aux fourneaux sans avoir une dizaine de piments à portée de main. Les piments fumés et séchés se distinguent par la complexité de leurs arômes.

Liés aux climats chauds, les piments s'épanouissent aussi en serre sous d'autres latitudes. Dans une université du sud de l'Angleterre, plus de deux cents espèces de piments sont ainsi cultivées sous serre : rouges, jaunes, verts, violets et bleus, longs et minces, courts, ronds et bulbeux ; on y retrouve les variétés *anaheim*, *ancho*, *fresno*, *guajillo* (et *mirasol*), *guindillo*, *habanero*, *jalapeno* (rebaptisé *chipotle* sous sa forme fumée), *cascabel*, *pasilla* (*chilaca*), *peperoncini*, *serra* et *tabasco*.

Qu'est-ce qu'un piment fort ?

Entre les piments les plus forts, comme le *habanero* (qui atteint 300 000 sur l'échelle de Scoville), et le doux piment de Californie, l'*anaheim* (aux alentours de 1 000), le *tabasco* s'affirme comme une variété assez forte, à environ 70 000. L'échelle de Scoville permet de mesurer la capsaïcine, un composant actif du piment également utilisé dans les médicaments, les sirops antitussifs et les traitements contre les douleurs musculaires.

Les aliments contenant de la capsaïcine mettent les papilles en feu, ce à quoi le cerveau réagit en produisant des endorphines qui, à leur tour, engendrent une sensation de bien-être. Les currys relevés peuvent ainsi provoquer un phénomène d'accoutumance, puisque les amateurs les supportent de plus en plus forts sans sourciller. La capsaïcine brûle, cependant – il suffit d'approcher la main des yeux après avoir coupé un piment pour s'en convaincre.

Propriétés médicinales et autres usages

Les Mayas se servaient du piment pour traiter l'asthme, la toux et les maux de gorge. Quant aux Aztèques, ils croyaient en son efficacité contre les rages de dents. Aujourd'hui, il vient rehausser le goût de certaines bières ; en Pologne, on trouve même une vodka au piment.

Dans un village du Népal, une petite fille marche sur les piments qui sèchent en plein soleil.

Le piment de Cayenne, le plus connu des piments en poudre, est le moyen le plus simple de donner un coup de fouet à vos petits plats.

Aspect

Le cayenne pousse sur un arbuste pouvant atteindre 60 centimètres de haut, qui développe de larges feuilles vert foncé. Les fleurs donnent des gousses de couleur jaune à vert (les piments), qui virent à l'orange et au rouge en mûrissant.

Emploi

Avant que ne se répande l'usage de fruits entiers, frais ou séchés, les cuisiniers relevaient leurs plats de piment en poudre. Âpre au goût, le cayenne enflamme les papilles : une pointe de couteau suffit à rehausser une pâte destinée à préparer de la petite friture, par exemple. Pour tempérer son amertume, on le fait en général chauffer, puis revenir dans un peu d'huile.

Les différentes sauces pimentées, dont la plupart viennent des Antilles, offrent une alternative au piment de Cayenne – le Tabasco de Louisiane, par exemple, qui demeure l'une des meilleures. Ce condiment se prépare avec des piments rouges parvenus à maturité, conservés en saumure et vieillis en tonneau pendant trois ans, avant d'être moulus et dilués dans du vinaigre. Cependant, bien des sauces au piment produites aux Antilles rivalisent aisément avec le Tabasco. Au Brésil, il y a toujours une petite bouteille de *malagueno* sur la table – sauce à base de petits piments macérés dans de l'huile ou du vinaigre. Les Chinois eux aussi ont leur sauce pimentée.

Le piment de Cayenne entre dans la composition de nombreux mélanges d'épices ; allié au cumin, au clou de girofle et à la poudre d'ail, il donne au célèbre chili con carne sa saveur caractéristique.

Origines

Le cayenne authentique est originaire de l'Île de Cayenne, en Guyane. Aujourd'hui, toutefois, le piment de Cayenne de consommation courante provient de piments moulus de diverses origines.

Propriétés médicinales et autres usages

On dit que le piment de Cayenne soulage les maux de tête et d'estomac. Pendant des siècles, les herboristes préconisaient de masser les articulations et les muscles douloureux avec du cayenne.

La mangue verte séchée donne une poudre à la saveur acide et fruitée, qui fait office d'aromate en Inde. En Iran, on trouve aussi de la poudre de citron vert ou de raisin, qui permet de donner aux plats une petite note aigrelette, tout comme le vinaigre en Occident.

Aspect

De forme ovale à ronde, la mangue mesure de 5 à 25 centimètres de long. Les fruits poussent en grappes sur un arbre qui peut atteindre la taille d'un chêne. La poudre de mangue se prépare avec des fruits encore verts, dont la pulpe est découpée en tranches. Ces dernières sont séchées au soleil, puis broyées en une fine poudre.

Emploi

Juteuse et sucrée lorsqu'elle parvient à maturité, la mangue peut aussi enrichir la cuisine toute l'année sous d'autres formes. Encore verte, elle entre dans la composition des chutneys, du *sambal* et de divers condiments au vinaigre ou en saumure ; on la trouve aussi parfois dans le *nam prik*, ce condiment fort et piquant à la base de nombreux plats thaïlandais.

La poudre de mangue se distingue par sa saveur acidulée, avec une subtile note de résine. Dans le nord de l'Inde, elle sert à préparer la pâte de tandoori, faite de yaourt et d'ail, avec le gingembre, la coriandre et le cumin (plus un colorant alimentaire rouge) ; on y fait mariner viandes et poissons durant plusieurs heures avant de les cuire dans un four *(tandoor)*, à une température très élevée. La poudre de mangue attendrit la viande. Elle agrémente aussi les préparations de légumes, où elle se substitue en général au tamarin.

Origines

Issu d'Inde et d'Asie du Sud-Est, le manguier pousse aussi au Brésil, au Mexique, aux Antilles et en Amérique du Nord.

Propriétés médicinales et autres usages

La mangue occupe une place d'honneur dans les contes et légendes orientaux. En Inde, elle était un symbole de classe sous le règne des Grands Moghols ; on dit que Akbar (1556-1605) entretenait un verger de cent mille manguiers.

En Occident, le poivre et le sel sont, depuis des siècles, les deux condiments essentiels. On a longtemps pensé que le poivre, comme d'autres épices fortes, servait à masquer le goût des aliments peu frais à l'époque où la réfrigération n'existait pas. Aujourd'hui, on sait que, si les gens poivraient leurs aliments, c'est qu'ils aimaient cela.

Aspect

Les grains de poivre sont les fruits d'un arbuste grimpant. Les grains noirs ou bruns sont des baies vertes que l'on fait sécher au soleil jusqu'à ce qu'elles se rident et changent de couleur. Quant au poivre blanc, il provient des baies rouges parvenues à maturité, qu'on laisse macérer dans de l'eau pour pouvoir en ôter l'enveloppe ; la graine blanche récupérée est ensuite mise à sécher.

Emploi

Le poivre gagne à être broyé au moulin car, une fois moulu, il perd rapidement de son arôme. Le poivre blanc éventé peut même altérer tout un plat.

Comparée à celle du piment, la saveur du poivre est douce et chaude. Le poivre fraîchement moulu entre dans la composition du *garam masala* (voir page 31), un mélange d'épices indien ajouté en fin de cuisson. Si les essences aromatiques du poivre se volatilisent à la chaleur, il ajoute néanmoins une touche agréable aux bouillons de viande et de poisson. Sous forme de panure (voir Steaks au poivre, page 128), son piquant reste tout à fait délectable.

Origines

Le poivrier est originaire des forêts tropicales du sud-ouest de l'Inde. Agrippés aux palmiers et aux manguiers, les sarments développent de belles grappes de baies vertes qui, en mûrissant, virent au rouge, étincelant comme des rubis dans l'écrin vert des feuilles effilées.

Ce sont les Romains qui développèrent le commerce du poivre et l'introduisirent en Europe. Cette épice était alors si précieuse qu'elle servait souvent de monnaie d'échange : quelques grains suffisaient pour acheter un esclave. Lorsque les soldats d'Alaric, roi des Wisigoths, cernèrent Rome durant les dernières années de l'Empire, la cité fut épargnée moyennant 1 350 kilos de poivre. Avant la conquête normande, le roi d'Angleterre exigeait des marchands un impôt en partie constitué de grains de poivre.

Jusqu'à ce que Christophe Colomb rapporte le piment des Amériques, au XVIe siècle, l'Ancien Monde ne connaissait d'autre épice brûlante que le poivre, dont l'usage était alors surtout répandu en Inde, son pays d'origine. Le poivrier fut introduit en Asie du Sud-Est voici deux mille ans. Depuis, il est cultivé en Indonésie et en Malaisie. Aujourd'hui, la Thaïlande, le Viêt Nam, la Chine, le Sri Lanka et le Brésil se sont lancés dans la production de poivre.

Propriétés médicinales et autres usages

Le poivre est traditionnellement utilisé pour stimuler l'appétit, ainsi que pour soulager nausées et vertiges. On lui prête des vertus carminatives et laxatives ; on dit aussi qu'il permet de lutter contre la fièvre et le rhume. En Afrique orientale, il est employé pour éloigner les moustiques, tandis qu'au Népal il contribuerait à tenir les sangsues à distance.

**Le tamarin est le fruit aigre d'un arbre tropical.
Il porte également le nom de datte indienne.**

Aspect
La gousse qui renferme la graine ressemble à une châtaigne.
Une fois ouverte, elle révèle une pulpe tendre à la saveur
aigre-douce, renfermant quelques graines brunes.

Emploi
Délicieux lorsqu'il est frais, le tamarin se présente en général
à demi séché et perd son appétissante fraîcheur. Il est vendu
en bloc (pâte), à faire tremper pour en extraire les graines.
On le trouve aussi en pot, sous une forme concentrée, qui
n'est plus que l'ombre du produit frais. Les cuisiniers indiens
et sri lankais utilisent le fruit frais, mature en janvier. Le
tamarin est ainsi un ingrédient essentiel des chutneys et du
sambal, cette sauce épaisse et acide qui relève les féculents,
comme les *appari*, les traditionnelles galettes du petit
déjeuner au Sri Lanka.

En Occident, l'emploi du tamarin est plus répandu
qu'il n'y paraît. Il entre dans la composition de nombreuses
sauces aux fruits, comme celles que l'on trouve dans
les routiers américains. Le jus de tamarin est une
rafraîchissante boisson d'été.

Origines
Le tamarinier est un grand arbre au tronc droit et épais,
portant de longues branches, qui pousse en Inde,
en Afrique tropicale et aux Antilles. Dans ces régions,
on voit souvent de jeunes garçons lancer des bâtons
vers les hautes branches pour en faire tomber les gousses.

Propriétés médicinales et autres usages
Le tamarin est connu pour ses vertus astringentes et
antiseptiques. Il possède des propriétés laxatives et soulage
les nausées ainsi que les maux d'estomac. On l'utilise aussi
pour éliminer les vers chez les jeunes enfants. En usage
externe, il sert à laver les yeux et les plaies.

vanilla planifolia (vanille)

Le délicat parfum de la vanille est parmi les plus appréciés au monde : elle aromatise plus de 90 pour cent des crèmes glacées que nous consommons ! En espagnol, *vainilla* signifie « petit haricot » – ainsi fut-elle baptisée par les conquistadores qui la découvrirent au Mexique. C'est l'épice la plus chère après le safran.

Aspect

La vanille est une fine et longue gousse de couleur verte, dont la forme rappelle celle du haricot vert. Elle est le fruit d'une modeste orchidée blanche, la plus discrète de cette famille dont les fleurs rivalisent de couleur et de beauté.

Au Sri Lanka, gousses de vanille à vendre, posées sur du papier journal.

Emploi

La vanille est un aromate essentiel en pâtisserie partout dans le monde. Elle parfume de nombreux entremets, comme la crème brûlée (voir page 148). Son goût irrésistible domine presque tous ceux qu'il côtoie. Onéreuse, la vanille naturelle est souvent remplacée par un substitut de synthèse, la vanilline, qui ne peut égaler l'original et qu'il est désormais interdit d'appeler essence de vanille.

Origines

Originaire des forêts tropicales humides d'Amérique centrale, le vanillier est une plante grimpante qui met trois ans à produire des fruits. Une fois cueillies, les gousses vertes sont mises à sécher au soleil. Chaque jour, elles sont trempées dans de l'eau bouillante, puis égouttées. L'opération est réitérée jusqu'à ce que les enzymes soient neutralisées et que de minuscules cristaux blancs apparaissent à leur surface à mesure qu'elles noircissent – signe que le principe aromatisant, la vanilline, se développe. En fin de processus, les gousses sont dures et presque noires.

Les premiers explorateurs qui débarquèrent au Mexique espéraient pouvoir transplanter la vanille sous d'autres cieux. Ils furent cruellement déçus en constatant que la plupart des graines ne germaient pas. Ce sont les Français qui réussirent à développer la culture de la vanille – ironie du sort si l'on songe que, contrairement aux Anglais, aux Portugais et aux Hollandais, ils n'avaient même pas essayé de contrôler la route des épices aux XVIe et XVIIe siècles. Au hasard de ses recherches, un botaniste belge découvrit que les sarments étaient pollinisés par certaines espèces d'abeilles et de colibris, ce qui lui suggéra qu'il devait aussi être possible de les polliniser à la main. La théorie fut mise en pratique par un esclave africain de 16 ans sur l'île de la Réunion, dans l'océan Indien. C'est ainsi que la Réunion se mit à produire la meilleure vanille du monde, la vanille Bourbon. La culture de la vanille se diffusa ensuite à Madagascar, alors sous domination française, qui est aujourd'hui devenu le premier producteur.

Propriétés médicinales et autres usages

Depuis les Aztèques, la vanille est employée comme aphrodisiaque et pour lutter contre l'impuissance. Elle ferait également baisser la fièvre.

La noix de coco est un ingrédient incontournable au Brésil et en Asie du Sud-Est. Sur les plages de Rio de Janeiro, des stands proposent de jeunes noix toutes fraîches. Les fruits sont ouverts à la machette et servis avec une paille : il n'y a plus qu'à aspirer leur jus.

Aspect

La coque de la noix de coco est dure, ligneuse et fibreuse. Elle est dotée, à une extrémité, de trois points qui évoquent une bouche et deux yeux. Cette coque brune recèle une pulpe blanche de consistance épaisse.

Emploi

Utilisée comme aromate, la noix de coco se présente sous différentes formes : râpée et séchée (poudre), en crème (barres) ou en lait (boîte ou brique). Le lait de coco est obtenu par décoction de la pulpe râpée. Une fois filtrée, cette préparation donne un mélange de « crème » et de « lait », la partie crémeuse étant la plus riche en graisses – donc la plus calorique. Le lait de coco du commerce contient les deux, maix rien ne vaut la saveur de la noix de coco fraîche.

La gastronomie brésilienne offre un choix immense de desserts – un legs des talents culinaires des sœurs portugaises installées dans les colonies. La plupart sont à base de noix de coco râpée, qui se substitua aux amandes des recettes d'origine. La noix de coco râpée se marie également avec les poissons et les fruits de mer. Grillée, elle acquiert un goût de noisette qui fait merveille dans bien des mets.

Le riz à la noix de coco est un grand classique aux Antilles comme en Indonésie. En Malaisie, dans les soupes et les ragoûts, la noix de coco tempère le feu des piments.

Origines

D'origine malaise, le cocotier s'est implanté dans toutes les régions tropicales, d'Asie jusqu'aux Amériques, en passant par l'Afrique. Facile à cultiver, ce palmier se contente de sols pauvres et sableux. Il donne du bois, la fibre de coco, ainsi qu'une huile saturée utilisée dans l'industrie et dans le secteur alimentaire. L'Indonésie, l'Inde et les Philippines demeurent les principaux producteurs de noix de coco.

Propriétés médicinales et autres usages

La noix de coco renferme un liquide très rafraîchissant. Sa pulpe est riche en fibres, excellentes pour le transit.

L'asa-fœtida, ou férule, dégage une odeur fétide, qui disparaît à la cuisson, laissant place à un puissant parfum d'ail et d'oignon. Dans le sud de l'Inde, c'est un condiment essentiel à la cuisine végétarienne.

Aspect

L'asa-fœtida est une gomme brune extraite des racines d'une espèce de fenouil géant. Formée en petites boules, la résine sèche et durcit au soleil.

Emploi

Râpez et chauffez l'asa-fœtida dans une poêle pour neutraliser son odeur âcre et sulfureuse. Utilisez-la avec parcimonie en raison de son arôme prononcé. Pour préparer certains plats, les cuisiniers indiens se contentent d'en frotter le récipient de cuisson, tout comme nous aillons un saladier juste pour donner un peu de piquant aux ingrédients.

Origines

Originaire d'Iran et d'Afghanistan, l'asa-fœtida était jadis un aromate de premier plan dans cette région du monde (« ce que le poivre est aux Chinois », écrivait alors un chroniqueur). Elle fut découverte par Alexandre le Grand en Afghanistan, aux confins orientaux de l'immense Empire perse. Lui trouvant une ressemblance avec le sylphium (une épice aujourd'hui disparue), le conquérant l'introduisit en Europe.

Aussitôt adoptée par les Grecs, l'asa-fœtida fut ensuite intégrée à la cuisine romaine, dont elle devint l'un des principaux aromates, puisque la moitié des recettes des *Dix Livres de la cuisine* d'Apicius en font état. Son usage décline à la chute de l'Empire romain.

L'asa-fœtida fut accueillie avec enthousiasme en Inde, où elle reçut le nom de *hing*. Si les poètes orientaux la baptisèrent nectar des épices, son odeur repoussante lui valut, en Occident, le surnom d'excrément du diable.

Propriétés médicinales et autres usages

L'asa-fœtida ouvre l'appétit, facilite la digestion et combat les ballonnements. Une goutte de jus de gingembre additionnée d'une pointe d'asa-fœtida tous les deux jours stimule, disait-on, l'activité sexuelle des hommes à la virilité défaillante.

Si la noix muscade est aussi prisée c'est que son riche parfum rehausse les mets aussi bien salés que sucrés. Elle ravive crèmes et laitages, elle est l'étincelle qui allume en nous une petite flamme réconfortante.

Aspect

La noix muscade est le noyau du fruit vert du muscadier. L'arbre tout entier est un prodige de sensualité, dont les feuilles et l'écorce dégagent, elles aussi, un parfum délicieusement épicé. Jadis, la pulpe du fruit confite était une confiserie très recherchée. Sous la chair, un entrelacs de fibres rougeâtres appelé arille (voir macis, page 204) entoure un noyau dur et brun que l'on fait sécher au soleil avant de le râper.

Achetez de préférence les noix entières et râpez-les au dernier moment. En l'absence de râpe, prélevez des copeaux à l'aide d'un économe ou d'un couteau bien aiguisé.

Emploi

Les emplois de la noix muscade sont innombrables. Selon le poète anglais Chaucer (XIVe siècle), elle servait aussi bien à parfumer la bière qu'à assainir les vêtements renfermés dans une armoire. Quant aux moines byzantins, ils en saupoudraient la purée de pois cassés. Aujourd'hui, elle exalte la saveur des punchs et vins chauds. Les cuisiniers indiens, eux, l'utilisent pour réchauffer le goût des pâtes d'épices et en parsèment certains plats en fin de cuisson.

Aux Antilles, elle entre dans la composition des pâtes brûlantes où l'on fait mariner viandes et poissons (voir page 115). Dans les pays anglo-saxons, la noix muscade évoque immanquablement les fêtes de fin d'année et le célèbre Christmas pudding (voir page 132). Cette épice se marie aussi avec les fromages et les laitages : une pincée de noix muscade râpée suffit à rehausser une sauce au fromage un peu fade comme à donner du piquant aux boissons chocolatées.

Origines

Originaire d'Indonésie, le muscadier est aujourd'hui cultivé dans de nombreuses régions tropicales, notamment aux Antilles. À la Grenade, le plus grand producteur d'épices au monde, on trie les noix de muscade en fonction de leur poids : placées dans une bassine d'eau, certaines noix coulent – celles-ci sont destinées à la consommation alimentaire –, tandis que d'autres flottent – elles sont alors dirigées vers l'industrie pharmaceutique.

Propriétés médicinales et autres usages

Jadis, les nonnes attribuaient à la noix muscade des vertus purificatrices : elle permettait de se préserver des mauvaises pensées. Si cette épice reste rare, c'est aussi parce que, consommée en grande quantité, elle a des effets hallucinogènes. Que cela ne vous empêche pas d'en relever vos petits plats – à condition de vous en tenir à moins de deux noix râpées par recette.

Le mastic est un aromate résineux très utilisé dans la cuisine arabo-persique. Il donne du corps à la saveur douceâtre des blancs-mangers et des entremets au lait caillé, à la semoule et au riz. Très recherché au XVe siècle, il figurait sur la liste des épices remise à Christophe Colomb avant son périple vers le Nouveau Monde, aux côtés du poivre, de la cannelle et de la noix muscade.

Aspect

Extrait du lentisque, le mastic se présente sous forme de gommes dures et brillantes. Son goût est proche de celui de la résine de pin.

Emploi

C'est le mastic qui donne aux loukoums (voir page 76) et aux crèmes glacées turques leur saveur et leur consistance caractéristiques. Il entre aussi dans la composition de certaines pâtes à pain, qu'il rend plus élastiques.

Origines

Le mastic est extrait du lentisque, un arbre de la famille du pistachier qui croît sur les versants des collines au Proche-Orient. Il pousse uniquement à l'état sauvage, sauf sur la petite île égéenne de Chio, au large des côtes turques. Utilisé en Turquie et en Grèce depuis deux mille quatre cents ans, le mastic était particulièrement prisé à la cour des sultans d'Istanbul, au palais de Topkapi ; les dames du harem en mastiquaient tout au long de la journée pour garder leur haleine fraîche. À Chio, les Ottomans ne reculèrent devant rien pour protéger leurs réserves de mastic, faisant ériger des tours de guet fortifiées devant les cités où l'on cultivait le lentisque.

Pour récolter le mastic, on pratique une entaille sur le tronc des arbres en vue de les faire « saigner ». De cette encoche sourdent des gouttes transparentes que l'on recueille avant de les nettoyer au savon. Elles sont ensuite rincées plusieurs fois, jusqu'à ce qu'elles étincellent comme du cristal. La récolte des cristaux, qui tombent sur le sol ou restent collés sur les feuilles, est une tâche qui revient traditionnellement aux femmes âgées. Armées d'un seau, elles les rassemblent et les nettoient avec le même soin que s'il s'agissait de pépites d'or.

Propriétés médicinales et autres usages

Le mastic possède des vertus stimulantes et diurétiques. Il est également utilisé pour soigner la diarrhée chez les enfants, pour rafraîchir l'haleine et pour prévenir les caries dentaires. En Orient, il entre dans la composition des confiseries et des boissons fortifiantes. Il vient aussi épaissir la consistance de certains rakis (alcool anisé consommé en Turquie). Avant le chewing-gum, c'est le mastic qui faisait office de pâte à mâcher – les amateurs en « mastiquaient » pendant des heures.

Avec la vanille, le cacao est l'aromate par excellence. Curieusement, sa forme la plus appréciée, le chocolat, résulte d'un processus de réduction des qualités du produit brut. Une fois la matière grasse extraite (beurre de cacao), on atténue l'amertume intense du cacao en ajoutant du sucre et, pour obtenir du chocolat au lait, du lait en poudre.

Aspect

Arbre pouvant atteindre 4 à 5 mètres de haut, le cacaoyer se reconnaît à ses larges feuilles vertes, à ses petites fleurs rougeâtres et à ses fruits rouges. Les cabosses, recouvertes de stries, ont la forme d'un ballon de rugby. Lorsque les fèves (graines) parviennent à maturité, on les entend s'entrechoquer à l'intérieur de la capsule (chacune en contient environ vingt-cinq). Les fèves sont extraites avec la pulpe, puis on les fait fermenter et sécher au soleil avant de les torréfier et de les réduire en poudre très fine.

Emploi

Le cacao entre dans la composition de certains plats salés. Au Mexique, allié au piment et à la vanille, il parfume les traditionnels *moles* (voir page 101) depuis des siècles. Ce n'est qu'après la colonisation du Nouveau Monde que le cacao fut utilisé pour aromatiser les préparations sucrées.

C'est avant tout aux Belges, aux Suisses et aux Britanniques que l'on doit le développement de la culture du chocolat telle que nous la connaissons. Français et Italiens, toutefois, monopolisent le secteur haut de gamme du marché avec leurs grands crus issus des meilleures récoltes. Les Italiens, pour leur part, demeurent les seuls Européens à intégrer le cacao à certains plats salés ; ils n'hésitent pas à marier le chocolat à la viande, au gibier et même aux fruits de mer (poulpe).

Origines

Le cacaoyer est originaire des forêts équatoriales du nord de l'Amérique du Sud (de la région de l'actuel Venezuela qui, aujourd'hui encore, produit les meilleures fèves du monde).

À l'origine, le cacao servait à préparer une boisson stimulante et rafraîchissante (comme le café, il contient de la caféine). Ce furent les Mayas qui l'introduisirent dans la région de l'actuel Mexique, où les Toltèques l'adoptèrent immédiatement. Quant aux Aztèques, ils allèrent jusqu'à ériger les fèves de cacao au rang de monnaie d'échange.

Lorsque le conquistador Hernán Cortés fut présenté à la cour aztèque de Tenochtitlán, en 1519, la consommation de boisson au cacao était réservée à l'empereur : Moctezuma la dégustait dans une coupe en or massif. À l'époque, le cacao n'était pas sucré, ce qui lui valut son nom de *choclatl*, que l'on peut traduire par « eau amère ».

Christophe Colomb découvrit le chocolat lors de son quatrième voyage, mais c'est Cortés qui l'introduisit en Europe et ce sont les Espagnols qui eurent l'idée de boire le chocolat avec du sucre et de la cannelle, plutôt qu'avec des piments. Les marchands espagnols parvinrent à garder secrète l'importation du cacao, si bien que des pirates anglais, découvrant la pâte brune et épaisse à bord d'un galion espagnol qu'ils venaient de capturer, la prirent pour des crottes de mouton et la jetèrent par-dessus bord.

Propriétés médicinales et autres usages

La matière grasse de *Theobroma*, autrement dit le beurre de cacao, entre dans la composition de certains produits cosmétiques et dans l'enrobage des comprimés pharmaceutiques. Il soulage les gerçures et les engelures. Diurétique, il est aussi employé contre l'hypertension.

Empilées sur un stand de marché mexicain, ces barres de chocolat brut sont destinées aux préparations salées comme les *moles*.

index des recettes / index des recette

index des recettes / index des recettes

index / index / index / index / index /

Crédits photographiques

Abréviations : IPL – Impact Photo Library ; FL – Francine Lawrence ; MWS – Marcus Wilson-Smith ; PdV – Patrice de Villiers.

Toutes les photographies sont de Steve Baxter, sauf les photographies suivantes :
première de couverture PdV ; quatrième de couverture (en haut) Dominic Sansoni/IPL ; page 3 (à gauche) Dominic Sansoni/IPL ; page 7 PdV ;
page 12 Wally Santona/IPL ; page 13 Dominic Sansoni/IPL ; page 15 David S. Silverling/IPL ; page 18 PdV ; page 31 Charles Coates/IPL ;
page 33 (en haut) MWS ; page 33 (en bas) Mark Henley/IPL ; page 41 PdV ; page 47 FL ; page 49 PdV ; page 55 MWS ; page 59 PdV ; page
63 Jonathan Pile/IPL ; page 64 Robin Laurance/IPL ; page 65 Alan Keohane/IPL ; page 70 PdV ; page 80 MWS ; page 81 Ben Edwards/ IPL ;
page 84 FL ; page 88 PdV ; page 94 MWS ; page 99 Ray Roberts/IPL ; page 100 Mark Henley/IPL ; page 104 PdV ; page 108 PdV ; page
115 FL ; page 123 MWS ; page 132 MWS ; page 134 MWS ; page 137 MWS ; page 163 FL ; page 181 FL ; page 197 Daniel White/IPL ; page
198 Caroline Penn/IPL ; page 211 FL ; page 216 Piers Cavendish/IPL ; page 219 Christophe Bluntzer/IPL ; page 224 FL ; page 232 FL ; pages
234–235 PdV.

Achevé d'imprimer : septembre 2004
Dépôt légal en France : octobre 2004
Dépôt légal en Belgique : D-2004-0621-77

Imprimé à Singapour par Star Standard, 8/10 Gul Lane,
Jurong Town, Jurong Industrial Estate, Singapore 629409
Printed in Singapore